JN016608

情報セキュリティの
敗北史
脆弱性はどこから来たのか
アンドリュー・スチュワート
小林啓倫［訳］
A Vulnerable System
The History of Information Security
in the Computer Age
Andrew J. Stewart
白揚社

ローズ・ローダーの想い出に

目次

・本文中の〔　〕は訳者による補足を示す。

プロローグ　3つの汚名

1990年代の終わり、オーストラリアに住んでいたジュリアン・アサンジは、フリーソフトウェアの開発に明け暮れていた。[1] 彼がウィキリークスを立ち上げるのは6年後のことだったが、情報セキュリティに関する彼の知識はすでに確立されていた。それまでの5年間、彼はコンピュータをハッキングしたとして有罪判決を受けたり、若いコンピュータハッカーグループの活躍を描いた本の出版に協力したりしていた。[2] またアサンジは、商用のコンピュータセキュリティ製品を開発する会社を共同で設立していた。[3]

彼は情報セキュリティに関心を持ち、いくつかの電子メールのディスカッションリストにも登録していた。その中に「インフォメーション・セキュリティ・ニュース」というメーリングリストがあり、そこには情報セキュリティに関する主要な報道機関のニュース記事が掲載されていた。[4] このリストのメンバーは、他にもさまざまな関心事を投稿したり、情報セキュリティについてメンバー同士で議論したりしていた。[5]

2000年6月13日、メーリングリストに1つのメッセージが投稿された。そこにはコンピュータセキュリティに関する研究のうち、最も早く発表されたものの1つへのリンクが貼られていた。[6] タイトルは「コンピュータシステムのセキュリティ管理」で、投稿者はそれを「すべての始まりとなった論文」と評していた。これを見たアサンジは、次のように返信した。「人類にとって悲しむべき日だ。これは肛門性格のパラノイド〔肛門性格とは、フロイトが主張した心理発達の5段階における2番目の時期「肛門期」に固執することによって生まれる性格で、強情や潔癖といった特徴を持つ〕のための機械化されたスキームだね。それを使えば、認可されていない予想外の創造的な行為を自動的に粉砕するという権威主義的な夢を実現することができるというわけだ[7]」。この返答は大げさで辛辣、おそらくは皮肉でもあったが、「情報は自由を求める」というハッカー文化の思想を支持しており、後にアサンジが残すことになる遺産の小さな一部となった。[8]

しかしアサンジは間違っていた。情報セキュリティの研究は、社会に多大な価値をもたらしたのである。ネットにおいて、プライベートで匿名性の高いコミュニケーションを可能にするのは、セキュリティのテクノロジーと手法だ。それによって反体制派の人々は連帯し、政府による監視から身を守ることが可能になる。内部告発者は、企業や政府の不正や違法行為をより安全に暴露することができる。ウィキリークス自体、情報セキュリティの研究から生まれた技術や運用方法なしには成り立たなかっただろう。

アサンジは、情報セキュリティを研究する取り組みを単に「白か黒か」で表そうとしたが、それは間違いだった。そこには明らかに、利益とコストの両方が存在するからだ。レオン・トロツキーは、「あなたは戦争に興味がないかもしれないが、戦争はあなたに興味がある」と言ったとされる。その意味するところは、自分に影響を与える可能性のある事柄を無視してはならないということであり、そして情報セキュリティの問題は、いまや日常生活の中にまで浸透している。最初のデジタルコンピュータの誕生は、コンピュータと情報セキュリティの両方の新時代の始まりを告げた。世の中の情報がますますデジタル化されていく中で、その情報を保護できることが最優先事項となっている。情報セキュリティの重要性は高まる一方だが、それを実現するための取り組みはまだ道半ばだ。情報セキュリティの重大な欠陥が常態化している上、それは深刻な構造的問題に根ざしている。

知的財産や顧客の機密データの保護、情報セキュリティに関する法律に準拠していることの証明を目的として、さまざまなセキュリティ製品やサービスに数十億ドルが費やされている。[9] しかし数十億ドルを投じてなお、データ漏洩は頻繁に発生し、広範囲に及んでいる。2005年、米国の百貨店TJマックスの顧客1億人以上のデビットカードとクレジットカードの情報が、ハッカーによって奪われた。[10] 2013年、ヤフーでデータ漏洩が発生し、30億人のユーザーアカウントの情報が流出した。[11] データ漏洩によって個人情報が盗まれると、個人や流出元となった組織に悪影響が及ぶ。

世界的に見ても、コンピュータハッキングは、知的財産の窃盗、選挙の操作、スパイ活動などを目的として、それぞれの国家で研究、開発、利用されてきた。2010年に発見されたコンピュータウイルス「スタックスネット」は、核物質の生産に使用されるイランの遠心分離機を感染させ、損傷を与えることを目的として開発された。[12] 同じ年、中国政府が大規模なコンピュータハッキングを行い米国企業から知的財産を盗み出したことを示す、強力な証拠が提示された。[13] さらに米国家安全保障局（NSA）と英政府通信本部（GCHQ）が、コンピュータと電子通信を国境を越えて広く盗み見るために、コンピュータハッキングの手法を用いていたことが発覚した。[14]

データ漏洩とコンピュータハッキングという対を成す問題は、現代の情報セキュリティ分野が根本的な原因を解決しようとするのではなく、セキュリティ問題への「対症療法」の繰り返しに陥ることで、ますます深刻化している。これは、対応しなければならない新しい技術や新しいセキュリティの脆弱性が次から次へと出てくるというだけでなく、新しいものに対して人間がバイアスを持つためでもある。新しいものはファッショナブルであり、なにより望まれる。しかし流行に乗り遅れまいとする気持ちは、物事の本質を見極める機会を台無しにしてしまいかねない。バッファオーバーフロー〔コンピュータ上の特定の領域において、上限を超えた量のデータが書き込まれることで、その領域のデータが破壊されてしまう現象〕、フィッシング〔銀行口座番号やクレジットカード番号など、経済的価値のある情報を、対象者から盗み取ろうとする行為〕、SQLインジェクション〔アプリケーション上の脆弱性を利用して、データベースを操作する言語「SQL」を読み込ませ、不正な操作を行おうとする行為〕など、現在のコンピュータシステムのセキュリティを脅かしているさまざまな脆弱性は、実は新しいものではない。これらを解説した記事が、バッファオーバーフローについては1972年に、フィッシングについては1995年に、SQLインジェクションについては1998年に発表されている。[15] 情報セキュリティの分野における、この「認知的閉鎖」（人々が現実から逃避し、作り物の世界に引きこもっている状態を表す用語）は、現在を優先し過去を切り捨てるという状況をもたらした。その結果、不幸にも膨大な機会費用〔ある選択をすることで失ったものの価値のこと）が発生してしまったのである。

この3つの重大な失敗、すなわちデータ漏洩、国家によるコンピュータハッキングの利用、認知的閉鎖は、情報セキュリティの分野を特徴づける、明白な汚名だ。症状ではなく原因に向き合うことで、この3つの汚名を返上することができるが、そのためにはこれらがどのようにして生まれたのかを理解する必要がある。

アサンジは、情報セキュリティに関する初期の研究を即座に否定したが、情報セキュリティ分野における課題は、1970年代に行われた基礎的な研究に根差している。この時代、少数の学者や研究者が、未来への道筋を示すアイデアを生み出していた。それらをもたらしたのは、ランド研究所などのシンクタンク、米中央情報局（CIA）やNSAなどの政府機関、ロッキード・ミサイル・アンド・スペースなどの防衛関連企業だった。

彼らはテクノクラートであり、「コンピュータシステムは合理的で科学的な法則に従えば保護できる」という信念で結ばれていた。そしてこの取り組みに、知的な純粋さを持ち込んだ。彼らのビジョンは、安全と秩序を約束するものだった。しかし彼らは、自分たちの取り組みの核心部分に、最初から危険な欠陥があることに気づいていなかったのだ。その欠陥が、情報セキュリティ分野の発展と、現代における情報セキュリティの実現に大きな影響を与えることになる。

1　情報セキュリティの「新次元」

コンピュータの登場

1960年代後半から70年代前半にかけて、少数の学者や研究者が、現代の世界に大きな影響を与えるアイデアを生み出した。彼らの夢は、コンピュータの世界において、情報が守られる未来をつくることだった。彼らは人間が合理的な機械の歯車として機能し、それを米軍が動かすことが可能になると信じていたのだ。その取り組みは確かに世界を変えたが、それは彼らが意図したような形ではなかった。

そうした背景から今日の情報セキュリティが生まれた。彼らの働きにより、情報セキュリティというゲームの盤面が用意されたのだ。プレイヤーとなるのは、コンピュータハッカーを迎え撃つ組織、内部の人物による情報漏洩を防ごうとする政府、そして個人情報を守ろうとするすべての人々である。

盤面の反対側には、コンピュータハッカー、スパイ、テロリストなどがいるが、彼らもまたプレイヤーだ。

このような学者や研究者を集めたのは、初期のコンピュータをはじめとする新たなテクノロジーを取り入れてきた歴史を持つ米軍であった。米軍が情報セキュリティの発展に与えた影響は、彼らがコンピュータ自体の開発に与えた影響とかたく結びついている。１９４３年、米陸軍は世界初の「電子計算機」であるＥＮＩＡＣの設計・開発への資金提供を開始した。[1] ＥＮＩＡＣを設計したのは、Ｊ・プレスパー・エッカートとジョン・ウィリアム・モークリーである。エッカートは電気技師、モークリーは物理学者で、２人とも戦時中の計算機研究の中心地だったペンシルベニア大学ムーア電気工学スクールに勤務していた。彼らはＥＮＩＡＣコンピュータを販売するために、１９４８年にエッカート・モークリー・コンピュータ・コーポレーションを設立する。[2]

陸軍はＥＮＩＡＣを使い、大砲の射表（大砲を発射する際に照準の計算をするために使われる表。コンピュータがなかった時代には人力による計算でその作成が行われた）を計算した。[3] ＥＮＩＡＣは、この作業に最適のマシンだった。射表の計算では、似たような複雑な数式を繰り返し処理しなければならないからだ。[4] 砲弾の弾道を理解し予測することは、第２次世界大戦を戦うために新型の大砲を大量に開発していた陸軍にとって、大きな関心事だった。

ＥＮＩＡＣは驚異的な機械だった。重さは30トンあり、１万８０００本の真空管、騒がしい電動タイプライター、うなりを上げるテープドライブなどで、部屋全体が埋め尽くされた。[5] そこには膨大な量のケーブルが使われ、空腹のネズミたちが天敵だった。ＥＮＩＡＣの設計時、エッカートとモークリーは、さまざまな種類のケーブルの絶縁体が入った箱に、数匹のネズミを入れる実験を行った。そこで最もネズミに齧(かじ)られなかった絶縁体が採用されたのである。[6]

ＥＮＩＡＣのオペレーターは、史上初のコンピュータプログラマーと言っても過言ではないだろう。それは、ペンシルベニア大学から米軍に採用された6人の先駆的な女性たちであった。[7] 彼女たちに与えられた仕事は、数学的知識を駆使して、コンピュータのさまざまな部分を配線し、ＥＮＩＡＣの設定を行うことだった。そうすることで、必要な計算ができるようになるのである。[8] 彼女たちのＥＮＩＡＣとコンピュータ分野への貢献は、近年になってようやく認識されるようになった。[9]

１９５０年、エッカート・モークリー・コンピュータ・コーポレーションはレミントンランドに買収された。この複合企業は軍事市場とも関わりが深く、現在では同社を象徴する拳銃となった「１９１１」をはじめ、さまざまな通常兵器を製造・販売していた。

第2次世界大戦終了後、米軍は戦争の遂行とは直接関係のない、新たな課題に直面していた。その多くは、人員や機材をいかに効率的に移動させ、世界中に新設した膨大な数の米空軍基地に供給するかという、ロジスティクスに関する課題であった。これらの課題を解決するために、ＥＮＩＡＣの後継機であるＵＮＩＶＡＣの採用が検討された。ＵＮＩＶＡＣを設計したのもエッカートとモークリーであり、当時、約１００万ドルで販売されていた。[10] ＵＮＩＶＡＣはUniversal Automatic Computer（汎用自動計算機）の略で、この名称は、マシンが全般的な問題を解決でき、特定のタイプの計算に限定されないことを示すために注意深く選ばれたものだ。[11] マシンに柔軟性を持たせるこうしたイノベーションには価値があり、特に解決すべき問題の種類が多い米軍にとって、ＵＮＩＶＡＣは魅力的であった。

最初に製造された10台のＵＮＩＶＡＣコンピュータのうち、３台が米軍の施設に設置された。陸軍、海軍、空軍が、それぞれに固有の問題に対応するために、ＵＮＩＶＡＣを導入したのである。[12] 空軍に納入されたＵＮＩＶＡＣは、１９５２年６月にペンタゴンに設置された。[13] このＵＮＩＶＡＣは、「プロジェクトＳＣＯＯＰ（Scientific Computation of Optimal Problems：最適問題の科学技術計算）」というコードネームが付けられた活動で使用された。プロジェクトＳＣＯＯＰでは、ＵＮＩＶＡＣを使って１０００近い変数を含む数学的計算を行い、ロジスティクス問題の解決に役立てた。人間の数学者と違い、ＵＮＩＶＡＣはそうした計算の答えを素早く出すことができた。このプロジェクトの成功が高く評価されたため、ＵＮＩＶＡＣは１９６２年になってもまだ使われ続けていた。その頃には、より洗練されたコンピュータがあったにもかかわらず、である。プロジェクトＳＣＯＯＰのメンバーの１人は、「このデジタル計算機がきっかけとなって、実現しうるものとして、あるビジョンが生まれました」と語っている。[14]

そのビジョンは広大なものだった。米軍は、暗号化されたメッセージの解読、新兵器の開発支援、ロジスティクス問題の解決、その他数百もの大小さまざまな課題にコンピュータを活用しようと考えた。[15] さらに、人工衛星の軌道の計算など、まだ実現されていない技術をコンピュータでサポートすることも考えていた。[16] 米軍はコンピュータがもたらす恩恵を理解し、世界全体が電子化されていくことを予期していたのである。実際に、１９５０年代の終わりから60年代の初めにかけて、コンピュータへの依存度は高まっていった。またこの時期は、コンピュータが大きく進化した激動の時代であり、その発展は、情報セキュリティにも大きな影響を与えることになる。

１９５０年代後半のコンピュータは、現在の基準から考えるとバロック様式とも言えるものだった。大聖堂でパイプオルガンを演奏するオルガン奏者のように、１人のオペレーターが機械に囲まれて操作するのである。コンピュータは指示されたことだけを行い、オペレーターが考えるのを止めたときには、おとなしく待っていた。しかしこれでは非効率的だった。コンピュータは非常に高価であったため、コンピュータが計算を実行していない「ダウンタイム」を発生させないことが理想的だったのである。この問題を解決したのは、画期的なイノベーションだった――タイムシェアリングが可能なコンピュータの開発である。タイムシェアリング型のコンピュータでは、あるユーザーが作業を中断している間、他のタスクを実行することができる。キー入力の間のわずかな時間も、生産的に利用できるのだ。複数のユーザーが同時にコンピュータを使うことができるようになり、またそれぞれのユーザーは、マシンが自分のタスクに集中していると感じられるような形でコンピュータを操作することができた[17]。コンピュータを使うことは、個々人の孤独な体験から、共有された協力的な体験へと変化した。この変化は、まったく新しい種類のセキュリティリスクを生み出した。１台のコンピュータに複数のユーザーが同時にアクセスできるようになったため、ユーザー同士が互いのプログラムを妨害したり、見てはいけない機密データを見てしまったりする可能性が生じたのである。

米軍が情報を保護する上で中心に据えるのが、「分類」という考え方だ。文書には、トップシークレット（機密）、シークレット（極秘）、コンフィデンシャル（秘）などの分類レベルが与えられる。人々は、自分に与えられた権限よりも高い分類の情報を見ることはできない。たとえばコンフィデンシャルの権限しか持たない人物は、トップシークレットに分類された情報は閲覧できないのである。タイムシェアリング型コンピュータを使用する際、あるユーザーはトップシークレットの閲覧権限を持っていて、別のユーザーは持っていなかったとしよう。こうした場合、トップシークレットの情報を公開することなく、そのコンピュータに保存して処理するには、どうすればよいのだろうか？　タイムシェアリング型が開発される前、コンピュータは決まった部屋に据え付けられ、ドアには警備員が配置されていた。しかしタイムシェアリング型のシステムでは、ユーザーがコンピュータを操作するための端末はいくつもあり、それらを建物内に分散して配置することが可能になった。そのためタイムシェアリング型コンピュータでは、物理的なセキュリティやユーザーの監視が、非常に難しくなったのである。[18]

タイムシェアリング型コンピュータは経済的なメリットをもたらすことから普及する可能性が高く、そのため、コンピュータに革命を起こすと期待されていた。しかし、コンピュータに保存される情報のセキュリティへの潜在的な危険性は飛躍的に増え、その危険性に対する不安は、米軍や彼らが契約している防衛関連企業にまで波及した。彼らはこうした動きを、情報セキュリティという課題の「新次元」と捉えていた。[19] それは米軍が解決しなければならない課題だったが、彼らは自分たちだけでは解決できないと考え、パートナーを募った。そのパートナーとは、ＣＩＡ（中央情報局）やＮＳＡ（国家安全保障局）などの米政府機関や、大手防衛関連企業、シンクタンクなどである。シンクタンクの中でも際立っていたのがランド研究所だ。ランド（ＲＡＮＤ）という名称は、研究開発（research and development）を縮めたものである。ランド研究所はアイデアを生み出す工場といった存在で、すでに米政府に戦争の進め方や勝ち方について助言していた。

ランド研究所

ランド研究所は、1942年に陸軍航空軍大将のヘンリー・〝ハップ〟・アーノルドによって創設された。[20] 第2次世界大戦の終結に際して、戦争のために集められた科学者や学者たちが散り散りになり、米軍が彼らの専門知識を利用できなくなるのではないかという懸念が広まった。[21] そこでアーノルドは、未使用の戦費から1000万ドルを確保してランド研究所を設立し、研究者たちに居場所を提供した。[22] それから数十年間、陸軍航空軍（のちに空軍）はランド研究所に対し、実質的に無制限の資金を提供する――米軍が直面する最も厄介な問題を解決するための、白地小切手が与えられたというわけだ。[23]

ランドの研究者たちは当初、カリフォルニア州サンタモニカのクローバーフィールド空港にある航空機工場内のオフィスで勤務していた。[24] 1947年、ランドはサンタモニカのダウンタウンにある、白砂のビーチから徒歩5分の場所に位置するビルに移転した。[25] 新しい施設の内装は、ランドのスタッフ同士の偶然の出会いを最大限に生み、コラボレーションが促されるように設計されていた。[26] これは今日でもアップルをはじめとする多くの企業で採用されている手法である。[27] ランド研究所の建物は一見何の変哲もないが、米政府の正式な最高機密の研究施設であり、武装した警備員が24時間体制で常駐していた。ランドの従業員は、政府のセキュリティ・クリアランス〔機密情報を扱う人物に対し、その資格があるかどうかを判断するための経歴調査を行うこと。あるいはそれによって得られた資格を指す〕を受けなければならず、クリアランスを受けるまでは、建物内のどこにいても、トイレにさえも付き添われた[28]。

ランド研究所は当初、陸軍航空軍の中でも研究開発を担当する部署の監督下に置かれ、それがきっかけでカーチス・ルメイ大将の後援を受けることになる[29]。ランドの歴史の中でも中心人物とも言えるのが、このルメイだ。彼はランドの発展において重要な役割を果たし、自分の考え方と世界に対するアプローチをこの組織に吹き込んだ。ルメイを現代の目で見ると、冷戦時代の典型的な将軍のパロディのように見える。彼はぶっきらぼうで、「決して降伏しない」という姿勢を貫き、葉巻を咥えながら部下に詰め寄った[30]。しかし自ら作り上げたこうしたイメージの裏側には、冷酷な判断を下す人物がいた。第2次世界大戦中、ルメイは１９４５年3月10日の東京大空襲をはじめとする、日本への爆撃作戦を指揮した。ルメイは、３２５機のＢ－29スーパーフォートレスに搭載されていた防御のための機銃を撤去して、ナパーム弾などの弾薬類をより多く搭載するよう命じ、合計約２０００トンの爆弾を東京に投下した。東京大空襲では10万人近くの民間人が犠牲になったが、同じくルメイが指揮した日本への大規模な爆撃作戦では、その5倍の犠牲者が出たと推定されている。

ルメイの「敵に情けをかけない」という姿勢は、生涯を通じて一貫していた。冷戦時代、彼はソ連への大規模な先制攻撃を主張した。彼の計画は、米国が保有するすべての核兵器をソ連の70都市に投下するというもので、彼はそれを「サンデー・パンチ」と呼んだ[31]。映画監督のスタンリー・キューブリックは、後に映画『博士の異常な愛情』の中で、ルメイをモデルとして狂気に満ちた空軍大将を描いたが、同作品には「ブランド研究所」という組織も登場する[32]。ルメイは「他のすべての考慮すべき点を犠牲にして、勝利という実際的な目標だけに焦点を当てた」と非難された際、「すべての戦争は不道徳だ。それを気にしていては、良い兵士にはなれない」と言い、後悔するそぶりを見せなかった。[33]ルメイは戦争を合理的で、科学的に解決すべき問題と考えていたのだ。爆弾をたくさん落とせば落とすほど、敵を倒せる確率は高くなる。敵を一掃する核による先制攻撃は、敵に反撃の機会を与えないという点で合理的な判断であった。感情を極限まで排した、分析的な考え方だ。この哲学は、その後数十年にわたり、ルメイが支配するランド研究所の研究に浸透していくことになる。ランドのアナリストで、後にノーベル経済学賞を受賞するトーマス・シェリングは、著書『軍備と影響力』（斎藤剛訳、勁草書房、2018年）の中で、戦争に勝つには交渉力が必要であり、交渉力は「相手に危害を加える能力から生まれる」と記している。[34]

ランドのアナリストたちは、抽象的な理論と、彼らが「最大かつ最も困難な問題」であると見なすものに惹かれていた。彼らは自分たちが立案・提唱した政策やその副作用に対して、倫理観を差し挟まないアプローチを取った。[35]ランド研究所は、米軍の最も差し迫った課題に取り組むために、数字に基づくテクノクラシー的なアプローチを採用したのだ。その中で、彼らはまったく新しい分析手法を生み出した。

2人のプレイヤーが互いに競い合う単純なゲームは、より複雑な紛争、さらには国家間の核戦争のモデルにもなり得る。このようなゲームを数学的に研究することを「ゲーム理論」といい、この分野で著名な人物の多くが、ランドで勤務した経歴を持つ。[36]ランドのアナリストは、ゲーム理論を用いて米ソの核対立をモデル化し、そのモデルを使ってゲームの最善の手を予測しようとしていたのである。[37]

ランド研究所は、ゲーム理論を土台として、独自に新しい手法を開発した。1947年にエドウィン・パクソンが考案した「システム分析」は、問題を構成要素に分解するものだ[38]。そして、それぞれの要素を分析し、得られた分析結果をまとめてハイレベルな結論を導き出す。これは米軍のように、多くの変動要素と、多くの未解決問題を持つ複雑なシステムについて意思決定を行う必要のある組織にとって、有用なツールだった。たとえばカーチス・ルメイ大将に近いテーマとして、戦略爆撃の問題がある。敵に対して爆撃機の編隊を展開する際に、最も効果的な方法は何か？　爆撃機をどのくらいの高度で飛行させれば、投下される爆弾による被害を最大にし、かつ撃墜される味方機の数を最小にすることができるか？　そのような爆撃作戦を実行するために必要なロジスティクス活動のコストはどの程度か？　システム分析は、このような質問に答えられるように設計されている[39]。

システム分析には多くの困難な数学的作業が求められるため、それを実行するコンピュータが必要となった。1950年当時、ランドのアナリストはIBMが設計した初期のコンピュータ2台を使っていたが、もっと大きな計算能力が必要だと判断した[40]。彼らは最新の技術を調査するために、いくつかのコンピューターメーカーを訪問した。その中にはIBMやエッカート・モークリー・コンピュータが含まれていたが、ランド研究所は彼らの仕事は「気まぐれすぎる」もので、先進性に欠けると判断し、自分たちでコンピュータを開発することに決めた[41]。

彼らが作ったマシンは「JOHNNIAC」と名付けられ、1953年に運用が開始された[42]。ランド研究所は、中途半端なことはしなかった――ほんの数年で、JOHNNIACは世界で最も洗練されたコンピュータの1つとなったのだ[43]。JOHNNIACは複数のユーザーのサポート、回転ドラム式プリンターと世界最大のコアメモリの装備、数百時間にも達するとされた稼働時間など、数々の

「世界初」を成し遂げた。[44] ＥＮＩＡＣが稼働５～６時間ごとにリセットしなければならないことを考えると、これは大変な偉業だった。[45] ＪＯＨＮＮＩＡＣに導入されたイノベーションの１つが、機械を冷やすための強力な空調システムである。メンテナンスのために機械を開けると、冷気がオペレーターのいる作業室に流れ込んでしまい、スキージャケットを着用しなければならないほどだった。そのためＪＯＨＮＮＩＡＣの愛称の１つは、「ニューモニアック」〔肺炎を意味する形容詞「ニューモニク」をもじったもの〕だった。[46]

システム分析やＪＯＨＮＮＩＡＣの開発も大きな成果だったが、ランド研究所がよく知られるようになった最大の理由は、米軍が現在でも一部を機密扱いにしているほど影響力の強い研究成果だ。[47] １９５０年代、ランドのアナリストのケネス・アローは、「人は合理的な自己利益のために行動する」という仮定に基づく理論を考案した。[48] 人は自分が欲しいものを最大に、欲しくないものを最小にする選択をする、という直感的な仮定だ。アローが目指したのは、ソ連の指導者たちの意思決定を予測できるような数理モデルを構築することだった。米政府は、国際的な出来事や戦争におけるソ連の行動を予測できるようにしたいと考えていた。彼らは、ソ連が近隣のどの国に侵攻するか、あるいは紛争時にどのような行動を取るかといった問題に答えようとしていたのである。[49] アローの研究以前には、ソ連政府の決定を予測することは基本的にできなかった。「ソビエト学者」と呼ばれた人々でさえ、クレムリンが公開したプロパガンダ写真の中で、それぞれの役人がどれだけスターリンの近くに写っているかを分析することで、どの役人が有力者なのかを推測する程度だった。[50]

システム分析やゲーム理論など、ランド研究所が開発・導入した分析手法は非常に成功したと考えられていた。それは問題に対して、数字に基づくアプローチを可能にした。世界の混沌とした複雑さを、数学的モデルや方程式のような、扱いやすいものに還元したのである。世界の理解と未来の予測を可能にするようなこの手法は、核戦争すら起こりうる状況に直面するアナリストや米軍幹部にとって、心強いものだった。その魅力に惹かれたランドは、その後何十年にもわたって、社会計画や医療、教育政策など、他の複雑な問題領域を研究する際にもこのアプローチを用いることになる。[51]

1950年代の終わりから60年代の初めにかけて、タイムシェアリング型コンピュータの数が増加し、計算能力の爆発的な増加が予想される中、ランドのアナリストたちは情報セキュリティの問題を研究し始めた。[52]彼らは核戦争研究で培った分析的洞察力と合理的アプローチを、この分野に持ち込んだ。彼らの取り組みは、現代における情報セキュリティ研究の幕開けを告げることとなった。

2　研究者たちの期待、成功、失敗

ウェア・レポート

ウィリス・ウェアは1920年8月31日、ニュージャージー州アトランティックシティで生まれる。[1]ウェアは電気技師としての教育を受けた。最初に学んだのはペンシルベニア大学で、同級生にはJ・プレスパー・エッカートがいた。その後、ウェアはマサチューセッツ工科大学（MIT）に進んだ。[2]

第2次世界大戦中、ウェアは米軍で極秘のレーダー探知機の設計に携わっていたため、兵役を免除されていた。[3]太平洋戦争末期の1946年春、彼はプリンストン大学がジョン・フォン・ノイマンに代わりコンピュータを製作していることを知った。[4]フォン・ノイマンは、データとプログラムの両方が、同じアドレス空間でコンピュータのメモリに格納されるアーキテクチャを考案していた。これは今日のほとんどのコンピュータに使用されている設計であり、エッカートとモークリーが開発した技術とＥＮＩＡＣを基礎としている。

ウェアはプリンストン大学に志願し、プリンストン高等研究所（ＩＡＳ）で職を得た。[5] 彼は博士号取得のための研究をしながらＩＡＳコンピュータプロジェクトに携わり、そのおかげで授業料が免除された。[6] ＩＡＳのマシンは先駆的なプロジェクトであり――それは最初期の電子計算機の１つだった――、そのプロジェクトに加わっていたことで、ウェアはサンタモニカのランド研究所に入所しＪＯＨＮＮＩＡＣの開発を手伝うことになった。[7] ウェアがランドに参加するきっかけの１つは、ＪＯＨＮＮＩＡＣ開発の主要人物であるビル・ガニングが、スキーで足を骨折したことだ。そのことでガニングの上司が、「ビル・ガニングにすべてを任せて、彼がトラックに轢かれでもしたら、ランドは大変なことになる」と気づいたのである。[8] ガニングに万が一が起きた際の代わりとしてウェアはＪＯＨＮＮＩＡＣプロジェクトに加わり、１９５２年春からエンジニアとして仕事を始めた。[9]

当時の他のコンピュータと同じように、ＪＯＨＮＮＩＡＣはかなりの大きさの機械だった。そのため、１９６０年代に早くもパーソナル・コンピューティングの普及を予見していたウェアには、先見の明があったと言えるだろう。ウェアは「もしかしたら、小さなコンピュータは新たな家電製品になるかもしれない」「コンピュータはあらゆる場所で、あらゆる方法で、1分に1回という頻度で人と接することになるだろう。すべての人が、どこにいてもコンピュータを通してコミュニケーションを取るようになる。それは人々の人生を変え、キャリアを変え、絶えず変化する人生を受け入れることを強いるだろう」と記している。[10]

ウェアはランド研究所で、米空軍科学諮問委員会など、政府に助言を与える複数の委員会に参加していた。[11] その一環として、彼はF－16戦闘機のコンピュータソフトウェアの設計など、さまざまなプロジェクトで空軍を支援した。[12] その結果、ウェアとその同僚たちは、空軍と国防総省がコンピュータに大きく依存し始めていることを実感するようになった。彼らは会議場の廊下などで話をするうちに、軍のコンピュータシステムとそこに保存されている情報を守るために何か行動しなければ、と考えるようになっていった。こうして交わされた会話は、後にコンピュータ時代の情報セキュリティ研究となる、最初の組織的な取り組みだった。[13]

コンピュータセキュリティの必要性を示す実例はすぐに発生した。マクドネル・エアクラフトという米国の軍事企業は高価なコンピュータを所有しており、彼らはそれを米軍との防衛契約の一環として、機密業務に使用していた。マクドネル・エアクラフトは長いことこのようなプロジェクトに携わってきた。米国初の有人宇宙飛行計画に使用されたマーキュリー宇宙船の建造や、ジェットエンジン搭載機として初めて空母に着艦した米海軍の戦闘機であるFH－1ファントムの設計・製造も彼らが行っていた。彼らが求めていたのは、自分たちのコンピュータが機密業務に使われていないときには、一般企業の顧客にそれをレンタルすることだった。そうすれば、コンピュータの高額なコストを回収し、他の企業と新たなビジネスを築くことが可能になる。[14]

マクドネル・エアクラフトからの要請を受けた国防総省は、機密情報を扱う権限を持つユーザーと持たないユーザーがいる状況でコンピュータが使用される可能性を検討していなかったことに気づいた。これはまったく新しい考えであったため、国防総省はこの問題に対する公式の方針を持っていなかったのだ。[15] マクドネル・エアクラフトからの要請により、1967年10月、国防総省内に委員会が設置され、マルチユーザーのタイムシェアリング型コンピュータシステムにおけるコンピュータセキュリティの調査が始まる。[16]この委員会には、コンピュータセキュリティに関するテーマをより幅広く調査することも期待されていた。委員長にはウィリス・ウェアが就任し、委員には、ランド研究所やロッキード・ミサイル・アンド・スペース、ＣＩＡ、ＮＳＡを含む、さまざまなシンクタンクや軍事企業、米国政府機関、学術機関から代表者が集められた。[17]

委員会の報告書は、１９７０年に提出された。[18]タイトルは「コンピュータシステムのセキュリティ管理（Security Controls for Computer Systems）」だったが、「ウェア・レポート」の名で知られるようになった。[19]これはコンピュータセキュリティについて、技術と政策の両面から構造的かつ詳細な調査を行った、初めての報告書である。ウェア・レポートは、執筆者たちが所属していた組織を理由に、主に商業的ではなく軍事的なセキュリティに焦点が当てられていた。ウェアはこのレポートが、軍事面だけでなく産業面にも影響を与えることを望んでいたため、発行と同時にレポートを公開することを希望していた。しかし、同レポートが誰でも入手できるようになるまでには5年の歳月を要し、ようやく機密解除されたのは１９７５年のことだった。[20]

ウェア・レポートが予測したのは、コンピュータが複雑になるにつれてそれを使用するユーザーのスキルも向上するが、その一方で、ユーザーを管理するためのセキュリティ対策を実施することが困難になる、ということだ。[21]また同レポートは、オペレーティングシステム（ＯＳ）――コンピュータのハードウェアやその他のソフトウェアを制御するプログラム――は、大規模かつ複雑であると指摘している。そしてその規模と複雑さゆえに、「保護のための障壁に、設計者も予期しなかった抜け穴

（ループホール）が生じる」可能性があった。[22] その結果、「大規模なソフトウェアシステムにおいては、エラーや異常が完全にないことを検証するのは事実上不可能」であり、「攻撃者がそのような抜け穴を計画的に探し、利用することも考えられる」としている。[23] １９７０年にこうした文書が発表されたのは、驚くべきことだ。それは情報セキュリティの分野において、その後50年間にどのような出来事が起きるのかを、正確かつ簡潔に予測していたのである。

ウェア・レポートでは、セキュリティの抜け穴という脅威に対抗するために、コンピュータを設計した後でセキュリティ機能を追加するのではなく、コンピュータベンダーが「セキュリティを組み込む」ことを推奨している。[24] また同レポートでは、安全なコンピュータシステムを構築するための基本原則を提案している。ウェア・レポートは軍の支援を受けて作成されたため、これらの原則では、コンピュータ内の機密文書をいかに保護するかに焦点が当てられていた。そのためセキュリティ上の問題を検出した際には、コンピュータシステムを即座に、かつ完全にシャットダウンして、いかなるユーザーも情報を送受信できないようにすることを推奨するなど、商用のコンピュータにおいては現実的ではない提言がなされていた。[25]

コンピュータセキュリティに対してこうした極端なアプローチが取られたのは、軍が紙媒体の機密情報を扱うときのルールをそのまま採用したからだった。第2次世界大戦後、ロバータ・ウォルステッターというランドのアナリストが、数年かけて日本軍による真珠湾への奇襲攻撃に関する研究をまとめた。[26] 彼女は１９５７年に報告書を完成させ、それはすぐに空軍のトップシークレットに分類された。ウォルステッターはトップシークレットの文書にアクセスする権限を持っていなかったため、自らの著作物のコピーを所持することができず、たった2部の紙のコピーが空軍施設の金庫に保管されたのだった。[27]

米国における情報の分類は、1940年にフランクリン・D・ルーズベルトの大統領令により始まった。[28] 分類の目的は、適切なセキュリティ対策を講じることだった。[29] しかし、その適切な意図に反して、分類の導入は多くの意図せぬ結果をもたらすことになる。

「過剰な機密指定（overclassification）」とは、ある文書が必要以上に高い機密レベルに分類されたり、情報が必要以上に長く機密指定されたりすることを指す。それが有害なのは、政府職員が互いに情報を共有することを阻害し、政府の行動を監視することを妨げ、また機密情報を保護するために必要なセキュリティ対策にコストがかかるからだ。[30]

過剰な機密指定が発生する理由の1つは、情報の分類方法についてのガイドを、異なる政府機関が別々に作成することにある。それにより、矛盾したガイドが乱立してしまう。情報安全保障監督局（分類システムの監督を行う米政府機関）が2017年に発表したレポートによると、2865種類のセキュリティ分類ガイドが確認されている。[31]

過剰な機密指定を促すインセンティブも存在する。機密指定により、限られた人物だけが情報を閲覧できるようにすることで、彼らにとって恥ずかしい情報や、無能であることを露呈するような情報を隠蔽できるのである。[32] また、米政府の職員は、機密に分類すべき情報を機密指定しなかった場合には、法的な罰則が科される。しかし、過剰な機密指定をした場合に科される罰則はないため、逆向きのインセンティブは存在しないのだ。[33]

これらの要因が組み合わさることで生じるインセンティブ構造により、機密指定を控える理由は基本的に存在しなくなる。その結果、機密文書の50~90パーセントは実際には機密分類される必要がなく、それらの文書に含まれる情報は安全に公開できると考えられている。[34]

2つ目の問題は、「コードワード」による分類を使うことによって生じる。トップシークレットは形式的には最高レベルの機密指定だが、コードワード分類を使用することで、さらに特定のレベルに情報を区分けできる。[35]これが役に立つのは、政府が情報へのアクセスを制限することで、同じレベルの権限を持つ人々の間でも、特定の人しかその情報を閲覧できないようにする必要があるときだ。そのような情報は、隔離機密情報（ＳＣＩ）として知られている。問題は、情報機関の中には１００万以上のコードワードを持つところもあり、管理が複雑で困難な作業になるという点だ。[36]

セキュリティ・クリアランスは特権であるため、取り上げることもできる。１９４８年、エッカート・モークリー・コンピュータ・コーポレーションは米陸軍情報部の調査を受け、ジョン・モークリーを含む５人の従業員が「反体制的な傾向やつながりがある」と判断された。[37]この調査は、やがて第二の赤狩りへと発展する、米国内の反共産主義感情の高まりを受けて行われたものだった。５人の従業員はセキュリティ・クリアランスを剝奪され、同社は軍事契約への入札を禁止された。[38]米連邦捜査局（ＦＢＩ）の調査により、最終的にモークリーは無罪放免となり、彼は共産主義者のシンパではなく、「ただの変わり者」と判断された。[39]

ウェア・レポートが作成された理由の１つが、マクドネル・エアクラフトによる「軍と民間の顧客がともにコンピュータを使用できるようにしてほしい」という要請だった。調査の結果、同レポートは最終的に、機密情報が誤って開示されるという重大なリスクが許容できない限り、マクドネル・エアクラフトにその許可を与えることは賢明ではないと結論付けた。[40] マクドネル・エアクラフトからの要請は却下されたが、このアイデアに興味を持った空軍は、コンピュータセキュリティ研究のロードマップを提案するための第二の委員会を設立した。

CIAの3要素

1972年2月、米空軍電子システム部のロジャー・シェル少佐は、アンダーソン・レポートとして知られる「コンピュータセキュリティ技術計画調査」の作成を命じた。[41] シェルは少佐であるとともにMITで博士号を取得した経歴を持つ。彼は、ウェア・レポートは多くの問題点を指摘しているが、解決策はあまり示されていないと考えていた。[42] そのためアンダーソン・レポートの目標は、解決策を提案し、それを実現するためのロードマップを示すことであった。[43]

このレポートは、空軍やNSAなどの米政府機関の代表者によって書かれたものだ。「アンダーソン・レポート」という通称は、このレポートの主な執筆者であるジェームズ・P・アンダーソンに由来する。アンダーソンはかつてジョン・モークリーに雇われており、最初の仕事は気象データを処理するプログラムを開発することだった。[44] 彼はその後、米海軍で砲術士官と通信士を務める。通信士時代、彼は暗号学（暗号を使って情報と通信を保護する方法を研究する学問）に取り組んだことで、情報セキュリティに関心を持つようになった。[45]

アンダーソンの委員会は1972年2月に作業を開始し、同年9月に報告書を発表する。[46] レポートの発表前、シェルはNSAがこのレポートをウェア・レポートと同じ機密レベルに分類しようとしているのではないか、そのためにレポートの影響力が大きく削がれるのではないかという不安を感じていた。そこで彼は、レポートを300部印刷し「皆に」配布するよう命じた。[47] その翌日、電話を受けたシェルは、NSAがこの文書に対して機密指定をしようとしていることを知らされる。しかし、彼はこのレポートを何百人にも郵送する手配を済ませており（その中にはセキュリティ・クリアランスを持たない人もいた）、すでに情報は外に出た後であったため、レポートの機密指定は見送られた。[48]

このレポートは、「リソース共有システムにおいてセキュリティを実現することは、一見すると、ばかばかしいほど単純なように思える」と述べた上で、「残念ながらそれは誤りだ」と言い切っている。そしてウェア・レポートによって指摘されたものと同じ、根本的な問題に取り組んでいる。それは、セキュリティ・クリアランスを持ち高度な機密データを扱うことのできるユーザーと、それ以下の権限しか持たない、あるいはセキュリティ・クリアランスをまったく持たないユーザーに同時にサービスを提供できるコンピュータを、いかにして作るかという問題だ。あるコンピュータのユーザー全員が、そのコンピュータに保管されている情報の中で最高の機密レベルと同じレベルのクリアランスを持っていれば、問題は存在しないことになる。[49] しかしそのような状況が生じる可能性は低い。それよりも、ユーザー同士のクリアランスレベルが異なる可能性の方が、はるかに高いのだ。

アンダーソン・レポートの執筆者たちは、「悪意のあるユーザー」と彼らが呼ぶ新たな脅威に光を当てた。悪意のあるユーザーは、コンピュータやそこで実行されるプログラムの設計や実装の中に、ウェア・レポートで述べられている抜け穴、つまり脆弱性を見つけようと試みる恐れがある。彼らはその脆弱性を利用してコンピュータを制御し、アクセスできないはずの情報にアクセスするかもしれない。「悪意のあるユーザー」問題は、ユーザーが単にコンピュータを使って情報を閲覧するだけでなく、コンピュータをプログラミングすることができると、より深刻なものになる。悪意のあるユーザーは「システムへの侵入およびその後の悪用を進めるために」プログラミングを実行できるが、それはアンダーソン・レポートの執筆者たちによれば、「ユーザーにできることが増えることで脆弱性が増す」からだった。[50]

またアンダーソン・レポートが繰り返し指摘するのは、ウェア・レポートも指摘したように、コンピュータシステムが複雑になればなるほどセキュリティリスクが高まるという点や、コンピュータシステムには後付けでセキュリティ対策を施すのではなく、最初から安全なものを設計するべきである、という点だ。[51]

アンダーソン・レポートの執筆者たちの推定では、異なるクリアランスレベルのユーザーが同じタイムシェアリング型システムで作業することを可能にするコンピュータがなかったことで生じた非効率性により、空軍は年間1億ドルの損失を被っていた。[52] そして少なくとも、1つの安全なOSを開発することを推奨した。[53] そのOSは、他のコンピュータシステムを構築する際の実例となる。彼らは、そのようなコンピュータを作るには800万ドルが必要だと見積もったが、得られる利益やコスト削減を考えれば、それは比較的小さな額と言えた。[54]

安全なOSを作るには、コンピュータセキュリティについての新しい考え方が必要だった。アンダーソン・レポートで語られた彼らのアイデアは、「リファレンスモニタ」だ。[55] これは「オーソライゼーション（権限付与）」と呼ばれる、誰が何にアクセスできるかを決定する作業をコンピュータのOS内で行うプログラムである。リファレンスモニタは、ユーザーやその他のプログラムから、コンピュータ上のファイルやその他のリソースへのアクセス要求を受け取る。そしてその要求を評価し、許可するか拒否するかを判断する。この仕組みにより、トップシークレットの権限を持つユーザーがトップシークレットに分類されたファイルを読むことは許可されるが、シークレットの権限しか持たない2人目のユーザーが同じファイルを読もうとすると、アクセスが拒否されることになる。リファレンスモニタは、OS内の「セキュリティカーネル」（カーネルとはOS内で基本機能を制御する部分を指し、その中で特にセキュリティに関するものがこう呼ばれる）に実装される。セキュリティカーネルは常に正しく動作する必要があり、また改竄にも強くなければならない。さもなければ、悪意のあるユーザーがカーネルを迂回したり、停止させたりしてしまうだろう。[56] またセキュリティカーネルは、正しく動作することが証明されなければならず、そうでなければ、セキュリティが期待どおりに実現されるという保証が得られない。[57]

アンダーソン・レポートの執筆者たちは、セキュリティカーネルの概念がコンピュータのセキュリティを実現する上で中心的な役割を果たすと考えており、セキュリティを重視して設計された最初の主要なOSの「マルティックス」の設計には、セキュリティカーネルが組み込まれた。[58] マルティックスはMIT、ゼネラル・エレクトリック（GE）、ベル研究所の共同プロジェクトによって開発されたシステムで、MITが参加するための資金は米国防総省が提供していた。[59] マルティックスにおけるセキュリティ対策の設計と実装は、その後のＯＳ設計やＯＳセキュリティに対するアプローチ全般に、大きな影響を与えることになる。マルティックスでは、ダーツの的のようなリング構造が採用されていた。各リングには内側から順に番号が振られていて、０～３の層はＯＳ自体が使用し、リング４以降の外側の層には、ユーザー用のプログラムが配置された。外側のリングにあるプログラムは、理論上、内側のリングにあるプログラムに危害を加えることはできず、そうすることでプログラムとそれが処理する情報とを別々にしておくことができた。[60]

アンダーソン・レポートが発表されてから２年後の１９７４年、コンピュータ科学者のジェローム・"ジェリー"・サルツァーは、マルティックスのセキュリティについて分析した論文を執筆した。彼はこの論文で、マルティックスの実装によって示された、５つの設計原理を解説した。[61] 翌年、サルツァーは博士課程の教え子だったマイケル・シュローダーというコンピュータ科学者と組んで、論文の最新版を発表した。新しい論文は「コンピュータシステムにおける情報の保護」と題され、情報セキュリティ分野の古典的な業績として知られるようになる。[62]

この論文では、サルツァーとシュローダーは、情報セキュリティにおける３つの基本的な目標として「機密性（confidentiality）」「完全性（integrity）」「可用性（availability）」を示している。機密性とは、許可されたユーザー以外がデータを読み取れないようにすること、完全性とは、許可されたユーザー以外がデータを変更できないようにすること、そして可用性とは、データにアクセスできるはずのユーザーがアクセスできなくなるのを防ぐことを意味する。[63] この「機密性」「完全性」「可用性」という考え方は、後に「ＣＩＡの３要素（情報セキュリティの３要素）」として知られるようになる。機密性、完全性、可用性がセキュリティの重要な目標であるということは、それらを阻もうとする力が存在するということである。機密性は、データを盗まれたり、通信中のデータを盗聴されたりすることで損なわれる。完全性は、データを密かに変更されることで損なわれる。可用性は、ハードウェアやソフトウェアの動作を妨害することでコンピュータを停止させる「DoS(サービス拒否)攻撃」によって損なわれる。今日では、これらの3要素は情報セキュリティに携わる人がセキュリティ対策を設計・分析する際の方法として、一般的に使用されている。システムに含まれる情報の機密性、完全性、可用性を実現する能力という観点から考えた場合、システムが達成すべき目標は何だろうか? 悪意のある者がこれらの3要素を侵害しようとした場合、彼らはどのような行動を取るだろうか?

サルツァーとシュローダーの論文では、CIAの3要素に加えて、いくつかの設計原則が解説されている。それはセキュリティを実現するためのコンピュータシステムの設計方法についての、斬新で洞察に満ちたアイデアだった。たとえば、リファレンスモニタのような機構がすべてのアクセス要求をチェックし、明らかな許可がある場合のみアクセスを認めるべきである理由を説明している。これは「完全な仲介」と「フェイルセーフなデフォルト」の原則だ。これらが組み合わさると、ちょうどレストランの給仕係が、予約のある客だけを通して席に座れるようにするような役目を果たす。サルツァーとシュローダーが掲げた、他の2つの重要な設計原則が、「最小権限」と「職務分掌(ぶんしょう)」である。最小権限とは、セキュリティを守る機構は、ユーザーを含むシステムのあらゆる部分を、割り当てられたタスクを遂行するために必要な、最小限の権限で機能させるべきである、という原則である。病院で喩えると、看護師が閲覧できる情報を、彼らが割り当てられている患者の医療記録のみに限定する、といった具合だ。職務分掌とは、あるタスクを実行する際には、複数の人が必要であることを意味する。たとえば銀行の窓口担当者が貸金庫を開けようとしても、貸金庫の所有者が保管している第二の鍵が必要であるため、自分たちだけで開けることはできない。

サルツァーとシュローダーが論文で解説したこれらの設計原則は、発表から数十年が経過し、新しい技術が普及したり衰退したりする中でも、いつまでも有益なものであり続けた。ただこの論文は、情報セキュリティの歴史の中で重要な位置を占めているものの、最も引用されるが最も読まれることのない論文の1つとして知られることになった。その理由は、この論文が難解で、理解するのが難しい言葉で書かれているためだ。あまりにもわかりにくかったため、後に映画『スター・ウォーズ』シリーズに喩えて、よりシンプルな表現と例を使って説明する試みも行われている。[64]

サルツァーとシュローダーの研究が情報セキュリティの分野を良い方向へと推し進める一方で、不吉な兆候も生まれていた。1974年6月、米空軍は「タイガーチーム」による、最新版のマルティックスOSに対するセキュリティ評価の結果が書かれた論文を発表した。[65] タイガーチームとは、システムのセキュリティを破るために雇われたグループのことで、攻撃者の行動をシミュレートするのがその主な役割だった。タイガーチームが実施する「ペネトレーションテスト（侵入テスト）」の目的は、システムの脆弱性を発見し、それを「パッチ（修正）」することにある。脆弱性を発見、修正し、そのプロセスを何度も繰り返すこのアプローチは、「ペネトレイト・アンド・パッチ」として知られている[66]。

ランド研究所自体、1960年代に米国政府に代わりタイガーチームとして数多くの評価を実施しており、初期のコンピュータに対するその攻撃成功率は驚異的だった[67]。1960年代のOSは、「セキュリティ上の抜け穴がスイスチーズのように多い」と言われ、あるタイガーチームは、ハネウェル製のコンピュータが公開された初日に、そのセキュリティを突破してしまった[68]。タイガーチームは、あるコンピュータシステムのセキュリティを破ることに成功すると、それを通じて得た知識や手法を用いて、次に評価を依頼されたシステムへの攻撃を行う。往々にして、そうした手法の多くが、異なるタイプのシステム間で有効であることが判明した[69]。

しかしマルティックスは、そうした初期のコンピュータよりはるかに安全であることが期待されていた。ウェア・レポートやアンダーソン・レポートが推奨していたように、マルティックスにはセキュリティ機能が最初から「組み込まれて」いたのである。厳密にはセキュリティカーネルの定義を十分に満たしたものではなかったが、マルティックスにはセキュリティカーネルの概念も実装されていた。その理由は、マルティックスがあまりにも巨大で複雑であったため、それが正式に実装されていることを証明できるとは考えられていなかったからである。空軍がマルティックスの評価を行ったのは、このOSが、コンピュータの安全性確保のための設計・構築に対する当時の考え方を、最も洗練された形で実現していたからに他ならない[70]。

しかしマルティックスのセキュリティに対する大きな期待は、すぐに裏切られることになる。タイガーチームが「比較的少ない労力」を費やしただけで、3つの大きな脆弱性が発見されたのだ。その

1つは、システムに保存されているすべてのパスワードを読み取ることができるというものだった。[71] タイガーチームはマルティックスを「ある意味では他の商用システムよりも大幅に安全である」としながらも、「意図的な攻撃からシステムを守ることはできない」ため、「現在のところ安全なシステムではない」と評した。[72]

これらの発見は、コンピュータセキュリティに携わる人々の考え方に2つの大きな影響を与えた。第一に、タイガーチームのアプローチは詰まるところは無駄である、と彼らは考え始めた。[73] タイガーチームがソフトウェアのセキュリティ評価を行い、脆弱性を発見したとしても、チームが発見していない他の脆弱性が存在するかどうかはわからない。あるコンピュータシステムがタイガーチームから良い評価を得られたとしても、それは単に、タイガーチームが十分な技術力や想像力を持っていなかっただけかもしれない。マルティックスのセキュリティ評価に関する報告書でも、「間違いなく、特定されていない脆弱性が存在する」と指摘されていた。[74] 第二の変化は、コンピュータのハードウェアとソフトウェアを取り巻く基本的なセキュリティ管理が意図したとおりに機能しない限り、パスワードなどのセキュリティ管理は「安心毛布」（子供がお気に入りの毛布を持つと安心するように、人が安心感を得るために執着する対象）に過ぎないと考えるようになったことである。[75] セキュリティ関係者は、安全なシステムを作るためにはそのシステムが安全であると証明する正式な方法が必要だと確信し、ちょうどそのころ、その方法を提供できると主張する2人の研究者が現れた。[76]

「安全なシステム」とは?

デビッド・エリオット・ベルは、1971年にバンダービルト大学で数学の博士号を取得した。[77] 卒業後、彼は大学の就職課を訪れ、職探しの支援を求めた。彼は電話帳ほどの大きさの、さまざまな企業の情報が収められたフォルダを貸してもらい、それに目を通して、自分のような資格を持つ人を雇いたいと思うであろう組織を探した。彼は手動式タイプライターを持っていたので、毎日5通の求職の手紙を打ち、企業に送っていた。そうしているうちに何か月か過ぎ、ボストンにあるマイターという会社から電報が届いた。そして、ベル自身の言葉によれば、髪を切り、最高のスーツを着て、面接のためにボストンに向かった。[78]

彼がそこで目にしたのは、大学のキャンパスのような場所だった。さまざまな建物の間を歩道が縫うように走り、そこを歩く人々の中には、長髪にサンダル姿という人もいた。[79] マイターはランドのようなシンクタンクで、有能な人材を採用していたのだが、彼らは時に個性的だった。[80] マイターでベルを面接した人物の1人が、レン・ラパドゥーラである。[81] 数学者であり電気技師でもある彼はソフトウェアエンジニアとして働いた経歴も持ち、ベルが採用されてからは彼の同僚となった。当時マイターにはおよそ2500人の従業員がいたが、情報セキュリティを担当していたのは20人ほどだった。[82] マイターはアンダーソン・レポートの結果を受けて始まった米国政府の契約の見直しを行っていた。空軍は毎年マイターを訪れ、シンクタンクに実施してほしい仕事について説明した。[83] そうした仕事の1つが、コンピュータシステムの安全性を証明する方法を見つけることで、ベルとラパドゥーラはそれに取り組むことにした。彼らは既存の学術文献を調査したが、そうした論文は理論的すぎるか、特定のコンピュータOSに特化しすぎていることがわかった。[84] 彼らはまず一般原理に注目し、それをどのようにコンピュータに適用できるかを考えることにした。[85] 彼らが最初に解決しなければならなかったのは、「何かが安全であるということはどういうことなのか」という根本的な問題だった。米軍が求めていたのは、クリアランスレベルの異なるユーザーを隔離できる「マルチレベル・セキュリティシステム」であり、ベルとラパドゥーラはそのための数学理論の研究を始めた。

彼らの初期の取り組みに含まれていたのは、一部の情報に割り当てられた分類は変更され得る（何らかの世界的な出来事によって、シークレットに分類されていた文書がトップシークレットに再設定されるなど）、という考えだ。しかし、彼らを監督していた空軍少佐にこのことを伝えると、「文書の分類が変わることなど起こり得ない」と言われる。これは予想外であり、彼らのアプローチを単純化できることを意味していた。彼らは自分たちの数理モデルを「基礎セキュリティ定理」と呼ぶことにし、これは当初考えていた「複雑で非常に洗練されたセキュリティ定理」と比較してのことだと、後に冗談を語っている。[86]

空軍少佐からのフィードバックにより当初の計画が狂ったため、それ以降、彼らは自分たちの仕事を慎重に進めることにした。マイターでは年に1回、年俸の査定が行われるが、ベルとラパドゥーラは自分たちがやっていることを明かしていなかったため、生産性が低いと見なされていたのだ。マイターの経営陣は、彼らに低い年次評価を下し、それは彼らの給与に打撃を与えることとなった。部門長は2人に、研究の成果を発表するようにと言い、「いい加減にしないとクビになるぞ」とほのめかした。[87]

ベルとラパドゥーラはすぐに、マイターの経営陣に向けたプレゼンテーションの場を設定し、彼らの考案した基礎セキュリティ定理を説明することにした。彼らは自分たちの研究成果を、「安全なコンピュータシステムの問題に取り組むための数学的枠組み」と表現した。[88] 彼らは自分たちのモデルに自信を持っており、「現時点では、数学的表現が……提起されるセキュリティ問題のすべてではないにせよ、そのほとんどを扱うのに適切であると考えています」と述べた。[89] ベルとラパドゥーラの主張は、彼らのセキュリティ定義を用いることで、彼らのモデルを実装したコンピュータシステムは安全に動作することが保証される、というものだ。[90] プレゼンを聴いていたマイターの経営陣は、次第に興奮してきた。[91] 彼らは基礎セキュリティ定理の潜在的な価値を理解し始めるとともに、ベルとラパドゥーラに対するシビアな年次評価がすでに提出された後であることにも気づいた。10年後、マイターでベルの上司を務めていた人物が彼に伝えたことによると、この会議以降、ベルが会社を辞めないよう多額の報酬を払うことに決めたそうだ。[92]

基礎セキュリティ定理は、「システムが安全であるためには、システムは安全な状態で始まり、状態が変化するときも、別の安全な状態に限られる」という考えを前提としている。状態遷移(せんい)を取り締まることで、システムは安全でない状態に移行することができず、安全な状態が延々と続くのだ。この数理モデルは、コンピュータのOSにおけるセキュリティ対策の設計など、現実の状況に応用できるように記述されている。軍はマルチレベルの安全なシステムを望んでいたため、基礎セキュリティ定理は強制アクセス制御（MAC）に焦点を当てた。MACでは、ファイルなどのリソースに対して要求されたアクションを実行する権限がユーザーにあるかどうかをコンピュータがチェックし、その判断には、ファイルの分類とユーザーのクリアランスレベルが考慮される。

ベルとラパドゥーラのモデルは、「ペネトレイト・アンド・パッチ」の問題を解決するかに思えた。システムは安全であると保証されるので、タイガーチームがペネトレーションテストを行っても発見できないような、未知の脆弱性がシステムに潜んでいることはない。アンダーソン・レポートを依頼した空軍少佐のロジャー・シェルは、「数学的完全性の基礎」があれば、「設計者が考えもしなかった巧妙な攻撃にも耐え得る」コンピュータの開発も可能であると確信していると述べた。[93] コンピュータシステムの安全性が数学的に証明されていれば、隠れたセキュリティ上の脆弱性を心配する必要はない。また、システムの出所も重要ではなくなる。安全性さえ証明されていれば、ソ連の諜報機関であるKGBが設計・構築したコンピュータシステムでも、米政府は使用することができたのだ。[94]

しかし問題があった。米海軍調査研究所のハイアシュアランス・コンピュータシステム・センターに所属する研究者のジョン・マクリーンが、所属先とNSAとの関係により、ベル-ラパドゥーラ・モデルのことを知った。[95] そして彼はこのモデルを検証し、基本的な問題点を指摘したのだ。ベル-ラパドゥーラ・モデルは、システムがある安全な状態から別の安全な状態に移行するという考えに基づいていたが、その状態が不条理なものだったらどうだろうか？　彼はベル-ラパドゥーラ・モデルを実装したコンピュータシステムを開発し、「システムZ」と名付けた。[96] システムZでは、システム内のすべての情報のセキュリティレベルが、可能な限り低く設定されていた。すべてのユーザーがあらゆる情報を閲覧できたため、システムが安全だとは考えられなかった。

マクリーンは、ベル－ラパドゥーラ・モデルは「安全なシステムを設計・実装する人にはほとんど役に立たない」とし、「基礎セキュリティモデルを想像するのは難しい」と記している。[97] また彼は、ベル－ラパドゥーラ・モデルを生んだ理論的・学術的な世界と、空軍のような組織が安全なコンピュータを開発して使用したいと考えている物理的・現実的な世界との間には断絶があるという見解を示した。ベルとラパドゥーラは、自分たちのモデルを「主に研究ツールであり、セキュリティの1つの考えられる解釈の特性を探るために開発したもの」と位置付けていた。[98] しかし空軍などの組織は、現実のコンピュータを、彼らのモデルに照らし合わせて評価したいと考えていた。彼らの目指すところは異なり、2つのグループは、前提条件が異なるために互いを理解することができなかった。[99] マクリーンのシステムZと、彼の広範な批判は、理論的な数理モデルは、実際のコンピュータシステムの安全性を正式に証明するのに使用できる、という大前提に異議を唱えることとなった。

マクリーンの研究に対するデビッド・ベルの回答は、「システムZの数学は正しく、システムZを実装したコンピュータシステムを開発することは、それがシステムの目標であれば何の問題もない」というものだった。[100] しかしシステムZに対応するために、ベル－ラパドゥーラ・モデルは更新され、システム内のセキュリティレベルはシステムのセキュリティ目標に反するような形で変更されてはならないという「安定原則」が盛り込まれたのだ。これに対するマクリーンの回答は、安定原則がベル－ラパドゥーラ・モデルに含まれた場合、このモデルはあまりに強力すぎて、現実には実装できなくなるというものだった。しかし安定原則を入れなければ、「システムZ」が存在することになり、それは理屈に合わない。つまり、ベル＝ラパドゥーラ・モデルは八方塞がり、というのがマクリーンの見解だった。[101]

コンピュータシステムのセキュリティ特性を数学で証明できると信じる人々は、こうした批判を克服する方法を求め、コンピュータ科学の新しい分野である「形式的検証」に目を向けた。形式的検証を用いることで、特定のコンピュータが特定のセキュリティモデルを正しく実装していることを数学的に証明できると考えたのだ。モデルと、そのモデルのコンピュータへの実装の両方が的確であることが数学的に証明されれば、完全に安全なシステムが構築される、というのである。[102]

米国政府は、コンピュータセキュリティを実現するために形式的検証を利用しようとする組織に助成金を提供した。[103] そうした助成金を受けた組織の1つが、カリフォルニア州メンローパークに拠点を置くSRIインターナショナルである。1973年、SRIは「PROS（Provably Secure Operating System：証明可能な安全性を持つOS）」と名付けられたプロジェクトを開始した。そのプロジェクトは、実際にOSを開発し、そのセキュリティ特性を正式に検証することを目的とするものだった。[104] PROSは基礎となるセキュリティモデルにベル＝ラパドゥーラ・モデルを採用していた。PROSの形式仕様書は400ページもあり、そのため形式的検証はなかなか進まなかった。[105] 開始から7年後の1980年に発表されたPROSプロジェクトの報告書では、PROSを「証明可能な安全性を持つ」OSではなく、「安全である可能性のある」OSであるとし、「将来的には、その設計と実装の両方の安全性が厳密に証明されるかもしれない」と説明している。[106] 安全性の形式的検証に関して問題を抱えていたのは、SRIだけではなかった。カリフォルニア大学ロサンゼルス校（UCL

A）はOSの安全性の形式的検証を試みたが、プロジェクト終了までに検証できたのはその35〜40パーセントに留まった。[107]

ソフトウェアの品質を上げるために形式的検証を用いることには、メリットがあるように思われた。しかし形式的検証は、ウェア・レポートが警告し、マルティックスにも存在したものと同じ問題に直面した。OSは、その実装について完全な形式的検証を行うには、あまりにも大きくて複雑、というものだ。形式的検証を進めるうちに、メリットは少なくなり、コストは莫大なものになっていく。理論的には、OS全体の形式的検証を完了させるという課題は、十分なリソースがあれば克服できる。しかし、それよりもはるかに繊細で根深い問題——力業では乗り越えられないような問題が発見されようとしていた。

秘密の通信

マルチレベル・セキュリティシステムにおける主なセキュリティ上の目的は、異なるセキュリティ・クリアランスを持つ異なるユーザーを別々にすることだった。異なるセキュリティ・クリアランスを持つ2人のユーザーが分けられていなければ、トップシークレットのクリアランスを持つユーザーがトップシークレットの情報を、その資格を持たない別のユーザーに手渡ししてしまうことができるからだ。セキュリティ研究者たちが肝を冷やしたのは、コンピュータの内部で、異なるクリアランスレベルのユーザー同士が比較的簡単に通信できる方法があることを発見したときだ。[108] その通信手段もセキュリティ管理を完全に迂回していたため、脆弱性を見つける必要もなかった。

2人のユーザー間のコミュニケーションは、最初にコンピュータを使ったユーザーが、コンピュータの中央処理装置（CPU）の使用率を高めるプログラムを書くことによって達成される。これはCPUに負荷をかけるような複雑な計算をプログラムに実行させることで実現できる。そして2番目のユーザーが、CPU使用率の急上昇を検出するプログラムを作成する。一定の時間内に急上昇が発生した場合は、2進法の「1」を示す。急上昇が確認されなければ「0」だ。これを続けることで、1番目のユーザーは2進法の1と0から成るバイナリ列（たとえば0110100001101001のような）を生成することができ、2番目のユーザーは、それを確認して解読できる。これで、1番目のユーザーは2番目のユーザーとコミュニケーションを取ることができた。[109]コンピュータの中で通信したい2人のユーザーは、事前にこの方式について同意しているかもしれない。コンピュータの外でやり取りをしたことがなくても、相手が自分にシグナルを送っていることを推測できるかもしれない。ある2人の人物が、決まった日にマンハッタンで会うことだけを同意して、待ち合わせの時間と場所については話し合えなかったとしよう。2人はそれぞれ、待ち合わせに適した時間と場所は、正午のグランド・セントラル駅の時計の下だと推測するかもしれない。これと同じ暗黙の了解が、コンピュータ内で通信手段を確立するためにも使われ得るのだ。

このように、セキュリティ管理を回避して情報を渡す考え方を「カバートチャネル（秘密チャネル）」と呼ぶ。CPUの利用はカバートチャネルを実現する方法の1つで、それ以外にもさまざまな方法が見つかりつつあった。[110]数学の博士号を持つある研究者は、マルティックスOSのカーネルがべルーラパドゥーラ・モデルを満たしていることを「数学的な正確さで」証明するのに何年も費やした。しかし、彼が目のあたりにしたのは、あるマルティックスのユーザーがコンピュータのハードディスクの容量を使い切ることで、別のユーザーと通信する様(さま)だった。というのも、もう1人のユーザーは容量が使い切られたのを検知できるのだ。彼はそれを非常に憂慮し、「どうしてこんなことになったんだ?」と自問することになる。[111] 40年後の現在も、モバイルコンピューティングやクラウドコンピューティングなど、まったく新しいコンピューティングの領域において、カバートチャネル問題(閉じ込め問題として知られる)は残っている。[112]

安全性の形式的検証にかかるコストと時間、そしてカバートチャネル問題が重なり、1970年代末に国防総省は戦略を見直すことになった。すべてのコンピュータの安全性を形式的に検証するという理想ではなく、より現実的な方法を取り始めたのである。セキュリティ要件はさまざまなレベルで構成される。最高レベルにおいては形式的検証が必要だが、低いレベルでは必要ない。最高レベルにおいては、カバートチャネルから守るためにより厳格な管理が必要だが、低いレベルではそれは不要なのだ。[113] こうしたさまざまなレベルは、国防総省が作成した「評価基準」の中で説明されている。[114] この評価基準には、各レベルで要求されるセキュリティ機能が記載されており、民間のテクノロジー企業は、基準に基づいて評価・認証されるコンピュータを製造することになる。国防総省はこの仕組みを通じて、実装されたセキュリティレベルが一定の保証を得られた市販のコンピュータを「既製品」として購入することが可能になる。[115] 民間のベンダーにも、評価基準を利用して自社製品に組み込むべきセキュリティ機能を特定できるというメリットがある。またベンダーは、認証プロセスを利用して自社のコンピュータに一定のセキュリティレベルが実装されていることを証明できる。

国防総省は「信用されるコンピュータシステム評価基準」という評価基準を作成したが、それはすぐに印刷版の表紙の色から「オレンジブック」として知られるようになった[116]（当初のドラフト版は白い表紙で、それが「淡いオリーブグリーン」と描写された色に変わり、最終的にオレンジ色に落ち着いた[117]）。１９８３年８月15日に発行されたオレンジブックは、１１７ページの大作だった[118]。

オレンジブックの主要執筆者の中には、マルティックス・プロジェクトに携わっていた者もおり、オレンジブックに記されている要件には、「マルティックスのテイスト」が色濃く反映されている[119]。マルティックス・プロジェクトではセキュリティリングの考え方が採用され、オレンジブックにもレベル分け、より正確には「ディビジョン（区分け）」の概念があった。ディビジョンには４つのレベルがあり、形式的検証を必要としていたのは、一番上のＡ１というレベルだけだった（ディビジョンはＡＢＣＤの４レベルに分かれており、Ｄを除く各レベルがさらに細分化されている）。レベルＡでは、米国家コンピュータセキュリティセンター（ＮＣＳＣ）によって承認された自動検証システムを使用する必要があったが、証明する必要があったのはシステムの設計のみで、実装は含まれていなかった[120]。レベルＡの下にはＢがあり、レベルＢに認証されたコンピュータは、マルチレベル・セキュリティの実装に適していると判断された。もしマクドネル・エアクラフトがレベルＢに認証されたコンピュータを購入していたなら、そのコンピュータで軍と民間両方の顧客にサービスを提供できただろう。レベルＢの認証を受けるためには、コンピュータの設計者は、セキュリティモデルがその実装と一致しているという「説得力のある論拠」を示さなければならなかった[121]。レベルＢの下に置かれていたのが、レベル

CとDだ。レベルCはレベルBのセキュリティ要件を緩和したものであり、レベルDは、検証は受けたものの、上のレベルの要件を満たすことができなかったコンピュータに付された。[122]

オレンジブックの執筆者が期待していたのは、民間のベンダーがまずは即座に低いレベルで認証を受け、それからより高いレベルの認証が得られるように、セキュリティ機能を追加していくことだった。[123] しかしそれは遅々として進まなかった。1991年までにA1認証を取得したのは2つのシステムだけだ。ハネウェルのセキュア通信プロセッサ（SCOMP）と国防総省のブラッカー・システムである。[124]

評価と認証がなかなか進まない一方で、コンピュータに関する他の分野の進化は加速していった。パーソナルコンピュータ（PC）革命は、部品の小型化を推し進め、コンピュータを広く普及させた。いまやコンピュータは机の上に収まるサイズになり、ユーザーフレンドリーなグラフィカルユーザーインターフェース、キーボード、マウスが備え付けられた。この新たなパソコンを購入するユーザーや組織は、マルチレベル・セキュリティや強制アクセスコントロールなどのセキュリティ機能は必要としていなかった。彼らの多くは、機密データを保存したり処理したりしない民間企業であり、米軍のように分類という方法でデータを扱うことも考えていなかった。[125] 米軍は情報の機密性を保つことに重点を置いていたが、企業は顧客記録などの情報が変更されないようにすること、つまり完全性を保つことを重視する傾向があり、彼らの目指すセキュリティの姿は異なっていた。

A1認証を取得したSCOMPコンピュータの販売台数は30台に満たず、収支が償わなかった。[126] マイクロソフトのパソコン用OSのウィンドウズNTはC2認証を取得したが、これはウィンドウズN

Tの設置方法に左右され、スタンドアロン型でコンピュータをネットワークにつなげず、フロッピーディスクドライブを無効にしておくことが条件だった。[127] 現実の環境において、ウィンドウズNTを走らせているコンピュータをこのような構成で使用することはほとんどない。ロジャー・シェルはC2認証について、「実用的なリソースをまったく持たない、退屈した大学生」のような、「まったくのアマチュア」からしか身を守れないコンピュータのためのものだ、と表現している。[128]

コンピュータのOSにマルチレベルのセキュリティシステムを実装するためのコストは、開発費の2倍に達すると見積もられていた。[129] オレンジブックの上位レベルを満たすために必要なセキュリティ機能を実装し、さらにそのコンピュータが認証を受けるまでには何年もかかった。その製品が市場に出る頃には、認証を受けていない競合製品に比べて高価で時代遅れのものになってしまう、という状態だったのだ。[130]

オレンジブックは失敗だった。[131] 確かに米軍のセキュリティ要件に対する民間ベンダーの意識は高まったかもしれない。しかしそれによって、民間ベンダーの方針が変わってしまった。彼らが参入した計画によって民間市場の新たな現実から切り離されたのである。[132]

１９６０年代初頭に情報セキュリティの研究を始めた、ランドをはじめとする初期の研究者たちは、機密情報が保護される新しい世界への扉を開くことができると信じていた。しかし彼らの夢は、市場の関心事に押し切られた。その点で、ランド研究所の正しさが証明された。そこではまさに合理性がすべてを支配するのである。マルチレベル・セキュリティ、形式的検証、オレンジブックなど、初期の研究者たちが生み出したものを、新しいコンピュータ関連会社が見捨てるのはまったく合理的なことだったのだ。

　1990年代半ばには、情報セキュリティの分野は漂流状態になっていた。進むべき道が見えなかったのである。しかし、このような状況が続いていたまさにその頃、新しくて素晴らしいアイデアがコンピューティングを変えようとしていた。そのアイデアは、情報セキュリティへのアプローチを大きく変えることになった。

3　インターネットとウェブの誕生、不吉な予兆

電子メール

１９５７年10月4日、ソ連が人工衛星スプートニクの打ち上げに成功したことは、米軍の間にパニックを引き起こした。[1] 自分たちがまだ手にしていない力をソ連に見せつけられた米政府は、多額の予算を研究開発につぎ込み始めた。[2]

１９５８年、米高等研究計画局（ＡＲＰＡ）が5億ドルの設立資金と20億ドルの年間予算で設立された。[3] 彼らに与えられた目標は、米国の宇宙開発と戦略ミサイル研究を指揮することだ。[4] ＡＲＰＡは科学者や研究者を直接は雇用していなかった。代わりに管理者を雇い、学術機関や商業組織に所属する科学者や研究者の指揮をとらせていた。[5] そうした背景から、ＡＲＰＡはＭＩＴ、カリフォルニア大学バークレー校、スタンフォード大学といった学術機関に所属する研究者同士のコラボレーションを

促進することに強い関心を持っていた[6]。ＡＲＰＡの悩みは、それぞれの拠点が、コンピュータやプログラミング言語、コンピュータプログラム、プロセスなどを、独自に準備しなければならないことだった。そうした作業の重複は資源の無駄遣いだ。離れた場所にあるコンピュータ同士を接続する試みはこれまで一度も行われたことがなかったものの、コンピュータネットワークを通じてさまざまな研究拠点を結ぶことができるとＡＲＰＡは確信していた[7]。

彼らの構想を実現したのが、ランド研究所のポール・バランという研究者によってもたらされたアイデアである。バランは１９４９年にドレクセル工科大学で電気工学の学位を取得した後[8]、エッカート・モークリー・コンピュータ・コーポレーションに技術者として採用される。彼の初めての仕事は、ＵＮＩＶＡＣに使用されるコンピュータ部品のテストを行うことだった。１９５９年にランドのコンピュータ科学部門に入社したバランは、１９６０年代初頭、核攻撃にも耐えうる軍事通信ネットワークの構築に興味を持つようになった[9]。

スプートニクによってソ連と米国の宇宙開発競争が始まり、核を搭載した大陸間弾道ミサイルの使用や、宇宙から核兵器が発射される可能性は、いまや両国にとって国の存続に関わる脅威となっていた。ランドのアナリストが愛用していたゲーム理論は、どのようにすれば米ソの間に安定した均衡状態が維持されるかを説明した。どちらかが核戦争を起こすと、相手に報復されるため、どちらも核戦争を起こさない――これが「ＭＡＤ（Mutually Assured Destruction：相互確証破壊）」として知られる理論である。しかしこの均衡が保たれるのは、米国が先制攻撃を受けた後に反撃できる能力を保持している場合に限られる。ソ連のミサイルの第1波で、米軍の指揮系統が破壊されてしまうと、反撃できなくなってしまう。バランが解決しようとしていたのは、この問題だった。後に彼は、自分の仕事を「かつてないほど危険な状況に対応するため」に行ったものと表現している。[10]
　バランは、人間の脳が物理的なダメージから回復する能力にヒントを得た。[11] 脳の灰白質（かいはくしつ）には、脳が機能するのに必ず必要な部分、といったものは存在しない。つまり一部が取り返しのつかないダメージを受けても、脳は完全に回復することがある。脳の残りの部分が、損傷した部分を除いた状態で機能することを学習し、時間の経過とともに自動的に適応して補うことができるのだ。バランはこの仕組みを、「核ミサイルで通信網の一部が破壊された時、通信を機能させるにはどうしたらよいか」という問題に応用した。脳と同じように、通信網が損傷した部分を認識し、その部分を迂回して通信を行うのである。[12]
　バランは2つの重要な要素から成る計画を立てた。1つは、脳と同様に分散して機能する通信ネットワークを構築することであり、そこでは多数の小さな断片が互いに接続され、より大きな全体を形成する仕組みになっていた。[13] そしてもう1つは、ネットワーク上での情報の伝達方法の設計である。情報は「パケット」と名付けられたメッセージのブロックに分割され、[14] パケットスイッチングを介して送信される。つまりパケットは、ネットワークのある部分から次の部分へ、さらに次の部分へと、宛先に到達するまで進み続けるのだ。ネットワークの一部が破壊されていても、パケットはそこを迂回することができる。[15] パケット（小包）という名称は、それが小さな荷物を想起させることから付けられた。というのも、各パケットの外側には目的地のアドレスが含まれていて、それによって、ネットワーク上を通過していくことが可能になるからだ。[16] これは当時の電気通信ネットワークのあり方とは根本的に異なるものだった。そこでは電話をかける人と受ける人との間に接続が確立され、その接続は2人が通話している間、維持され続けなければならなかった。

バランは1965年までに計画を完成させ、ランドの同僚たちにそれを売り込んでいた。彼らは米空軍に、バランの「分散化とパケットスイッチング」というアイデアを取り入れた通信ネットワークを構築するよう勧めた。[17]しかし、米国の電気通信ネットワークを所有・運営していたAT&Tは、バランの提案に懐疑的な姿勢を示した。バランのアプローチは、彼らの既存のビジネスや技術とはまったく異なるものだったのである。そのため、AT&Tはパケットスイッチング方式のネットワークの検討を拒否し、米空軍が軍の予算で構築と運営を行うと同社に申し出た後も、その決定を変えなかった。[18]空軍はAT&Tから支援を受けずに計画を進めることにしたが、国防総省はネットワークの構築を、空軍ではなく国防通信局に任せることにした。しかし国防通信局もAT&T同様、バランの構想にまるで耳を貸さなかった。バランは落ち込んだが、現実的でもあった。彼は空軍に対して、自分のアイデアをちゃんとわかってくれる組織が現れるまで待つように勧めたのだ。[19]

バランが待たなければならなかったのは、たったの2年間だった。1967年、ARPAはパケットスイッチング型ネットワークの開発に着手するプロジェクトに50万ドルを割り当てた。[20]ポール・バランをはじめとする研究者や技術者の小グループが結成され、初期設計のデザインを始めた。[21]そして1968年6月、彼らはARPAの経営陣に提案書を提出する。[22]この提案はARPAに承認され、当初予算220万ドルで企業から入札を募る許可が下りた。[23]入札内容は、特別なコンピュータを製造してARPAの各研究拠点をつなぐというもので、コンピュータには「インターフェース・メッセージ・プロセッサ（ＩＭＰ）」という名前が付けられた[24]。ＡＲＰＡのチームは１４０の企業に提案依頼書を送り、ＩＭＰの構築方法を記述した入札書を提出させた[25]。ＡＲＰＡからの依頼を受けた大企業の中には、提案書の提出を断ったところもある。ＩＢＭは、費用対効果の高いネットワークを実現できるくらい小型のコンピュータは存在しないと考え、参加しないことを決定した[26]。しかしＡＲＰＡは、ディジタルやレイセオンなど十数社からの入札を受ける。彼らから寄せられた提案書を積み重ねると、その高さは6フィート（約１・８メートル）にも達した[27]。

ＡＲＰＡは提案書を慎重に審査し、レイセオンのような巨大な防衛関連企業ではなく、マサチューセッツ州ケンブリッジにある小さなコンサルティング会社、ＢＢＮ（ボルト・ベラネック・ニューマン）に発注することを決めた[28]。ＢＢＮがＡＲＰＡに提出した提案書は非常に詳細で、ＩＭＰの製造計画が正確に書かれていた。ＡＲＰＡが他社ではなくＢＢＮに発注することを決めたのは、その詳細さが理由だったのだ[29]。

ＡＲＰＡとＢＢＮの間に交わされた契約書では、最初のＩＭＰを１９６９年のレイバー・デー（米国の祝日で、毎年9月の第1月曜日と定められている）までに提供し、その後は同年12月まで、毎月１台ずつＩＭＰを追加することが規定されていた[30]。最初のＩＭＰの納品と設置は、１９６９年9月にＵＣＬＡで行われ、2台目は10月にＳＲＩインターナショナルに、3台目は11月にカリフォルニア大学サンタバーバラ校に、4台目は12月にユタ大学にそれぞれ導入され、ＢＢＮにも１９７０年の初春に5台目が設置された[31]。１９７０年の夏には、6、7、8、9台目のＩＭＰが、それぞれＭＩＴ、ランド研究所、システム・デベロップメント・コーポレーション、ハーバード大学に導入された[32]。こうして、次第にARPANETが形成されていった。2つの拠点間での最初の接続は、UCLAとSRIのIMPの間で行われた。[33] BBNがIMPの開発を受注してから1年足らずで、UCLA、SRI、カリフォルニア大学サンタバーバラ校、ユタ大学の4つの拠点がネットワークに接続されたのだ。[34]

ARPAの想定どおり、初期のARPANETユーザーはほぼコンピュータ科学者だけだったが、科学者だけでなくさまざまな人々を魅了する新たな「キラーアプリ」によって、ネットワークの成長は加速することとなる。[35] 単一のスタンドアロン・コンピュータ上のユーザー間でメッセージをやり取りする機能は1960年代初頭から存在していたが、ARPANETは、異なる拠点にいる異なるコンピュータのユーザー間で、「電子メール（email）」と呼ばれる新しい通信システムを使用してコミュニケーションを取ることを可能にした。電子メールがもたらしたのは、コンピュータ間でメッセージを迅速かつ効率的にやり取りする手段だ。「@（アットマーク）」記号が使用されることで、電子メールのアドレスはわかりやすいものになり、使いやすい電子メールクライアントの開発にも力が注がれた。[36] 電子メールは1972年頃から本格的に使われ始め、1973年にはARPANET上のネットワークトラフィックの4分の3が電子メール関連のものになるほど、大きな魅力を秘めていた。[37]

ARPANETに参加して自分の電子メールアドレスを作った人は、同じように電子メールを使っている他のすべての人から連絡を受けることができるようになった。電子メールアドレスを持つことで得られる価値は、新たにネットワークに参加する人が現れるごとに増加し、ますますその勢いを増していった。同じ現象は、電話やファックスなどの通信技術の指数関数的な成長にも見られ、後に「メトカーフの法則」として体系化されることになる。

電子メールの平等主義的な性質は大きな強みだったが、次第に弱点にもなっていった。1978年、最初のスパムメールが電子メールの受信箱に届いた。しかし、迷惑メールを指す言葉として「スパム」が広く使われるようになったのは、1980年代に入ってからのことだ。[38] 初めてスパムメールを送った人物という不名誉を与えられているのは、ディジタル・イクイップメント・コーポレーション（DEC）のマーケティング部門の社員で、メールの内容はディジタルのコンピュータ「DEC‐20」ファミリーの宣伝だった。[39] このメールは約600の電子メールアドレスに送られ、受信者に「エキサイティングなDECシステム‐20ファミリーの詳細についてはお近くの代理店までお問い合わせください」と呼びかけていた。[40] この電子メールは、ARPANETに対する「明白な違反」であると判断された。というのも、ARPANETは当時はまだ米国政府の公式業務にのみ使用されることが意図されていたからだ。[41] またそれは、何が電子メールの適切な使い方で、何が不適切なのかという議論のきっかけとなり、その議論自体が電子メールを介して行われた。[42]

物理的なネットワークをつくっているのはIMPマシンとそれらの接続だが、ネットワークに接続されたコンピュータ同士で通信するには、ネットワークプロトコルが必要となる。一般的な意味でのプロトコルとは、コミュニケーション方法に関する当事者間の合意を指す。握手はプロトコルの一例だ。握手をする際、最初の人は自分が手を伸ばすことをわかっており、2番目の人は差し出された手を握って握手することをわかっている。しばらくすると、互いに握手をやめるのも承知している。他にも、教室で生徒が手を挙げて教師の注意を引き、教師がその生徒に発言を促すこともプロトコルの例として挙げられる。

ARPANETのネットワークプロトコルは、RFC（Request for Comments）と呼ばれる文書に記述されていた。[43] この名称は、オープンで協力的な制定プロセスを表現するために付けられたものである。[44] 誰でもRFCに対するフィードバックを提供することができ、また自分自身が設計したネットワークプロトコルを記述したRFCを作成し、提案することもできる。[45] RFCはネットワークのプロトコルを説明するだけでなく、ネットワークの利用者にガイダンスを与えたり、新しいアイデアを提示したり、時にはユーモアのある目的でも使用された。1990年のエイプリルフールに発行されたRFCでは、伝書鳩を使ってネットワークパケットを送信するネットワークプロトコルが提案されている。この「鳥類キャリア」は、「固有の衝突回避システム」を備えていると書かれているが、読者に対して「ストーム（気象現象としての嵐と、通信上で起きる障害の1つ「ブロードキャストストーム」をかけている）によってデータが失われる可能性がある」と警告を発している。[46]

あるRFCが承認されると、承認済みの他のRFCから成るルールに追加される。新しいバージョンのRFCは古いバージョンを置き換えることができるため、時代の変化や新しい技術に対応できる。最初に設計された主要なネットワークプロトコルが、インターネット・プロトコル（IP）とトランスミッション・コントロール・プロトコル（TCP）、合わせてTCP／IPとして知られるものだ。[47] TCP／IPプロトコル群は、多くの関連プロトコルで構成されており、ポール・バランが設計したように障害を迂回してパケットをルーティングできるのは、このプロトコル群のおかげである。[48] 最初に設計されたこれら2つのアプリケーション層（通信プロトコルを形成するものの1つで、システムに必要な機能を実装するための層）プロトコルによって、コンピュータのユーザーはネットワークを介して対話できるようになり、生産性が向上した。テルネット・プロトコルは、ユーザーが離れた場所にあるコンピュータに接続し、物理的にその前に座っているかのように操作することを可能にするプロトコルである。[49]ランド研究所のオフィスにいるユーザーはテルネットを使って、たとえばハーバード大学やユタ大学などに設置されたコンピュータで作業できる。ファイル転送プロトコル（ＦＴＰ）は、ユーザーがコンピュータ間でファイルを転送することを可能にする。[50]

これらのプロトコルは、いずれもセキュリティを考慮して設計されたものではない。テルネット・プロトコルを記述した最初のＲＦＣには、セキュリティという言葉は含まれておらず、ＦＴＰのセキュリティを検討したＲＦＣは１９９９年まで存在しなかった。[51]当初、セキュリティ機能が考慮されなかったのは、ネットワークをできるだけ早く便利にしたいという思いがあったからで、セキュリティ機能を追加することは、少なくともある程度はその目的から外れていたのである。その結果ＲＦＣには、１９９３年からのセキュリティに関する考慮事項を話し合うセクションを含めることだけが求められるようになった。[52]

１９８８年までに、ＡＲＰＡＮＥＴは約３００の拠点で構成されるようになっており、各拠点には数百台から、場所によっては数千台のコンピュータが接続されていた。[53]当時ネットワークに接続されていたコンピュータの総数は、約６万台と言われている。[54]ネットワークに接続されるコンピュータの数は、指数関数的に増加していた。その主な理由は、ワークステーションと呼ばれる新しいタイプのコンピュータが１９８０年代に登場したからだ。ワークステーションは机の上に置けるサイズで、通常はオペレーティングシステムとしてＵＮＩＸを搭載していた。[55]

ARPANETはARPA主導の計画の産物だったが、そのコンピュータとローカルネットワークとの無秩序な接続は有機的に拡大していった。これが、ARPANETから現在インターネットとして知られるネットワークへの、はっきりとしない「境界線」である。自分のコンピュータをインターネットに接続した人は、他のコンピュータに接続できるが、それらのコンピュータもまた別のコンピュータに接続できる。こうして、インターネットに接続されたすべてのコンピュータが、同じくインターネットに接続された他のすべてのコンピュータに接続されるようになった。[56] この接続性は、協同と生産性の可能性を切り開いたが、同時にセキュリティ上のリスクも生み出した。そしてまもなく、そのリスクが顕在化することになる。

世界初のコンピュータウイルス

1988年11月2日水曜日の午後、コーネル大学のシステム管理者たちは、彼らのコンピュータの一部がウイルスと思われるものに感染しているのを発見した。[57]「コンピュータウイルス」という言葉は、1983年にコンピュータ科学者のフレッド・コーエンによって初めて正式な意味で使われた。[58] 南カリフォルニア大学の大学院生だったコーエンは、ある授業に出ていた際、ふとコンピュータプログラムはそれ自身をコピーし、自己複製することができるのではないかと考えた。彼がこのアイデアを博士課程の指導教官であったレン・エーデルマンに話すと、エーデルマンはそうした自己複製プログラムをコンピュータウイルスと呼ぶことを提案した。[59] コーエンはコンピュータウイルスに関する博士論文を執筆し、また「これが史上初のコンピュータウイルスだ」と彼が主張するプログラムも書いた。[60] そのプログラムが誕生したのは、1983年11月3日のことだった。[61] 偶然にも、それからほぼぴったり5年後に、コーネル大学でコンピュータウイルスが発見されたわけである。[62]

それまでウイルスは、フロッピーディスクを介してコンピュータ間を移動し拡散する傾向があったため、コーネル大学での感染は珍しいケースだった。コーネル大学のウイルスは、ネットワークを通じてコンピュータからコンピュータへと広がっていたのである。つまりそれは、ウイルスというより「ワーム」だった。この名称は寄生虫のサナダムシ（テープワーム）から付けられたもので、サナダムシが他の生物の体内に生息し、養分を吸収して自らを維持することに由来する。[63]

その日の夜9時までに、ランド研究所とスタンフォード大学のコンピュータでもワームが検知された。[64] このワームは急速に広がり、生物学的な意味でのパンデミックと同様に、感染したコンピュータの数が指数関数的に増加した。コーネル大学でワームが検知されてからわずか12時間後には、100台以上のコンピュータが感染していたのだ。[65] その中にはMITやハーバード大学、NASAエイムズ研究センターなどの主要拠点のコンピュータも含まれていた。[66] システム管理者の間では、このワームについて互いに警告しようとする声が広がっていった。その1つは、次のようなものだった。「マシンを守りたければ、マシンの電源を切るか、ネットワークケーブルを抜いてください[67]!!!!」

このワームは、2種類のUNIXマシンを感染させることができた。DEC製のVAXコンピュータとSun－3ワークステーションである。[68] ファイルを削除するといった悪意のあるペイロード（ウイルスやワームのソースコードにおける、感染したコンピュータに対して攻撃の目的となる行動を起こす部分。感染や自己複製に関する部分ではない〕は含まれていないようだったが、感染したマシンのシステムリソースを大量に消費してその動作を遅くしたり、場合によってはハードディスクの空き容量をすべて使い切ってしまったりすることがあった。[69] またワームが他のコンピュータに感染する速度が速いため、ネットワークトラフィックを増大させ、ネットワークが過負荷に陥ることもあった。[70]

さまざまな拠点のシステム管理者やセキュリティ担当者は、このワームのインスタンス〔動作可能な状態になっているプログラム〕を入手し、その仕組みを理解するために分解作業を行った。するとすぐに、遠隔地のコンピュータに感染させるためにいくつかの異なる手法を用いていることが明らかになった。それがわかったのは、システム管理者が1つの手法を特定し、それをブロックしてワームをコンピュータから駆除した後、ワームが別の手法を使って同じコンピュータを再感染させたのが確認されたからだ。[71] システム管理者たちは、ワームについて議論するために立ち上げられた特別なメーリングリスト「ファージ」を通じて、発見したことを互いに共有した。[72] ワームは、システムを感染させるための手法の1つとして、電子メールを利用していた。そのため一部の拠点では電子メールの送受信機能を停止したが、電子メールはワームが用いていた多くの攻撃手法の1つに過ぎなかったため、それらの拠点も再感染することとなった。[73] また電子メールを遮断したことで、ワームを止める方法に関するコミュニケーションや情報共有ができなくなるという弊害も生じた。

軍の専用ネットワークであるMILNETとインターネット間の接続は、ワームの出現を受けて切断されたが、それはワームの感染がMILNET上のコンピュータにも広がった後のことだ。[74] ワームが解析され、UNIXに適用できる修正プログラムが開発されるまでには1週間を要した。この修正によりワームの感染を防ぐことができ、ワームは徐々にネットワーク上から駆除されていった。[75] このワームは最終的に、約3000台のコンピュータに感染することに成功した。これは当時インターネットに接続されていたコンピュータの約5パーセントにあたる。[76] 問題は、このワームがどこから来たのか、誰が作ったのか、そしてその動機は何なのか、ということだった。疑いの目が向けられたのは、最初のワーム感染が報告されてからわずか数時間後の11月3日木曜日、米国東部標準時午前3時34分に送信された電子メールの作成者だった。この電子メールは匿名で、ハーバード大学のコンピュータからブラウン大学の電子メールサーバー宛に直接送信されていた。メールの本文は「申し訳ない」という言葉で始まり、インターネット上にウイルスが蔓延(まんえん)している可能性があること、システム管理者は感染を防ぐために3つのステップを取れることを説明している。[77] その手順は、ワームの作者か、ワームの設計をよく理解している人でなければ書けないものだった。残念なことに、ワームの蔓延によって電子メールの配信が滞り、警告メッセージが人々の目に留まったのは1日以上経ってからのことだった。[78]

謎の電子メールを調査した結果、捜査官たちはロバート・T・モリスという大学院生にたどり着いた。[79] モリスはハーバード大学を卒業後、コーネル大学でコンピュータ科学を専攻しており、当時は大学院の1年生だった。彼はハーバード大学時代の2人の友人、アンドリュー・サダスとポール・グレアムに電話し、警告を含んだ匿名の電子メールを送るようにサダスに頼んだ。[80] このワームの初期バージョンが書かれたコードは、コーネル大学のシステム管理者が記録したバックアップ・テープの中から発見され、さらにグレアムはその前の月、モリスに電子メールを送り、「あの素晴らしいプロジェクトについて、何か新しいニュースはない？」と尋ねていた。[81]

モリスは、悪意のあるコンピュータプログラムを世に流布させた罪で逮捕され裁判にかけられた、最初の人物となった。[82] 裁判は、ニューヨーク州シラキュースの地方裁判所で行われた。裁判でモリスは、ワームを作成してリリースしたことは否定しなかったが、損害を与える意図はなかったこと、損害が適用法に定められた閾値を超えていないことを訴え、無罪を主張した。陪審員団は5時間半にわたって審議し、１９９０年1月22日に有罪の評決を下した。[83] これは米国で初めてインターネットに言及した判決であり、歴史に名を残すこととなる。[84]

モリスには、１９９０年5月4日に刑が申し渡された。判決のガイドラインでは、15～21か月の懲役が推奨されていたが、モリスは3年間の執行猶予と４００時間の社会奉仕活動、そして１万ドルの罰金を命じられた。[85] この判決を不服として、モリスと彼の弁護団は控訴したが、控訴裁判所は判決を支持し、最高裁判所はさらなる控訴を棄却した。裁判所が下した処罰に加えて、モリスはコーネル大学から1年間の停学処分を受け、それ以降の再入学も拒否された。しかしモリスは１９９９年にハーバード大学で博士号を取得し、その後ＭＩＴでコンピュータ科学の教授となった。またエアビーアンドビーやドロップボックスなどのテクノロジー企業を誕生させたことで知られる、スタートアップ・インキュベーター〔本来インキュベーターは孵卵器を意味するが、そこから転じて、立ち上げられたばかりの企業を支援する企業や組織を指す言葉として使われる〕のＹコンビネーターでパートナーを務めている。

モリスはこのワームを作成した目的を明らかにしていない。彼はこのワームをリリースするつもりはなかったと述べているが、それには明らかに検出を逃れるための機能が備えられていた。[86] ＵＮＩＸ

コンピュータに感染したワームは自身の名前をＵＮＩＸのプログラムで一般的な「ｓｈ」に変える。[87]このように名前を変えることで、ワームはシステム管理者に気づかれないようにすることができた。またワームは定期的に再起動するように設計されており、長時間稼働しているプログラムのリストには表示されないようになっていた。[88]ワームが何らかの理由でクラッシュした場合には、後から調査されないように、「コアダンプ」と呼ばれるデジタルデータの残骸を残さないように設計されていた。[89]しかし、もしモリスがワームが発見されるのを避けようとしていたのであれば、なぜワームはコンピュータだけでなくネットワーク自体にまで負荷をかけるほど急速に拡散して、その存在を明らかにしたのだろうか。その答えは、ワームがこれほど早く広がることを、モリスが意図していなかったからなのではないか。このワームの各コピーは、すでに感染しているコンピュータに再び感染しようとしていないかチェックするはずだったが、プログラムのエラーにより、そのチェックを担うコード箇所は15回に1回しか正しく機能しなかったのだ。[90]

ワームを構成するコードの品質は「平凡で、劣っているとすら考えられる」ほどで、それは「経験が浅く、慌ただしい、あるいは仕事が雑なプログラマー」が生み出したもののようだという意見もあった。[91]しかしコードの中には、まったく別のプログラマーが書いたと思われる箇所が2つあった。ワームがコンピュータからコンピュータへと拡散するために使用した手法の1つは、パスワードの推測だ。そのためには、ＵＮＩＸシステム内でパスワードの暗号化に使われていた、暗号化アルゴリズムを複製する必要があった。ワーム内で暗号化を実行するコードは、ＵＮＩＸオペレーティングシステムの標準的なアルゴリズムの実装よりも9倍速いことが判明した。[92]また、ワームのコードは暗号化と復号化の両方をサポートしていたのだが、使われていたのは暗号化の方だけだった。これらの発見は、モリスによって、暗号化コードがどこか他の場所からカット&ペーストされたものであることを示唆する。[93]

モリスによって書かれたものではないと考えられるワームの中の2つ目のコードは、コンピュータに侵入するための別のテクニックだった。それはバッファオーバーフローと呼ばれるものだ。「AAA」のような、一定の量のデータがあるとしよう。バッファオーバーフローに対して脆弱なプログラムは、この一定量以上のデータを受信することは想定されていない。しかし攻撃者は、そこに「AAA」ではなく「AAAX」を送信する。ここで「X」とは、コンピュータによって実行され、バッファ(データの一時記憶領域)をオーバーフローさせるコードのことを表している。このコードは攻撃者によって書かれるものなので、攻撃者が望むものなら何でも書き入れることができる。たとえば攻撃者のプログラムに、コンピュータのOS内で最高レベルの特権を与えるコードなどだ。バッファオーバーフローの概念は、1972年のアンダーソン・レポートに初めて書かれたが、このワームはその手法を公の場に示したのである。[94] ワームは、当時普及していた2種類のUNIXシステムのうちの1つでバッファオーバーフローを発生させるコードを含んでいたが、もう一方のUNIXシステムはその攻撃の対象外だった。このことから、モリスがどこからかバッファオーバーフローのコードを入手し、それを自分のワームに組み込んだが、彼自身はバッファオーバーフローを書く方法を知らなかったことが考えられる。[95]

モリスがパスワード暗号化アルゴリズムもバッファオーバーフローも書いていないとしたら、どこでそのコードを手に入れたのだろうか？　1つの可能性は、彼の父親だ[96]。ロバート・T・モリスの父親は、1960年にベル研究所で働き始めた、コンピュータセキュリティ研究者のロバート・モリスである。ベル研究所はレーザーやトランジスタ、OSのUNIXを発明した組織だ。ランド研究所と同様に、ベル研究所もまた情報セキュリティの研究を行っていた。ロバート・モリスはベル研究所に在籍していた時、UNIXで使用されているパスワード暗号化方式の開発を一手に引き受けていた[97]。1986年、彼はベル研究所を辞めてNSAに入所し、設立から間もない国家コンピュータセキュリティセンターのチーフサイエンティストになる[98]。ロバート・T・モリスが父親から、あるいは父親を介して間接的にNSAからコードを入手したとすれば、NSAはUNIXシステムへの侵入方法を知っていながら、その知識を秘密にしていたことになる。バッファオーバーフローに使われたUNIX上のコードは、UNIXの「黎明期から」存在していたと言われており、もしNSAがそれを発見していたのであれば、実質的にすべてのUNIXコンピュータに侵入することができたはずだ[99]。息子が逮捕された後、ロバート・モリスはニューヨークタイムズ紙に対して、ワームの一件は「退屈な大学院生の仕業だ」と語っている[100]。この発言は、息子をかばう父親の気持ちから出たものかもしれないが、同時に、ワームの作成にNSAが関与している可能性から人々の気を逸らそうとする、NSA幹部としての思惑によるものだったのかもしれない。

　モリスのワームに感染したコンピュータの数に、インターネットコミュニティは衝撃を受けた[101]。それは広範囲に影響を与えたように思われたが、被害はもっと湛大であった可能性があった。コンピュータから情報を削除したり、情報をコピーして別の場所に送信するようにワームがプログラムされていたかもしれないのである。一方で、このワームが主にUNIXのセキュリティ上の脆弱性を利用して広がったことで、UNIXのセキュリティはより厳密に検討されるようにもなった。

UNIXの安全性とファイアウォール

UNIXは、1969年にニュージャージー州にあるベル研究所の研究者であるケン・トンプソンとデニス・リッチーによって開発された[102]。トンプソンとリッチーはマルティックスのプログラマーで、UNIXの名前もマルティックスをもじったものであり、「(マルティックス)プロジェクトに平手打ち」することを意図していた[103]。1972年までに、UNIXのインストール件数は10に達し、「もっと増えるだろう」と控えめに言われていたのは有名な話だ[104]。

トンプソンとリッチーはUNIXのソースコードをわずかな料金で提供した。またUNIXは元々DECハードウェア上で書かれていたが、異なるタイプのコンピュータ上で動作するようにコードを変更するのは比較的簡単だった[105]。UNIXが安価で簡単に変更できるという点は大学にとっては魅力的で、1970年代半ばまでに、UNIXは大学のキャンパスで広く使われるようになった[106]。大学でUNIXを学んだ人たちは、その知識と経験を企業に持ち込んだ。UNIXは彼らが最も使い慣れて親しんだオペレーティングシステムであり、そのためますますビジネスの世界で使われるようになったのだ[107]。ARPA――1972年に改称され、DefenseのDが付いてDARPA(国防高等研究計画局)という名称になった――もUNIXを支持したが、それはTCP/IPプロトコルスイート(プロトコルスイートとは、一定の通信方式を実現するために、一連の通信プロトコル（手順）を集めたもの）を実装していたからであり、1980年には推奨OSにUNIXを選んだ。[108] 1980年代半ばには、UNIXは最も広く使われるオペレーティングシステムとなった。[109] あまりの人気と普及ぶりに、ケン・トンプソンはある教授から「お前なんか大嫌いだ。UNIXのせいですべてのオペレーティングシステム研究が止まってしまった」と言われたほどだ。[110]

UNIXはもともとアセンブリ言語（プログラミング言語の種類の1つで、コンピュータが直接理解することのできる「機械語」と1対1で対応する命令で構成されているため、「低水準言語」に分類される）で書かれていたが、その後、ケン・トンプソンと彼の同僚が作ったプログラミング言語である「B」で書かれるようになった。1969年から73年にかけて、B言語は「C言語」に進化する。[111] UNIXもC言語で書き直され、現在もC言語で開発されている。C言語は低水準のプログラミングを可能にするために設計された言語であり、そうした言語を使ってプログラマーはUNIXなどのOSを書くことができる。プログラマーはC言語を使うことで、コンピュータを完全に制御できる、高速かつ効率的なプログラムを作成できる。しかし同時に、C言語は十分な構造も必要とし、そうすることでOSのような大きなプログラムを書くのにも使うことができるのだ。リッチーはC言語を「機械語に近く」、そして「風変わりで、欠陥があり、大成功を収めた言語」と表現している。[112] C言語はプログラマーにコンピュータを制御するための大きな力を与えるが、プログラマーはセキュリティ上の脆弱性を含んだコードを書かないように注意しなければならない。C言語では、プログラムで使用するメモリを明示的に管理することがプログラマーに求められるため、ミスを犯すと、モリスのワームが悪用したようなバッファオーバーフローを招きかねない。この点についてC言語は、「指を簡単に切り落としてしまう」と批判されている[113]。しかしC言語の初期設計において、セキュリティが強く意識されていなかったということは、C言語が設計された時代を反映しているとも言える。バッファオーバーフローなどの脆弱性を防ぐためのセキュリティ対策を実施しなかったとC言語の設計者を批判するのは、ABS（アンチロック・ブレーキ・システム）を発明しなかったとヘンリー・フォードを批判するようなものだ、と言われている[114]。

ＵＮＩＸはC言語で書かれていただけでなく、セキュリティに重点を置いた開発がなされていなかった。リッチーは１９７０年代の後半に、「この事実だけで、膨大な数の抜け穴が存在しているのは確実だ」と述べている[115]。初期のＵＮＩＸの多くは、学生によって書かれたり、短期間のプロジェクトとして研究所で働くプログラマーによって書かれたりしたものだった。商用のソフトウェアに期待されていたような厳格なテストは行われないのが一般的で、その結果、「通常は機能するが、時には目を見張るような破綻を起こすツールの大規模な集合体」となっていた[116]。１９８１年に行われたＵＮＩＸのセキュリティに関する学術研究では、６種21個の新たな脆弱性が確認された[117]。この報告書はコンピュータセキュリティ研究者の間で回覧されたが、数十年後に回顧録の一部として公開されるに留まった[118]。１９９１年には、ＵＮＩＸのセキュリティに関する５００ページもの本が出版された[119]。この本の執筆者の1人であるジーン・スパフォードは、モリスワームへの対応で中心的な役割を果たした人物である。ワームの調査とそれを阻止する方法を見つけるのに使用されたメーリングリスト「ファージ」を立ち上げたのも彼だ。

ＵＮＩＸの脆弱性は、ハッカー界でも広く議論されていた。オンラインマガジンの「フラック」（この名前は「フリーク」〈電話に対するハッキング行為〉と「ハック」を組み合わせたものだ）には、ＵＮＩＸのセキュリティに関する記事がいくつか掲載されている。たとえば「シューティング・シャーク」が執筆した「ＵＮＩＸの汚点」、「レッド・ナイト」による「ＵＮＩＸのハッキングに関する詳細ガイド」、「ザ・シャイニング」による「一般的なＵＮＩＸハッキングツール」などである。[120] これらの記事では、ＵＮＩＸの脆弱性や、ハッカーがＵＮＩＸシステムにアクセスした後、どのようにして身を隠すかなどのトピックが紹介されていた。ＵＳＥＮＥＴ〈１９７９年に開発されたコミュニケーション用のネットワーク。掲示板システム（ＢＢＳ）に似た形式でユーザー間でディスカッションすることができ、インターネット普及以前のオンラインコミュニケーションの一翼を担った〉のニュースグループと、メーリングリストの「バグトラック」も、ＵＮＩＸの脆弱性を議論するための人気のフォーラムだった。バグトラックは、脆弱性の技術的詳細など、コンピュータセキュリティに関する話題を議論することを目的として設立された。[121] バグトラックで議論されたＵＮＩＸの脆弱性は、別のコンピュータからＵＮＩＸコンピュータへのアクセスを許可してしまう脆弱性である「リモート脆弱性」と、ＵＮＩＸシステム上で最も強力な権限を持つユーザーになる方法である「ローカル脆弱性」についてだった。つまり、リモート脆弱性を利用して遠く離れたコンピュータにアクセスし、ローカル脆弱性を利用してそのコンピュータを乗っ取ることができるのだ。

こうしたさまざまなフォーラムで議論されていたのは、ＵＮＩＸの脆弱性についての詳細だけではなかった。そこでは脆弱性を利用した「エクスプロイト」も広く公開されていた。エクスプロイトとは、脆弱性の技術的な詳細を理解していなくても、その脆弱性を利用できるようにしたコンピュータプログラムのことである。たとえば、バッファオーバーフローの脆弱性を利用するためのエクスプロイトは、バッファオーバーフローの仕組みを理解していなくても実行することができる。

UNIX上で発見される脆弱性の数が増加し、簡単にそれらを悪用できるようになったことから、「UNIX・セキュリティ」は、「インスタント・クラシック」や「ミリタリー・インテリジェンス」のようなオクシモロン〔矛盾語法。相反する意味の単語をつなげて1つにした言葉〕になってしまった、という冗談まで生まれた。[122] UNIXを安全にすることはできない、常に新しいセキュリティの脆弱性が発見されるだろう、という諦めのムードが漂い始めたのだ。これはタイガーチームや「ペネトレイト・アンド・パッチ」のアプローチに向けられていたのと同じ批判であり、絶望感から生じたものだ。UNIXで見つかる脆弱性の数が増えるにつれ、システム管理者がUNIXのセキュリティを確保するために費やさなければならない労力も増えていった。何百台、何千台ものUNIXマシンを所有する組織は、それらすべてのコンピュータを安全に保つにはどうしたらいいのだろうか? 個々のコンピュータの安全性を補うことのできる、根本的に新しいアプローチが必要だった。そして、それを見つけたと信じる人たちもいた。

彼らは自動車や建物に「ファイアウォール（防火壁）」が組み込まれていることにヒントを得た。ファイアウォールの目的は、物理的な構造物によって火災が広がるのを防いで中にいる人を守ることにある。ファイアウォールのアイデアは、組織が所有するコンピュータ群のセキュリティを確保する作業にも応用できた。個々のコンピュータのセキュリティを確保するのではなく、コンピュータ群とインターネットの間にファイアウォールを設置するのだ。コンピュータ群とインターネットの間のすべての通信は、ファイアウォールを経由する。そして、ファイアウォールの管理者が明示的に許可したトラフィックのみが、そこを通ることができる。この手法は「デフォルト・デナイ（デフォルトで拒否）」と呼ばれている。[123] ファイアウォールが機能していれば、それに守られているコンピュータを個別に保護する必要はない。[124] ファイアウォールの概念は、中世の村を例にして説明されることがある。この村の住民は、野蛮人から身を守るために高い壁を築き、そこに衛兵が常駐する門を１つ設ける。衛兵は、村人や許可を得た人だけに出入りを許す。村へ入るにはその門を通るしかない。この比喩では、村人の家々はファイアウォールに守られたコンピュータであり、村を脅かす野蛮人はインターネット上に存在するワームやハッカーなどの脅威であり、ファイアウォールは壁、門、衛兵の組み合わせによるセキュリティである。ファイアウォールで保護されたコンピュータの安全性は、ファイアウォール自体の安全性に依存するため、ファイアウォールを可能な限り安全なものにするために細心の注意を払う必要がある。[125] このプロセスでは、ファイアウォールの稼働に必要な最低限の機能に絞り込む。ファイアウォールをできるだけシンプルにすることで、脆弱性をもたらすかもしれない複雑さが軽減されるのだ。

ファイアウォールは、個々のコンピュータのセキュリティに焦点を当てた「ホストセキュリティ・モデル」から、ファイアウォールを使って防御可能な境界を作ることに焦点を当てた「ペリメータ（境界）セキュリティ・モデル」へのパラダイムシフトだった。しかし、実のところファイアウォールは、１９７０年代のリファレンスモニタのアイデアを新たに実装したものだったのである。リファアレンスモニタははじめ、ＯＳの動作を監視するものとして考案されたが、ファイアウォールはコンピュータネットワークの動作を監視するものである。アンダーソン・レポートでは、ファイアウォールという言葉をＯＳのセキュリティの文脈でも使っていた。「ユーザー間により優れた『ファイアウォール』を築くことができれば、マルチユーザー、マルチレベルのセキュリティにおけるセキュリティ侵害の範囲を制限できる」[126]。タイムシェアリングでは、複数の人が同時にコンピュータを使用することによるセキュリティリスクを考慮する必要があった。コンピュータネットワークでは、同じコンピュータネットワーク上で複数の人が複数のコンピュータを使用することによるセキュリティリスクを考慮しなければならないという点で、同じ課題を抱えていた。

ファイアウォールは、「インターネット上のセキュリティ脅威から組織内の多数のコンピュータをいかに保護するか」という問題に対する解決策に思えたが、１９９０年代初頭には、ファイアウォールを好意的に見る人ばかりではなかった。ファイアウォールを使うことを選んだ人は「あまりにも怠惰」であるため、個々のコンピュータのセキュリティを改善することはできない、と言う人もいた[127]。またファイアウォールは、インターネットのオープンな精神とは相容れない不幸な分断でバルカン化（20世紀に起きたバルカン半島での紛争を基にした言葉で、特定の地域や分野が、小さな国家や勢力に分裂する（それらが対立する場合も多い）ことを意味する）である、という意見もあった[128]。しかしこうした批判はほとんど無視された。組織にとって、ファイアウォールを使うことで得られる恩恵はあまりにも切実なものだったのである。何百台、何千台ものコンピュータを所有する組織は、それらのコンピュータを個別に保護することなどできないとわかっており、ファイアウォールは比較的シンプルで簡単な解決策であると考えられていた。[129]

ファイアウォールに関する初期の研究の多くは、ウィリアム・チェスウィックとスティーブン・ベロビンがベル研究所で共に働いていたときに行われた。チェスウィックは、モリスワームが出現する前年の1987年にファイアウォールを開発した。[130] ワームが蔓延する中、チェスウィックのファイアウォールはベル研究所のネットワーク上のコンピュータを感染から守ることができた。[131] ワームの一件が収まった後でチェスウィックがベル研究所のネットワークを調査すると、ネットワークに接続されたコンピュータの300台以上に、このワームが悪用したセキュリティ脆弱性が少なくとも1つは存在することがわかった。つまり、ベル研究所がファイアウォールを導入していなければ、大規模な感染に見舞われていたかもしれないのだ。[132]

チェスウィックは1990年に、「安全なインターネット・ゲートウェイの設計」と題した、ファイアウォールに関する初めての論文を発表した。[133] 彼はこのアイデアが斬新なものであり、論文を発表してベル研究所に言及することで、コンピュータハッカーたちを惹きつける可能性があることを理解していた。そのため彼は、論文の最後をこんな警句で締めくくっている。「この文書は、当社のゲートウェイのセキュリティに対するテストを呼びかける招待状ではない。侵入者が発見された場合、当局に通報するのが経営陣の方針だ」[134]

ファイアウォールの研究に対するスティーブン・ベロビンの貢献は、彼がベル研究所のファイアウォールが受信するネットワークトラフィックを調査したことに始まる。彼は未遂に終わった攻撃や、その他の不審なネットワークトラフィックをいくつか発見し、それらは「単にドアノブを回そうとしているものから、断固とした攻撃までさまざま」と描写した。[135] 彼の研究は、オープンなインターネットがますます危険な場所になっていることを示しており、それはファイアウォールの価値を支持するものだった。

チェスウィックとベロビンは、インターネットのファイアウォールをテーマにした最初の本を共同で執筆し、1994年に出版した。[136] ファイアウォールへの関心の高さから、この本はわずか1週間で初版の1万部が完売した。[137] そして第1版だけで10万部が売れ、12か国語にも翻訳されたのだ。[138]

ファイアウォールは、導入した組織に明確なメリットをもたらすが、同時に単一障害点〔あるシステムにおいて、その箇所に障害が起きると、システム全体に障害が発生してしまうような部分〕にもなり得る。チェスウィック自身は、ペリメータセキュリティ・モデルを「アルマジロ・モデル、つまり噛(か)み応えのある柔らかい中心部の周囲に、硬い甲羅があるようなもの」と表現している。[139] ファイアウォールが迂回されたり、不正アクセスを受けたりして防衛に失敗すると、ファイアウォールの内側にあるコンピュータは危険にさらされてしまう。またファイアウォールは組織のニーズに合わせて設定する必要があり、その設定は難しい作業となる。どのようなトラフィックを許可、あるいは拒否するのかを記述したファイアウォールの「ルール」は、理解が困難なカスタム言語で記述されていた。[140] 2004年、37の組織に対してファイアウォール設定の調査が行われたが、90パーセント以上にエラーがあることが判明し、報告書の執筆者はこれを「悲惨」と表現している。[141] 2010年に行われた追跡調査では、その倍以上の組織が対象となったが、そこでもファイアウォール設定が不十分であることが判明している。[142]

コンピュータハッカーやインターネットワームといった脅威が存在する中、ファイアウォールも万能薬にはならなかった。ファイアウォールとペリメータセキュリティ・モデルは、まもなく「ワールド・ワイド・ウェブ」と呼ばれる新たな技術の挑戦を受けることとなる。

ウェブの発明で中心的な役割を果たしたのは、英国のエンジニアでコンピュータ科学者のティム・バーナーズ＝リーである。[143] １９９０年、バーナーズ＝リーは欧州原子核研究機構（ＣＥＲＮ）に勤務していた。[144] 彼は、テルネットやＦＴＰなどテキスト主体のアプリケーション層インターネット・プロトコルと、画像や音声、動画を配信できるパソコンの使用体験とのギャップを解消したいと考えていた。[145] また彼は、インターネット上で人々がどのように情報を発見するのかという問題にも関心を持っていた。というのも、ＦＴＰを使ってファイルをダウンロードするには、そのファイルが置かれている特定のコンピュータと、そのコンピュータにあるファイルへのパスを知る必要があるからだ。[146] バーナーズ＝リーは、インターネットユーザーが「人類の知識のプール」を構築する方法を心に描いた。[147] この課題を達成するために、彼は世界中のコンピュータにあるファイルにリンクを張れるようなシステムを想像した。そのリンクを共有することで、情報の網を作ることができるのだ。リンクを使って共有されるファイルには、テキストだけでなく、写真や動画のファイルなど、あらゆる種類のメディアが含まれる。[148]

ウェブを成功させるためには、それが既存のインターネットとシームレスに動作する必要があり、それはつまりＴＣＰ／ＩＰプロトコル群と互換性を持つことを意味した。[149] しかしウェブを構築するためには、概念的にＴＣＰ／ＩＰの上に配置される、いくつかの新しいアプリケーション層プロトコルを開発する必要もあった。ＨＴＴＰ（ハイパーテキスト転送プロトコル）は、ウェブ上の情報の発信者であるウェブサーバーと、ウェブブラウザなどウェブ上の情報の消費者であるウェブクライアントとの間で情報を共有するために生まれたプロトコルである。[150]

１９９０年12月、ＣＥＲＮで最初のウェブサーバーが稼働した。翌年の夏、ＣＥＲＮはそのウェブサーバーのソフトウェアをインターネット上で配布し始めた。[151] １９９２年までに、他のいくつかの研究機関がウェブサーバーを開設しており、その１つがイリノイ大学の米国立スーパーコンピュータ応用研究所（ＮＣＳＡ）である。[152] ＮＣＳＡはスーパーコンピュータの施設として設立されたが、多くの研究課題をこなせる演算能力を備えたワークステーションの台頭により、スーパーコンピュータの需要は低下していた。そこで、ＮＣＳＡのスタッフは新たな目標を模索しており、ウェブのアイデアは有望と思われたのである。[153]

１９９３年、マーク・アンドリーセン率いるＮＣＳＡのチームは、「モザイク」と名付けられた新しいウェブブラウザの開発に着手した。[154] モザイクには、画像をウェブリンクとして機能させる、つまり画像をクリックするとリンク先のページに移動するといった革新的な機能が搭載されており、それはほとんどのパソコンやＵＮＩＸワークステーションで作動した。モザイクは１９９３年11月に無料で公開された。[155] 最初のコピーがダウンロードされるまでにたった10分しかかからず、30分後には数百回ものダウンロードが実行されていた。[156] モザイクは公開された最初の月に４万回以上ダウンロードされ、１９９４年春までに１００万以上のコピーが使われたと推定されている。[157] ウェブサーバーの数は、１９９３年４月には60台だったものが、１９９４年５月には１２００台以上に増えていた。[158] 電子メールやインターネットの成長と同様に、ウェブはメトカーフの法則〔通信ネットワークに関する法則で、「ネットワークの価値は、それに接続する端末や利用者の数の2乗に比例する」というもの〕によって指数関数的に成長していった。ウェブサイトが増えれば、モザイクなどのウェブブラウザを使う人が増え、それがさらにウェブサイトを作る人を増やした、というわけだ。

1994年、アンドリーセンと彼のチームはNCSAを離れ、モザイクの商用版の開発に着手する。[159] それがウェブブラウザ「ネットスケープ」である。ネットスケープでは使いやすさやパフォーマンスが向上しており、モザイクに比べていくつかの利点があった。またSSL（セキュア・ソケット・レイヤ）と呼ばれるプロトコルもサポートしており、ウェブブラウザとウェブサーバーとの間でやり取りされる情報を暗号化することで、クレジットカードによるオンラインショッピングなども可能になった。SSLは、現在のTLS（トランスポート・レイヤ・セキュリティ）の前身にあたる。こうした特長はすべて、モザイクからネットスケープに乗り換えたユーザーにとっては魅力的なものだったのだ。

ウェブの拡大は、ファイアウォールに課題を突きつけた。ある組織がウェブサイトを開設するためには、HTTPなどのウェブトラフィックが、その組織のファイアウォールを通過するのを許可する必要があった。しかし、その組織が使用しているウェブサーバーのソフトウェアに脆弱性があった場合、その脆弱性を悪用するハッカーをファイアウォールで阻止することはできない。それに対する一般的な対応は、ファイアウォールの近くにあるネットワークのパーティション化された場所（「DMZ」と呼ばれる）にウェブサーバーを移動させることだった。[160] DMZという呼び名は、国家間の中立地帯を意味する「非武装地帯（demilitarized zone）」に由来する。DMZでは、ウェブサーバーは2つのファイアウォールに挟まれているのが一般的だ。1つはウェブサーバーとインターネットの間、もう1つはウェブサーバーと組織内の他のコンピュータとの間にあるファイアウォールである。このような構成にすることで、組織はハッカーを阻止または発見する機会を増やすことができるが、もしハッカーがウェブサーバーに侵入したとしても、内部ネットワークに防衛の軸足を移すことができるのだ。

1995年までに、ウェブは一般的な存在となり、企業はオンライン上で存在感を確立しようと躍起になっていた。この新しい時代に、情報セキュリティはどのような役割を果たすのだろうか——その答えを見つけようとしていた人物がいた。

ネットワーク脆弱性スキャナ「SATAN」

ダン・ファーマーは、第1次湾岸戦争で良心的兵役拒否の立場を取った元海兵隊員である。[161] 彼が除隊後にどのようなキャリアを歩むか、想像できた人はいないだろう。彼は9・11の同時多発テロ事件が起きた後、米国防総省に対してネットワークセキュリティについて助言し、議会で宣言したほか、P2P型ファイル共有サービス「ナップスター」を相手取った訴訟では、アメリカレコード協会の専門家証人を務めた。[162] レコード業界はこの一件でのファーマーの貢献を貴重なものと見なし、名誉の証として金のアルバムを贈った。[163] しかし彼は「病的なほど強情な性格」を自認し、伝統的な考えや慣例を打ち壊そうとする人でもあった。[164]
　ファーマーが情報セキュリティの分野に足を踏み入れるきっかけとなったのは、彼がモリスワームに夢中になったことだ。彼は後に、ワームの作成者であるロバート・T・モリスに感謝の気持ちを伝えた。彼がこのワームを書いてくれたおかげで、この分野でのキャリアをスタートさせることができたからだ。[165]モリスワームの事件後、CERT（コンピュータ緊急対応チーム）と名付けられた団体が発足し、セキュリティ関連の情報収集センターの役目を担うようになった。[166]CERTは、コンピュータセキュリティに関する疑問や懸念があれば、世界中の誰もが24時間いつでも利用できるホットラインを開設した。[167]またバグトラックなどのメーリングリストで公開されている脆弱性を取り上げ解説を行う、「セキュリティ勧告」の提供も開始した。[168]ファーマーはCERTに参加し、ハッカーがコンピュータに侵入する手口についての知識を深めた。[169]1993年には、「サイトに侵入してセキュリティを強化する」と題された論文を共同で執筆している。[170]この論文は、システム管理者がコンピュータの潜在的な脆弱性を見つけるためのガイドとなるよう書かれたものだ。[171]さらに彼は、コンピュータセキュリティの知見を活かして、遠隔地にあるコンピュータの脆弱性を自動的にスキャンするコンピュータプログラムを共同開発した。この「ネットワーク脆弱性スキャナ」というアイデアは強力なものだった。このコンピュータプログラムを利用すれば、たった1人のユーザーが、数十台、数百台、さらには数千台のコンピュータが脆弱かどうかを診断できるからである。これまで手作業で行われていたプロセスを自動化することで、大幅なスケールアップが可能になった。彼が共同開発したプログラムは「ネットワーク分析用セキュリティ管理ツール（Security Administrator Tool for Analyzing

Networks)」、略して「SATAN（サタン）」と名付けられた[172]。この挑発的な名前に気分を害した人のために、ファーマーは「リペント」と名付けられた別のプログラムを提供し、さらにその名前をより親しみやすい「SANTA（サンタ）」に変えた。

ネットワーク脆弱性スキャナのアイデアは、新しいものではなかった。ウィリアム・ギブスンが1984年に発表したSF小説『ニューロマンサー』（黒丸尚訳、ハヤカワ文庫SF、1986年）には、ディストピアの未来で企業のネットワークを守るファイアウォールの一種である「ICE」を自動的に突破する、「中国製の広級マーク十一侵入プログラム」が描かれている。SATANは、開発された唯一のネットワーク脆弱性スキャナというわけではなく、同時期には、他の商用ネットワーク脆弱性スキャナも販売されていた[173]。しかし当時、SATANは検出できる脆弱性の数で言えば、最も包括的なネットワーク脆弱性スキャナだったのである。また、ユーザーインターフェースにウェブブラウザを採用した最初のソフトウェアの1つであったため、使い勝手も良かった。

SATANのリリース予定日の数か月前、ファーマーはシリコングラフィックスでセキュリティ担当の要職に就いていた。シリコングラフィックスはシリコンバレーの企業で、コンピュータのハードとソフトの両方を手掛け、3Dコンピュータグラフィックス作成用の製品を中心に開発を行っていた[174]。ファーマーがSATANを開発したことを会社に伝えると、彼はシリコングラフィックスの副社長と2人の弁護士に呼び出された[175]。そしてSATANをシリコングラフィックスに製品化させるか、リリースを中止するか、あるいは会社を辞めるかの3つの選択肢を与えられた[176]。ファーマーは会社を去る道を選んだ[177]。

SATANは1995年のダン・ファーマーの誕生日に発売される。[178] マスコミの反応は大げさなものだった。オークランド・トリビューン紙は、SATANを「自動小銃を5000軒の住所に無作為に郵送するようなもの」と伝えた。サンノゼ・マーキュリー紙は同じような比喩を用いて、SATANをリリースすることは「強力なロケットランチャーを無料で世界中に配布して、地元の図書館や学校に置いておき、誰かに向けて発射するよう人々をそそのかすようなものだ」と書いた。ロサンゼルス・タイムズ紙は「SATANは銃のようなものであり、これは12歳の子供に銃を渡すようなものだ」と主張した。[179] あるセキュリティ関係のメーリングリストでは匿名の投稿者が、「最近リリースされた、インターネットのサイトを調査するパッケージの『SATAN』の作成者は、世界中の武器商人を喜ばせるほどの非道徳性を示している」と発言している。[180] しかし、情報セキュリティ界では、SATANが生み出した脅威は、主要な報道機関が伝えているほど大きなものではないと考えられていた。セキュリティ専門家の間では、「SATANがあなたのネットワークに侵入したことを知らせる兆候トップ10」について書かれた電子メールが広まり、そこにはたとえば「モニタがぐるぐる回り始める」や「ファイアウォールが炎の輪になる」などが挙げられていた。[181]

1996年、自らのウェブサイトの開設を急いでいる組織のセキュリティに興味を持ったファーマーは、大胆な実験を行うことにした。彼は特別なバージョンのSATANを使って、オンライン銀行、新聞、信用組合、政府機関、そして最も古くからあり、最も収益性の高いインターネットベンチャーの1つであるオンラインポルノなど、何千もの注目を浴びるインターネットサイトのセキュリティを調査した。彼が調査した政府機関のサイトには、米国の行政機関や司法機関、議会、連邦準備制度理事会、さらには一部の諜報機関が含まれていた。[182] その結果は、彼の言葉を借りれば、衝撃的かつ悲惨なものだった。[183] 60パーセント以上のサイトが「侵入または破壊」される可能性があり、さらに9~24パーセントのサイトが、広く使われている2つのプログラムのどちらかに新たなセキュリティ脆弱性が1つ見つかっただけで、侵入を許す可能性があった。（調査結果の発表から1か月の間に、これらのプログラムの両方で実際に脆弱性が発見された。）ファーマーは、調査したサイトのさらに10~20パーセントが、より高度な技術を用いて比較的容易に侵入されたり、「使えなくなる」可能性があると見積もった。結果をまとめると4分の3のサイトは、「多大なエネルギーと労力を費やせば」セキュリティが破られる可能性があったのだ。[184]

ファーマーはＳＡＴＡＮによるスキャンを隠そうともせず、trouble.orgと名付けた自分のドメインからスキャンすることさえしていたのだ。しかし彼がテストした２０００以上のサイトのうち、彼のドメインに対して何をしているのか尋ねるメールを送ってきたのは3つだけだった。[185] ＳＡＴＡＮにスキャンされているのを把握しながら、ファーマーに連絡を取ろうとしなかったサイトの数は不明だが、ネットワーク脆弱性スキャンを検知できたサイトの数は非常に少なかったようだ。つまり、こうしたサイトは無防備なだけでなく、目隠しで飛行機を飛ばしているような状態だったのだ。

これらは重要な発見だったが、細部には奇妙な点があった。オンラインポルノを提供するサイトのセキュリティは、米国の政府機関、銀行、信用調査機関、新聞が所有するサイトのセキュリティよりも高いことが判明したのだ。[186] これは、他のサイトとは異なり、ポルノサイトがオンラインでのお金のやり取りを目的として作られていたため、より高度なセキュリティ対策が必要とされていたのではないかと考えられている。米国の銀行強盗ウィリー・サットンは、銀行を襲う理由を問われて、「そこに金があるからだ」と答えたと言われている。1990年代半ば、ネット上で金を稼いでいたのはポルノだった。ポルノサイトはインスタントメッセージやチャットルーム、ストリーミングビデオ、オンラインでの購入機能など、さまざまな技術革新を率先して活用していたため、他のサイトよりも早く、また高度なセキュリティを考慮する必要があったのかもしれない。[187] 実際に1996年には、インターネットサービスプロバイダーのアメリカ・オンラインが提供していたチャットルームの半分はアダルト関連のものであり、そうしたチャットルームは年間8000万ドル以上を売り上げていた。[188]

ファーマーは次に、実験中にスキャンしたサイトの結果を、インターネット上で無作為抽出したコンピュータの結果と比較した。その結果、実験のためにスキャンしたサイトには、無作為に抽出したコンピュータの2倍以上のセキュリティ脆弱性があることがわかった。実験のためにスキャンしたサイトの多くは、ファイアウォールなどの安全対策が施されていたにもかかわらず、全体的にセキュリティの効果が小さかったのである。[189] なぜこのような直感に反する結果が出たのだろうか？　ファーマーは、急いでネットへ進出しようとする組織は、セキュリティ上のリスクを理解せずに事を急いでいるのだと考えた。ファイアウォールは、設置すればすぐにセキュリティが保証されるような、「ターンキーソリューション」ではない。つまり、ファイアウォールをインストールすればそれで済むという話ではないのだ。企業がセキュリティの専門家にファイアウォールの設置を任せても、その後、その専門家は「1年以上姿を消してしまう」かもしれず、その間ファイアウォールは必要なメンテナンスを受けることができずに、危険な状態に陥ってしまうのである。[190]

舞台は整った。ARPANETはインターネットへと進化し、コミュニケーションとビジネスのための新しい重要なメディアとなった。コンピュータのネットワークを保護することの難しさから、ファイアウォールが発明され、ホストセキュリティ・モデルからペリメータセキュリティ・モデルへの移行が進んだ。企業はこの新しい考え方を受け入れ、急いでオンラインビジネスに参入しようとした。しかしダン・ファーマーは、情報セキュリティが見かけほど確かなものではないことを明らかにした。彼の実験結果は、これから起きるであろうことの不吉な伏線だったのだ。

4　ドットコム・ブームと魅力的なフィードバック・ループ

ウェブの脆弱性

ドットコム・ブームとは、インターネット株の価値が経済的にはまったく不合理な形で長期間にわたって上昇を続けた、投機的なバブル状態のことだ[1]（ITバブル、インターネット・バブルとも呼ばれる）。他のバブルと同様、ドットコム・ブームも、発明によって経済的利益への期待が膨らんだことによって引き起こされた[2]。

1995年8月9日、ウェブブラウザ「ネットスケープ」を開発したネットスケープ・コミュニケーションズが米国証券取引所に上場したとき、同社の1株の価格は、取引開始時には28ドルだったものが、取引終了時には71ドルにまで上昇していた。ネットスケープの創業者であるジム・クラークの純資産は、1日で6億6300万ドルも増加し、瞬く間に米国で最も裕福な人物の1人となった。

その1年半後には、ネットスケープの評価額は20億ドルを超え、巨大な防衛関連企業であるジェネラル・ダイナミクスなどの長い歴史を持つ企業とほぼ同額になっていた。[3]

この経済的な恩恵は、ワールド・ワイド・ウェブというイノベーションがもたらしたものだ。ウェブは人々に対し、娯楽的なコンテンツを楽しみ、新しい方法でコミュニケーションし、商品やサービスをオンラインで購入する手段を提供した。そのウェブを利用するためのソフトウェアがウェブブラウザであり、ユーザーの心を摑むための熾烈な戦いが繰り広げられようとしていた。ネットスケープもマイクロソフトも、最も人気のあるウェブブラウザを作ることができれば、自社の利益につながると考えていたのである。[4]

ウェブは新たに開発された技術とプロトコルの集合体だった。そのため、ウェブセキュリティの研究も当然のことながら新たに行われた。ウェブセキュリティの専門家はおらず、ネットスケープやマイクロソフトが自社製品にセキュリティを実装する際に参考にできる研究成果もほとんどなかった。また、ネットスケープとマイクロソフトの間の激しい競争も、セキュリティに影響を与えていた。どちらの企業も、ウェブブラウザやウェブサーバー製品を開発するのにC言語を使っていた。[5] そしてモリスワームが悪用したバッファオーバーフローの脆弱性は、まさにそのC言語が引き起こしたものだったのだ。ネットスケープとマイクロソフトは、C言語を使ってこのような脆弱性を含まないプログラムを書くのは難しいことを知っていたが、動作が速く効率的なソフトウェアを素早く作れるという理由から、C言語の使用を選択した。そうした利点は、セキュリティ上のリスクを上回ると彼らは判断したのである。[6] この選択の結果、ネットスケープとインターネットエクスプローラー（マイクロソフトが開発したウェブブラウザ）は、バッファオーバーフローを含む多数のセキュリティ脆弱性に悩まされることになった。[7] ネットスケープ・コミュニケーションズが株式を公開した1か月後、彼らのウェブブラウザに、オンラインでのトランザクションの詳細が公開されてしまう脆弱性が見つかった。[8] 1997年、マイクロソフトはたった30日間で4つものインターネットエクスプローラーの脆弱性に対するパッチを公開した。[9]

マイクロソフトもネットスケープも、アプレットやコントロール、スクリプトなどと呼ばれるモバイルコード〔ユーザーが意識的にダウンロードやインストールをしなくても、自動的にネットワーク経由でダウンロードされて実行されるプログラム〕の安全性の確保に苦労していた。これらはウェブサイトを閲覧する過程で、ウェブサイトからダウンロードされるプログラムだ。モバイルコードは、チャットルームやゲームなど、ウェブブラウザの機能を超えたより豊かな体験をユーザーに提供するものであり、ネットサーファーを自社のサイトに呼び込みたいウェブ開発者や企業にとって、魅力的な存在だった。しかしそれは、セキュリティ上の問題ももたらした。モバイルコードがウェブブラウザから抜け出し、ユーザーのコンピュータ上で悪意のある行為を実行するのをいかに阻止するかというものだ。悪意を持って書かれたモバイルコードは、ユーザーのコンピュータから情報を読み取ったり、ファイルを削除しようとしたりするかもしれない。[10]

モバイルコードを実現する技術として一般的なのが、JavaとActiveXで、セキュリティへのアプローチはそれぞれ異なる。Javaはモバイルコードをサンドボックス〔「砂場」を意味し、転じてITの分野において、テストや検証のために用意された独立した環境を指す〕内に隔離し、そこから出られないようにした。[11] しかし実装エラーや設計上の欠陥により、さまざまな脆弱性がJavaに見つかり、悪意のあるモバイルコードは、コンピュータ上のファイルを読み取ったり、コマンドを実行したり、データを改竄または削除したり、ユーザーをスパイするようなプログラムを挿入したりすることができたのだ。[12] ActiveXで採用されたアプローチは、署名を使ってモバイルコードの制作者を識別し、その制作者情報をユーザーに提示するというものだった。[13] ウェブブラウザのユーザーは、提示された制作者情報をもとに、モバイルコードを実行するかどうかを判断することができる。[14] しかしActiveXには、ユーザーを騙してモバイルコードを受け入れさせる方法や、ユーザーの明示的な許可なくモバイルコードを実行させる方法など、多くの脆弱性が発見された。[15]

このようなJavaとActiveXのセキュリティ脆弱性は、ウェブのアーキテクチャに内在する、新しいタイプの脆弱性だった。モリスワームは、サーバーサイドの脆弱性を利用していた。つまりワームはネットワークを介して他のコンピュータにたどり着き、そこに侵入しようとしたのである。しかしウェブでは新しい攻撃パターンが可能となった。悪意のあるウェブサーバーがウェブブラウザ（クライアント）からのコンタクトを待ち、ブラウザがコンタクトしてくると、サーバーがクライアントに侵入しようとする、というものだ。それはクライアントサイドの脆弱性という新しい時代の到来を告げるもので、ウェブサーバーにアクセスしただけで、ユーザーのコンピュータのセキュリティは侵害されてしまう。[16] ウェブブラウザ上ではクライアントサイドの脆弱性が数多く発見され、たとえばウェブサイトはユーザーのコンピュータ上で任意のファイルを閲覧したり、任意のコードを実行したりすることができた。[17]

クライアントサイドの脆弱性は、ウェブの黎明期に広まり始めたものだが、ウェブサーバーには古典的なサーバーサイドの脆弱性も存在していた。ウェブブラウザがウェブサーバーにリクエストを行うと、サーバーに情報が送信され、サーバーはそれを処理しなければならない。たとえば、ある人がラップトップコンピュータを検索するために、ウェブサイトのフォームに「ラップトップ」という単語を入力したとしよう。この「ラップトップ」という文字列は、ウェブサーバーがそれに一致する製品のリストを検索するために使用される。しかし、ウェブサイトのフォームに入力される文字列はユーザー側で完全にコントロールできるため、攻撃者はサーバーに混乱を引き起こすような文字列を意図的に入力し、ウェブサーバーによる文字列の処理を妨害することができる。その結果、攻撃者がフォームに入力するテキストに埋め込むことのできる任意のアクションを、ウェブサーバーが実行してしまうことがある。これは「コマンドインジェクション」問題と呼ばれるものだ。解決策は、ウェブサーバーがテキストをサニタイズ〔「消毒」を意味する語。ITの分野では、危険な文字列を検知して省くなどして無力化することを指す〕して、サーバーにとって有害なものを取り除くことである。しかしサニタイズが完璧に実装されていなければ、コマンドインジェクションの問題は残ることになる。[18]中でも有名なのが、データベースに対するコマンドインジェクション攻撃である「SQLインジェクション」で、これはハッカーによって盛んに用いられるようになり、現在でも使われ続けている攻撃方法だ。[19]

またウェブサーバーのインストールおよび設定という作業も、脆弱性をもたらす可能性を生み出した。設定ミスによっては、システム管理者が意図した情報だけでなく、コンピュータ上のすべての情報がウェブブラウザで入手可能になってしまう。こうした情報漏洩によって、ハッカーは場合によってはウェブサーバーがインストールされたコンピュータから、暗号化されたパスワードのリストなどの情報を入手することができるようになる。[20] そして、そのパスワードをクラック（解読）して、コンピュータにアクセスするのだ。ウェブサーバーからの意図せぬ情報漏洩の問題は、ヤフーやグーグルなどの検索エンジンによってさらに深刻化した。なぜならそれらの検索エンジンは、ウェブ上のあらゆる情報をインデックス化し、検索すれば誰でも利用できるようにしたからである。

ネットスケープ・コミュニケーションズが開発したSSLプロトコルでは、ウェブブラウザとウェブサーバー間の通信を暗号化することができた。しかし、ブラウザとサーバーにセキュリティ上の脆弱性が含まれ悪用される可能性があった場合、その暗号化はほとんど役に立たなかった。そうした状況を、ジーン・スパフォードは「公園のベンチで寝ている人と、高速道路の橋の下でダンボール箱で寝ている人の間の送金に、重装甲車を使うのと同じだ（さらに、道路はでたらめに迂回して、ねじ回し1つで誰でも信号機を操作でき、警察もいない）」と表現した。[21]

このようなセキュリティの問題が相まって、組織が自分たちのウェブサイトのセキュリティを確保することは困難になった。その結果、イーベイやヤフー、ホットメールなど、多くの大手人気ウェブサイトでハッキングが発生したり、セキュリティの脆弱性が見つかったりした。[22] 米国政府のサイトもセキュリティインシデントに悩まされ、連邦上院とFBIのウェブサイトはハッキングされて一時的に閉鎖した。[23] セキュリティ企業も例外ではなく、セキュリティ製品ベンダーのベリサインや、セキュリティサービスプロバイダーのサンズ・インスティテュートのウェブサイトが改竄された。[24]

改竄とは、壁や看板への落書きを、デジタル空間でするようなものだ。ハッカーはハッキングしたウェブサイトのコンテンツを、自分のメッセージ、あるいは自分のイデオロギーや政治的見解を訴えるコンテンツに置き換える。[25]ＣＩＡ（米中央情報局）のウェブサイトが改竄された際には、「ようこそ中央マヌケ局へ（Welcome to the Central Stupidity Agency）」というメッセージが掲げられた。[26]またハッカーは、自己顕示やハッカー・コミュニティへの参加を目的として改竄を行うこともあり、仲間の逮捕に抗議するためにウェブサイトを改竄したハッカーもいる。[27]他にも、ハッカーどうしで誕生日のメッセージを送るために改竄が行われたこともある。[28]ジョージ・Ｗ・ブッシュが大統領選に出馬した際に起きた改竄では、ブッシュのウェブサイトに掲載されていた彼の写真が、真っ赤なハンマーと鎌の画像に置き換えられた。[29]さらにサイトの文章も、「われわれは、プロレタリア革命におけるマルクス主義の教義を理論の領域から出し、現実のものとしなければならない」に変えられていた。[30]ブッシュのウェブサイトを訪れた人が、こうした文章が彼の政治的立場の変化を表していると勘違いしたということはないだろう。しかし、もっと巧妙な攻撃が行われていた可能性もある。ハッカーがブッシュの政策目標を書き換えていたとしたら、マルクス主義革命の呼びかけを行うメッセージの場合とは異なり、ウェブサイト管理者には気づかれなかったかもしれない。

ウェブセキュリティの黎明期は、まさに「ワイルド・ウエスト」〔開拓時代の米西部地方を指す言葉。無法地帯を意味する表現としても使われる〕だった。しかし、ウェブ自体がＴＣＰ／ＩＰプロトコルに依存しており、あるハッカーは、このプロトコルによって作られた基盤がいかに不安定であるかを証明しようとしていた。

「ルート」による攻撃プログラムの公開

「ルート」は、1990年代に活躍したあるハッカーのハンドルネームだ。1982年、コモドール64を与えられた彼はコンピュータに興味を持つようになった。[31] 彼は自作のアドベンチャーゲームをプログラミングし、テープドライブに保存していた。[32] コンピュータへの興味は年齢を重ねるごとに増し、彼はそれを「飽くなき渇望」と表現した。[33] 彼は次々にコンピュータを買い足し、彼の部屋は「点滅する無数のライト、うなるたくさんのファン、火事を起こしかねない何百フィートものケーブル」で溢れかえった。[34] コンピュータが大量の熱を放出するため、窓をアルミホイルで覆って太陽光を遮り、部屋にいられる程度に室温をキープする必要があったほどだ。[35] 彼の背中には、コンピュータのチップを作るための金型を象(かたど)った、大きな黒いタトゥーが入っていた。[36]

1996年までに、ルートは情報セキュリティの分野で確固たる地位を築いていた。彼はセキュリティ関連の話題に特化したフォーラム「alt.2600」に対して、2000件以上の投稿を行っている。[37] また1985年に創刊されたオンラインマガジン「フラック」の3人の共同編集者の1人でもあった。[38] フラックは1985年に第1号が発行されて以来、長きにわたって、電気通信とコンピュータセキュリティに関する記事を掲載してきた。[39] ルートは特にネットワークセキュリティに精通しており、1996年1月から1997年11月にかけて、自分の研究成果を発表するのにフラックを用いた。彼が投稿した一連の記事は、TCP/IPのプロトコルスイートを使った仮想的な暴走行為に関するものだった。

1996年1月、ルートは「プロジェクト・ネプチューン」と題した記事をフラックに掲載した。この記事で彼は、SYNフラッディング（SYNフラッド攻撃）と呼ばれる、TCPプロトコルに対する攻撃方法について解説している。[40] TCPプロトコルでは、コンピュータが他のコンピュータに接続しようとすると、「接続していいですか？」と尋ねるパケットを送信する。相手のコンピュータに接続を受け入れる意思と能力があれば、「ええ、接続していいですよ」という応答パケットが返ってくる。その後、最初のコンピュータが「オーケー、接続しました」というパケットを送信してプロトコルを完了する。ルートが解説した攻撃方法では、まず攻撃側のコンピュータが「接続していいですか？」と尋ねる最初のパケットを送信する。相手のコンピュータは「ええ、接続していいですよ」と応答するが、攻撃者は3番目のパケットを意図的に送信しない。[41] 相手のコンピュータは3番目のパケットを待つが、しばらくすると始めにパケットを送信したコンピュータはもう話したくないのだと判断し、待つのをやめる。ルートが記事の中で指摘するのは、多くのOSでは、このように完了していない接続要求が一定数以上あると、コンピュータは追加の接続要求を受け付けなくなる、ということだ。攻撃者はこの脆弱性を利用して、ウェブサーバーのようなプログラムが、ウェブブラウザからの接続を一切受け付けないようにすることができる。[42]

この脆弱性は、コードを書いたプログラマーの思い込みによって生じたものだ。彼らは「TCPを使って何度も接続しようとしながら、接続を確立するためのプロトコル全体を完了させせない人はいないだろう」と想定していた。このように、プログラマーによる仮定が何らかの形で破られるというパターンは、セキュリティ脆弱性の原因としてよく見られる。

SYNフラッド攻撃は、コンピュータに不正アクセスするための直接的な攻撃手段ではない。また、機密情報を攻撃者に流出させるようなものでもない。これはDoS（サービス拒否）攻撃と呼ばれるもので、ユーザーがコンピュータを利用できないようにすることで、可用性に影響を与える。[43] TCP／IPのセキュリティ上の弱点は、モリスワームの時代にも指摘されていた。[44] インターネット・ファイアウォールに関して初めて書かれた本の執筆者の1人であるスティーブン・ベロビンは、1989年にはすでにSYNフラッド攻撃を予測していたのである。[45] しかし、ベロビンと共著者のウィリアム・チェスウィックは、当時はまだこの攻撃手段に対する防御方法が確立されていなかったため、本の中で説明しなかった。[46] 後にベロビンは、この判断について後悔していると語っている。[47]

SYNフラッド攻撃はルートが発明したものではないが、彼はさまざまな種類のOSに対するこの攻撃の有効性を調査・記録し、その手法を広めた。彼はフラックに掲載した記事の中で、SYNフラッド攻撃を実行するためのネプチューンというプログラムも提供していた。[48] ルートがこの記事を公開してから8か月後、マンハッタンにあるインターネットサービスプロバイダーのパニックス（パブリック・アクセス・ネットワーク・コーポレーション）がSYNフラッド攻撃を受け、数日間にわたってオフラインになった。[49] その数か月後には、ウェブコムという大手ウェブサイトプロバイダーもSYNフラッド攻撃を受け、3000以上のWebサイトが40時間にわたってオフラインになった。[50]

次にフラックが発行されたのは1996年8月のことで、ルートはその号に2つの記事を掲載した。1つ目の記事のタイトルは「プロジェクト・ハデス」だ。この記事では、コンピュータOSのTCP／IPプロトコルの実装での脆弱性を突く、2つのプログラムが紹介されていた。[51]「アヴァリス（強欲）」は、ネットワーク上のコンピュータ間のすべてのTCP接続を停止させ、「スロース（怠惰）」は、ネットワークのトラフィックをスローダウンさせるプログラムだ。[52] 2つ目の記事は、北欧神話の悪戯好きの神にちなんで「プロジェクト・ロキ」というタイトルが付けられていた。[53] プロジェクト・ロキでは、ルートは「閉じ込め問題」をコンピュータネットワークの分野に持ち込んだ。OSのセキュリティに関係する閉じ込め問題とは、古典的な説明では、同じコンピュータを使用する2人のユーザーが秘密のチャネルを使ってコミュニケーションするのを阻止することは難しい、というものだ。ルートは、同様の閉じ込め問題がコンピュータネットワーク上にも存在することを解説した。たとえば、2人のユーザーの間にファイアウォールが存在し、通信が遮断されている場合、彼らは通信を行うために秘密のチャネルを確立したいと考えるだろう。[54]

彼の研究は、ICMP（インターネット・コントロール・メッセージ・プロトコル）と呼ばれる、TCP／IPプロトコルスイート内のプロトコルの1つに焦点を当てていた。[55] ICMPは、コンピュータとネットワークインフラ（たとえばネットワーク上でパケットをルーティングするルーターなど）との間で情報を送信するのに使用される。[56] 2台のコンピュータがICMPメッセージをやり取りするのは珍しいことではないため、システム管理者やネットワーク管理者は通常、ICMPトラフィックが無害であると考えている。[57] ICMPがカバートチャネルを作るのに適しているのはこのためだ。[58] ICMPプロトコルの仕様を記述したRFC（Request for Comments：60ページ参照）では、各ICMPパケットが一定量のデータを含むことを認めている。[59] そうしたデータは特定の状況下でプロトコルによって使用される。[60] しかし、通常は各パケットの該当スペースは空の状態にある。ルートが作成したロキ・プログラムは、この空のスペースを利用して情報を保存することで、その情報を2台のコンピュータ間で密かにやり取りすることを可能にした。このＩＣＭＰパケットは、表向きは通常のＩＣＭＰパケットのように見えるが、実は密かに情報を含んでいるのだ。[61] ルートはフラックの1996年8月号ではロキのソースコードを公開しなかったが、その後、1997年9月号で公開している。[62]

1997年4月、ルートは「ジャガーノート」というプログラムを公開した。これはユーザーがネットワーク接続を監視し、停止し、乗っ取ることすら可能にするものだった。[63] 1997年11月には、ウィンドウズのコンピュータをクラッシュさせるサービス拒否攻撃プログラム「ティアドロップ」を公開した。[64] ティアドロップは、ＩＰプロトコルの実装における脆弱性を利用していた。ＩＰは大きなデータを独立したパケットに分割し、宛先のコンピュータで再構成する。各パケットには、宛先のコンピュータが正しい順序でパケットを再構成できるようにする番号が含まれている。ティアドロップは、同じ番号が振られた2つのパケット（本来ならそのようなことはあり得ない）を送信し、受信したコンピュータをクラッシュさせる。[65] ティアドロップはＴＣＰ／ＩＰの脆弱性を利用したサービス拒否攻撃プログラムの第1弾で、他には「ランド」や、より大げさな名前の「ピング・オブ・デス（死のピング）」といったプログラムがあった。[66] ランドは、あるコンピュータに対して、そのコンピュータが自分で送信したように見えるパケットを送ることでそのコンピュータをフリーズさせるもので、ピング・オブ・デスは、ＲＦＣに記載されている許容サイズよりも大きなパケットを送信することで、コンピュータをクラッシュさせるものだった。

セキュリティ製品が抱えるジレンマ

ウェブブラウザやウェブサーバーの脆弱性、名の知れたウェブサイトの改竄、ルートによるTCP／IPプロトコルスイートの破壊など、1990年代後半のインターネットやウェブのセキュリティは悲惨な状況にあった。ドットコム・ブームの波に乗っていた企業は、自社のウェブサイトを攻撃から守りたいと考えていた。サービス拒否攻撃を受けたり、コンピュータをハッキングされたり、ウェブサイトを改竄されたりすれば、ビジネスに悪影響が及ぶ。しかしそうした企業は、ダン・ファーマーが実験で示したように、自社でセキュリティ技術を導入するための専門知識や意欲がないのが普通だった。そのギャップを埋めるために生まれ、そして急成長したのが、情報セキュリティ産業である。それぞれの企業は、セキュリティ上の脆弱性を発見し、ハッカーの活動を検知することを目的としたセキュリティ製品を開発・製品化した。そして、そうした製品が絶対的なソリューションであるかのように描くこともあった。プロヴェンティアというセキュリティ製品の広告では、開発企業のCEOが銀の銃弾を掲げ、そこに「プロヴェンティア――セキュリティの特効薬?・」〔「狼男を倒すには銀の弾丸を使わなければならない」という伝承から、銀の弾丸は特効薬を意味する慣用表現として使われる〕というキャッチフレーズが添えられていた。(67)

この新しい市場で初めに注目されたセキュリティ製品のカテゴリーは、ネットワーク脆弱性スキャナだ。ダン・ファーマーの「SATAN」は、広く知られた初めてのネットワーク脆弱性スキャナであり、誰でもSATANをダウンロードして使えるようにしたことが、そのリリース前後にメディアでヒステリーが起こった大きな要因だった。ドットコム・ブームにより、商用のネットワーク脆弱性スキャナを開発・販売する機会が生まれ、すぐにいくつかの製品が登場することになった。代表的なネットワーク脆弱性スキャナ製品は、インターネット・セキュリティ・システムズ（ジョージア工科大学の学生が設立したアトランタのセキュリティ企業）やシスコ（ルーターやスイッチなどのネットワーク機器メーカー）によって開発された。[68]

企業はネットワーク脆弱性スキャナ製品を、一種の「既製タイガーチーム」として使用できる。ネットワーク脆弱性スキャナがあれば、専門家チームを組織しなくてもコンピュータの脆弱性を特定できるからだ。また、スキャナは人間よりもはるかに高速でコンピュータの脆弱性を識別できるため、スキャナによる自動化は、人間による特定よりもはるかに大規模化に優れていた。さらに、人間のように疲れることもない。ネットワーク脆弱性スキャナ製品の開発者は、セキュリティに関する専門知識を製品に詰め込んでいるため、セキュリティの知識に乏しい人でも操作できる。しかし、ネットワーク脆弱性スキャナはコンピュータプログラムであるため、創造性がなく、人間のタイガーチームのように新しい脆弱性を発見することはできない。脆弱性の発見が、科学であると共に芸術でもあるならば、ネットワーク脆弱性スキャナは科学を再現できても、芸術は再現できないのだ。

企業はネットワーク脆弱性スキャナを使って、ファイアウォールの内側にあるコンピュータをスキャンし、さらにインターネット側からファイアウォールの外側もスキャンすることで、インターネット上のハッカーと同じ目線から、ウェブサーバーやその他のインターネットに接続したコンピュータを見ることができた。ネットワーク脆弱性スキャナ製品は、スキャンを完了すると、検出された脆弱性の一覧を示すレポートを作成する。そのレポートでは、脆弱性の深刻度を「高」「中」「低」のような形でランク付けする。システム管理者は、このレポートを基にして、発見された脆弱性に必要なセキュリティパッチを適用することができる。このようにネットワーク脆弱性スキャナは、ペネトレイト・アンド・パッチのサイクルの一部の自動化を可能にした。(69)

ドットコム時代の初期に登場した重要なセキュリティ製品のうち、2つ目のカテゴリーとなるのが、ネットワーク侵入検知システムである。ファイアウォールが、村の周囲に壁を築き、門と門番を配置するようなものであれば、侵入検知システムは、家に防犯ベルを設置するようなものだ。ウェア・レポートでは、「システムへの侵入の試みが失敗したことを示す事象、あるいは明らかに情報漏洩やセキュリティ侵害をもたらした事象の再構築を可能にする」ために、監査証跡（コンピュータシステム上の活動の記録）の必要性が議論されていた。(70) アンダーソン・レポートでは、データを収集し、失敗、または成功したセキュリティ侵害行為を報告する「監視システム」をコンピュータに搭載すべきだと提言していた。(71) アンダーソン・レポートの主な執筆者であるジェームズ・P・アンダーソンは、1980年の論文で、コンピュータシステムのセキュリティ維持を職務とするセキュリティ担当者が、セキュリティ監査証跡をどのように利用できるかについて解説している。(72) この論文は、1980年代に進んだ侵入検知システムの開発に大きな影響を与えた。同年代に行われた代表的な研究には、SRIのドロシー・デニングとピーター・ノイマンが開発した侵入検知エキスパートシステム（IDES）や、デニングが1987年に発表した論文「侵入検知モデル」などがある。(73) 侵入検知自体は、1990年代には目新しいアイデアではなかったが、企業が購入し、自分たちのネットワークに設置して比較的簡単に使用できる商用の侵入検知製品は新しかった。

ネットワーク侵入検知システムは、そのシステムが設置されたネットワークを通過するネットワークトラフィックを監視し、攻撃が行われている兆候を検知しようとするものだ。これが企業にとって魅力的な製品だったのは、ウェブトラフィックなど、ファイアウォールを通過することが許されているトラフィックにも攻撃が含まれている恐れがあるというファイアウォールの弱点を補うことができたからだ。攻撃がファイアウォールを通過した場合は、侵入検知システムが作動し、企業は対応することができる。また、侵入検知システムをファイアウォールの前に設置し、インターネット側からファイアウォールにどのような攻撃が行われているかを確認することもできる。

侵入検知製品は、主に2つの方法で攻撃の検知を試みる。1つ目の方法は、ネットワークトラフィックの中から特定のシグネチャ（パターン）を探すというものだ。[74] 簡単に言えば、既知の攻撃に「HACK」という文字列が使われている場合、侵入検知システムはその文字列を含むパケットを探す。2つ目の方法は、期待される動作のベースラインを作成し、そこから外れた異常を検知するものである。[75] 1990年代には、シグネチャによる方式の方が、異常検知方式よりも主流だった。その理由の1つに、異常検知システムのトレーニングに使用する、ネットワークトラフィックのクリーンな（攻撃が含まれていない）ベースラインを作成するのが困難であるという点があった。トレーニングデータに攻撃が含まれていると、システムをトレーニングする過程で、同じ攻撃を無視するようになってしまうのである。[76]

ネットワーク侵入検知製品は、1つのインスタンスで組織内の多数のコンピュータを保護できるという点で、ファイアウォールと似ている。そのためネットワーク侵入検知システム製品とファイアウォール製品はどちらもペリメータセキュリティ・モデルとなっており、購入者にとって魅力的な点だった。１９９７年、米国の国家安全保障電気通信諮問委員会は、国家政策の問題として、侵入検知技術の「連邦ビジョン」を設け、連邦政府による研究の目的、狙い、優先順位を定めるよう勧告した。[77] 侵入検知製品の市場規模は、１９９７年には２０００万ドルだったが、わずか2年後の１９９９年には1億ドルに達した。[78]

ドットコム・ブームの時代に、ウェブ上でのプレゼンスやオンラインビジネスを確立していた企業にとって、利用可能なセキュリティ製品はある意味公式のようなものになっていた。それは「ファイアウォールで社内ネットワークのコンピュータをインターネットから分断し、脆弱性スキャナでコンピュータの脆弱性を発見し、侵入検知システムで攻撃を検知する」というものだ。しかし、一見シンプルに見えるこの公式の裏には、より複雑で問題の多い現実があった。企業はセキュリティに関する専門知識を持たず、そのためセキュリティ製品が提供する機能が必要だった。しかしセキュリティの専門知識を持たないがゆえ、提供された製品を評価することができなかった。どのファイアウォール製品やネットワーク侵入検知システムが使えるか、企業には判断できなかったのである。[79]

この状況は、コンピュータセキュリティの根本的なジレンマと言われている。[80] このジレンマと同じ問題を、１９８０年代にはオレンジブックがＯＳ製品のセキュリティを評価し、認証することで解決しようとしていた。オレンジブックのモデルが崩壊したのは、世界の動きが速すぎて評価プロセスが追いつかなかったためであり、ドットコム・ブームの時代には、物事の動きはさらに加速していた。

侵入検知システムをテストすることは、セキュリティの専門家にとっても難しかった。物理的な門であれば、侵入を試みることでテストできるが、警報器のテストはそう簡単にはいかない。警報器が作動しても、それが適切な反応だったかどうかは判断できないのである。

顧客と同様、セキュリティ製品のベンダーもまた不完全な情報に悩まされていた。セキュリティベンダーは、攻撃を検知するための侵入検知製品を開発できたが、攻撃者は検知を回避するために、未知の方法で攻撃方法を修正する可能性があった。その結果、セキュリティベンダーは、自社の製品が効果を維持しているかどうか知ることができなかったのである。[81] ジーン・スパフォードは、侵入検知のテストを次のように説明している。「上にライトが付いた箱を作ることをあなたが提案したとしよう。ユニコーンがいる部屋にこの箱を持っていくと、このライトは消える仕組みになっている。では、それが機能していることはどうやったら証明できるだろうか？」[82]。広告用に銀の弾丸を持ってポーズを取ったCEOは、彼自身が思っている以上に正しかったが、その理由は彼が思うのとは違っていた。彼はおそらく、広告を見た人が「銀の弾丸」を、一般に思われているように「複雑な問題に対する単純な解決策」という意味で解釈することを期待していたのだろう。しかしソフトウェアエンジニアは、この言葉を別の意味で使っている。つまり「合理的な根拠が何もないのに、ソリューションとして提示されるもの」だ。[83] CEOは、この後者の意味においてのみ正しかったのだ。

ところが、これらの問題によって、商用のセキュリティ製品の購入を思いとどまる組織は多くはなかった。それは彼らが、こうした問題点に気付いていなかったか、あるいは製品に関するベンダーの主張を受け入れていたからである。また、経済学者が言うところの「ハーディング現象」があったのかもしれない。これは購買に関する決定権を持つ組織内のマネージャーが、大手サプライヤが販売する製品を購入する、という現象を指す言葉だ[84]。有名なサプライヤを選択することで、購入を正当化する一定の根拠が得られる。この現象はセキュリティ専門家の間でも知られており、セキュリティ製品の市場シェアは製品の有効性を示すものではなく、ベンダーの販売・マーケティング活動の成果を示すものだと主張する専門家もいた[85]。

この根本的なジレンマが原因で情報セキュリティ製品の市場が機能不全に陥っていることは、すぐに明らかになった。１９９８年、２人の研究者が、広く普及しているネットワーク侵入検知システムを密かに回避できるかどうか調査することにした[86]。彼らが観察したのは、ネットワーク侵入検知システムは、ネットワーク上を通過するパケットを監視することはできても、そのパケットが実際に宛先のコンピュータに到達するかどうか、また宛先のコンピュータがそのパケットをどのように処理するかを確実に把握することはできない、ということだ。言い換えれば、侵入検知システムは、自らが接続されているネットワークの一部で起きていることを観察することはできても、ネットワーク全体のすべての活動を把握できる全知全能の存在ではないのだ[87]。２人の研究者は、この考えに基づき、ネットワーク侵入検知システムを回避するためのさまざまな手法を開発した。「Ｘ」というパケットがあり、侵入検知システムはそれを読み取るが、ターゲットコンピュータは読み取らないとしよう。そのことを知っている攻撃者は、侵入検知システムが「ＨＡＣＫ」という文字列をチェックしていた場合、「ＨＡＣＫ」ではなく「ＨＸＡＣＫ」という文字列を送信できる。その結果、ターゲットコンピュータが「ＨＡＣＫ」を受信する一方で、侵入検知システムは「ＨＸＡＣＫ」を検知するため、アラートは起動しないのである。[88]また彼らは別の回避手法も開発した。それは、OSベンダーがTCP/IPを自社製品に実装する際に、RFC内のプロトコルの記述に曖昧な部分があるために、各社の製品間でわずかな差異が生じる、という事実を利用するものだ。これが意味するのは、攻撃者がネットワークパケットをターゲットコンピュータに送信したときに、侵入検知システムはそのコンピュータがパケットをどのように解釈するかを把握できない、ということだ。つまりコンピュータが「HAKC」と解釈するのか、あるいは「HACK」と解釈するのかがわからないのである。[89]侵入検知システムにできることは、せいぜい何らかの回避行為が行われていることを検知する程度であり、「攻撃を検知した」と報告する代わりに、「攻撃されているかもしれない」と言うだけで、それがどのような攻撃なのかを特定することはできなかった。[90]

研究者たちがテストしたネットワーク侵入検知システムは、いずれもこのような回避行為で無力化することができた。[91]さらに悪いことに、これらの問題は侵入検知システムの機能の本質的な部分にまで及んでいた。研究者たちは、自らの研究が示すのは、ネットワーク侵入検知システム製品には「根本的な欠陥」があり、この製品分野全体が「根本から作りなおされるまで完全には信頼できない」ということである、と説明した。[92]2017年、別の研究者グループがこれらの発見を再検証し、市販のネットワーク侵入検知製品10種類をテストした。その結果、大半の製品が回避行為に対して脆弱であり、1990年代に記述された手法が依然として有効であることが確認された。[93]

回避行為の研究は、根本的なジレンマの現実を明らかにした。販売されているセキュリティ製品が本当に効果的であるかどうか、組織が判断する良い方法が存在しなかったのである。業界紙はセキュリティ製品のレビューを行ったが、その評価は記載された機能や使いやすさに基づいて行われる傾向があった。[94] そのためベンダーは、回避行為を防ぐ能力などの技術的な要素ではなく、製品に組み込まれている脆弱性シグネチャの数など、表面的な要素で他社と競うようになった。ある侵入検知製品に、脆弱性を検知するためのシグネチャが８００件登録されていて、別のベンダーの競合製品には１０００件のシグネチャが登録されていたとすれば、それは購入者が容易に認識できる差となる。[95] その結果、セキュリティ製品が自社製品に組み込まれたシグネチャの数で競い合うという、逆インセンティブが発生した。ベンダーはできる限り多くのシグネチャを実装した。時には脆弱性の定義を拡大して取るに足らない問題を含めることもあり、その結果、そうした製品を使用する組織のセキュリティスタッフの仕事量が増えてしまった。[96]

逆インセンティブは、別の形でも現れた。ＤＡＲＰＡは、ネットワーク侵入検知製品間で情報共有ができるようにすることを目的としたプロジェクトを開始した。[97] それが望ましいのは、ある組織が２つの異なるベンダーの製品を購入しても、それらを一緒に使用することが可能になるからである。そうすることで、一方の製品が攻撃の検知に失敗した場合でも、もう一方の製品は成功するかもしれないのだ。しかし、ＤＡＲＰＡの取り組みは失敗した。ネットワーク侵入検知製品のベンダーには、自社製品を競合他社の製品と相互運用できるようにすることで得られるインセンティブがなかったからである。それどころか、マイナスのインセンティブが働いていた。どのベンダーも、市場で競合他社を打ち負かし、支配的なプロバイダーになろうとしていたのだ。

ネットワーク侵入検知システム製品を無力化する手法を明かす研究は、その後まもなく、２つ目の重要な研究によって強化されることとなる。しかしその研究は、数年の間、水面下で進められた。1999年、スウェーデンのチャルマース工科大学に在籍していたステファン・アクセルソンという学生が、侵入検知をテーマにした初期のカンファレンスの1つで論文を発表した[98]。彼はその論文の中で、誤報に関する研究について解説した。誤報（偽陽性や第一種過誤とも呼ばれる）とは、侵入検知システムが攻撃を検出したと思っても、実際には攻撃が発生していない場合を指す[99]。誤報はさまざまな理由で発生する。たとえば「HACK」という文字列をチェックするシグネチャが、たまたま「HACKERS」という無害な文字列を含むネットワークパケットを見つけてしまったような場合だ[100]。アクセルソンが発見したのは、侵入検知システムの運用パフォーマンスを制限する要因は、発生する誤報の数であるということだった。組織のセキュリティスタッフが誤報の対応で手一杯となり、真の攻撃が「干し草の中の針」となって、発見できなくなるためである[101]。

アクセルソンの研究の核心にあったのは、「基準率の誤謬（ごびゅう）」だった。彼は論文の中で、患者の病気を見つけるための医学的検査を例に挙げている。ある検査の精度が99パーセントだとすると、誤報（偽陽性）が生じるのはわずか1パーセントということになる。ある医師が患者にこの検査をして、「残念ながら陽性反応が出ました」と伝えたとしよう。しかしこの患者にとって朗報なのは、全人口のなかでこの病気にかかっているのは1万人に1人しかいないということだ。これらの情報に基づいて考えた場合、この患者が本当に病気にかかっている確率は何パーセントだろうか。

検査の精度が99パーセントで、患者に陽性反応が出ていたとしても、実際にこの患者が病気にかかっている確率はおよそ100分の1でしかない。これは健康な人の数が、病気の人の数よりもはるかに多いためだ。この結果は直感に反しているため、驚きを覚えるかもしれない。その理由は、誤報について考える際に、ある出来事が発生する基準率を考慮に入れるのが難しいからである。侵入検知に関して言えば、侵入検知システムを現実的な運用環境で使用することは、予想以上に困難であるということだ。侵入検知システムのパフォーマンスを制限する要因は、侵入を正しく識別する能力ではなく、誤報を正しく抑制する能力なのだ。[102] その後数年間に、この問題はいくつもの現実世界における事例によって実証されることになる。2014年に発生した、衣料品小売業者ニーマン・マーカスのハッキング事件では、ハッカーは侵入検知システムに6万件以上のアラートを発生させた。しかしこれらのアラートは、1日に発生するアラート総数のわずか1パーセントに過ぎなかったため、セキュリティスタッフに対処されることはなかった。[103] 2015年、アクセルソンの論文の回顧録において、彼の研究はその当時およそ15年前のものだったが、「この種の問題は悪化しているかもしれない」とコメントされている。[104]

いまや2つの新しい現実が生まれていた。一方の現実は、ステファン・アクセルソンの研究のような、侵入検知システムの分析が発表された学会の参加者たちのいる世界。もう一方の現実は、侵入検知システムは「未来」であると宣言されている世界だ。[105] 侵入検知システム製品には根本的な問題があり、悪用される危険性があることを示した研究が発表されてから1か月後、多国籍テクノロジーコングロマリットのシスコは、侵入検知製品ベンダーのウィールグループを1億2400万ドルで買収した。[106]

こうした2つの世界の断絶は、ドットコム・ブームによる金融市場の歯止めの利かない上昇によるところが大きかった。しかしもう1つの大きな要因は、コンピュータハッカーの影響である。

善いハッカー、悪いハッカー

「ハッカーとは何者なのか?」という質問の答えは、言うまでもなく明らかに思えるかもしれない。コンピュータシステムのセキュリティを故意に侵害する人物、それがハッカーだ。しかし、この言葉の一般的な意味は時代とともに変化しており、特に特定のグループ内ではその傾向が強くなっている。現代における「ハック(Hack)」の最も初期の用法では、この言葉は、創造的な方法で機械を操作したり、変更を加えたりすることを意味していた。[107] 1955年4月に行われたMITの「テック・モデル・レイルロード・クラブ」の会合では、その議事録に「エクルズ氏は、電気系統で作業やハッキングをする人に対し、ヒューズが飛ぶのを避けるために電源を切るよう求めている」と記されている。[108] MITはデジタルコンピューティング分野における初期の中心地の1つであり、この言葉はそこで働くコンピュータ科学者たちによって採用された。当時、「ハック」や「ハッカー」に否定的な意味合いはなかった。創造的でインスピレーションに満ちたプログラミングは、「グッドハック」と呼ばれていたのである。[109] しかし少なくとも1963年11月以降、「ハッカー」という言葉は、コンピュータシステムのセキュリティを意図的に侵害しようとする者を指すのに使われている。この月に発行されたMITの学生新聞では、次のように書かれている。「MITの電話システム管理者であるカールトン・タッカー教授によると、いわゆるハッカーのせいで、多くの電話サービスが制限されているという。ハッカーたちは、ハーバード大学とMITを結ぶすべてのタイライン〔2つの電話交換機を接続している物理的な電話回線〕を止めたり、長距離電話をかけてその料金を構内のレーダー施設に押し付ける、といった行為を成功させている」[110]

時が経つにつれ、ハッカーという言葉は「ホワイトハット」と「ブラックハット」のハッカーという2つのイメージに分かれていった。ホワイトハットのハッカーは、プロのタイガーチームのメンバーとして働くなど、言うなれば自らのスキルを倫理的に使う。対照的に、ブラックハットのハッカーたちは、法をすり抜けたり破ったりする。カウボーイを題材にした初期の映画では、主人公は白いカウボーイハットをかぶり、敵役は黒いカウボーイハットをかぶっていることが多い。帽子の色の違いは、見る人にとって理解の助けになると同時に、善と悪の戦いを象徴していたのである。ジョージ・ルーカスは映画『スター・ウォーズ』の中で、神秘的な「フォース」の2つの側面、すなわち「ライトサイド」と「ダークサイド」を区別するために同様の工夫をしている。また子供たちは、幼い頃から、空想上の遊びの世界の登場人物を「善人」と「悪人」に分けて考えることがある。このような単純化された対立関係は、人間の心理に訴えかけるものがある。しかし「ホワイトハット」と「ブラックハット」は単なるレッテルであり、レッテルとは当てにならないものだ。その人の実際の行動とは矛盾するように貼られたり使われたりするからだ。社会学者のアーヴィング・ゴッフマンは、人が社会的な文脈に応じて異なる行動を取る理由について書いている。[111] たとえば彼らは、雇用主となる可能性のある人物の前では自分をホワイトハットのように見せたいと思うかもしれないが、同じ考えを持つハッカー同士の社会集団においては、ブラックハットのように見せたいと思うかもしれない。

ダン・ファーマーはＳＡＴＡＮを開発し、インターネット上で誰でもダウンロードできるようにした。それを「12歳の子供に銃を渡すようなものだ」と主張する人がいたことを考えると、彼はブラックハットだったのだろうか？　それともファーマーは、システム管理者がコンピュータの脆弱性を特定するのに役立つプログラムを作るために自分の時間を費やした、利他的なホワイトハットだったのだろうか？　ルートはスキルの低いハッカーでもＳＹＮフラッド攻撃を実行できるようにする「ネプチューン」プログラムを公開し、それがパニックスをダウンさせた攻撃を引き起こした可能性があるが、それをもってブラックハットだったと言えるだろうか？　それとも、後のパニックスへの攻撃で証明されたように、重要な脆弱性に世間を注目させたルートは、先見の明のあるホワイトハットだったのだろうか？

ダン・ファーマーとルートによって開発されたセキュリティソフトウェアは、本質的にデュアルユース、つまり使い方次第で攻撃にも防御にも利用できるものだった。ロケットは人を月に運ぶことができるが、核弾頭を他国に飛ばすこともできる。ＳＡＴＡＮはシステム管理者が自分の管理するコンピュータの脆弱性を見つけるために使うことができるが、ハッカーがインターネット上のコンピュータの脆弱性を見つけるのに使うこともできる。ルートが開発したＳＹＮフラッド攻撃ツールであるネプチューンは、コンピュータがＳＹＮフラッド攻撃に対して脆弱であるかどうかをテストするために使用できるが、サービス拒否攻撃を実行するためにも使用できる。

ブラックハットとホワイトハットの分類を明確に示す指標は存在しない。コンピュータ犯罪で有罪判決を受けることは、そうした指標になり得ると思うかもしれないが、米連邦議会がコンピュータ詐欺・不正利用防止法を制定したのは1984年のことだ[112]。英国では、1990年になるまでコンピュータ不正使用法が制定されなかった[113]。コンピュータハッキングの有罪率も極めて低く、ダン・ファーマーやルートのように、記事を発表したりソフトウェアを配布したりすることは法律違反ではない。現実には、ブラックハットとホワイトハットは全く異なるもの、という見せかけのイメージによって、ハッカーとセキュリティ業界の双方が恩恵を得ていた。ハッカーたちは、簡単には得られないスキルや知識を身につけており、それに対する需要は非常に多かった[114]。情報セキュリティの学士号コースを開設している大学は少なく、毎年輩出される卒業生の数も限られたものだった。また、一般の人が情報セキュリティを自分で学ぶのに使える教材もあまりなく、刊行されている書籍もごくわずかだった。セキュリティの専門知識を持つ人は、ほぼ確実に独学で勉強しており、オンラインマガジン「フラック」のような、いわゆるアンダーグラウンドの情報源から知識を得ることもあったのだろう。

セキュリティ業界では、セキュリティの専門知識を有する社員が求められていた。企業はネットワーク脆弱性スキャナや侵入検知システムなどの製品を開発するために、彼らの知識を必要としていたのである。企業がブラックハットを自称する人物を雇うことはまずない、そのためハッカーの中には「夜はブラックハット、昼はホワイトハット」と密かに2つの顔を持つ者もいた。一部のハッカーはこれを不誠実に感じ、「敵と寝るようなもの」と断じた。2002年、ブラックハットのハッカーグループがネット上に文書を公開し、ホワイトハットとしての本業を持ちながらハッカーとしてのハンドルネームも持ち、ブラックハットのグループと交流している多くのハッカーを暴露した[115]。

これは状況が新しい段階に入ったことを示していた。つまり、コンピュータハッカーと彼らが持つ秘密の知識が崇拝されるようになり、強力なフィードバック・ループが形成されたのである。ハッカーたちは脆弱性を研究し、その結果をバグトラックなどの公開メーリングリストで発表する。この行為は、情報を一般に公開することで、企業が脆弱性について知り、コンピュータにパッチを当てることができるようになる、という表面的な目的にはかなっている。しかし、こうしたオンラインへの投稿には、公の場でのパフォーマンスといった側面もあり、自分の専門知識をハッカー仲間、ひいては世界中に見せびらかしたいというハッカーの欲求を満たすことにもつながった。[116] ハッカーたちが新たな脆弱性を次々と生み出すことで、セキュリティ企業は、彼らがオンラインで投稿した情報をもとに、それらの脆弱性に対応するシグネチャを自社製品に追加していった。

ハッカーたちは脆弱性に関する情報を、バグトラックなどのオープンなメーリングリストに投稿していたため、他のハッカーは彼らの発見から学ぶことができた。またハッカーが脆弱性の存在を示す有効なエクスプロイトを投稿すると、スクリプトキディ〔初心者のハッカーを指す言葉。知識不足により攻撃に既存のスクリプトを使用することからこう呼ばれる〕と呼ばれる知識の乏しいハッカーは、それを使って脆弱なコンピュータをハッキングすることができた。[117]「スクリプトキディ」という言葉は、攻撃方法の詳細を理解せずにエクスプロイトを利用するハッカーへの軽蔑の意味を込めて使われたものだ。[118] スクリプトキディは公開されているエクスプロイトを利用して攻撃を実行できるため、企業はより多くの防御策を必要とした、つまりセキュリティ製品を購入する必要があったのである。セキュリティ企業に勤務していたハッカーたちにとっては、夜は脆弱性に関する情報を研究して公開し、日中は自分たちが作った攻撃方法に対するシグネチャなどの防御策を書くという、不条理な状況が生まれた。[119] 密猟者が同時に森番を務め、放火犯が同時に消防士を務めていたわけである。

このように、ハッカーとセキュリティ業界の間に生まれたフィードバック・ループは、情報セキュリティ製品の市場を急拡大させる強力なエンジンとなった。この仕組みがうまく機能したのは、関係者全員の利益にかなったからである。ハッカーは知的好奇心を満たし、自分の専門知識を仲間に伝え、生計を立てることができた。セキュリティ企業は、急成長する市場のためにセキュリティ製品を作り、販売することができた。また、このフィードバック・ループに付随的に参加した企業でさえ大きな利益を得ることができた。2001年には、セキュリティの脆弱性に対する関心が大きく高まったことにより、CERT（83ページ参照）はセキュリティ勧告の商用化、また、商用サービスとしてアグリゲーションサービス〔情報を集約して提供するサービス〕を提供できるようになった。このサービスの会員になるには、1組織あたり最大7万5000ドルかかった。[120]

ハッカーとセキュリティ業界の奇妙な共生関係は、暗黙の、しかし相互に利益をもたらす取り決めであった。カール・マルクスは次のように述べている。「哲学者は思想を、詩人は詩を、牧師は説教を、教授は教科書を、それぞれ『生産』する。犯罪者は犯罪を『生産』する。犯罪者が『生産』するのは犯罪だけではない。彼らはまた、刑法を『生産』し、その結果として、それに関する講義を『生産』する教授や、教授がその講義を世界の市場で『商品』として販売するための教科書を『生産』する最初の原動力となる」。[121] 彼はさらに、こう続けている。「犯罪者はブルジョワ的生活の単調さと平凡な安心感を打ち破り、そうやって停滞を防ぐ。さらにそれなしでは競争の拍車さえも鈍化するであろう、興奮と不穏さを喚起する。このようにして、犯罪者は生産力に刺激を与える[122]」

ハッカーが生み出した「生産力への刺激」とは新たな脆弱性だったが、その根底にあったのは恐怖だ。企業は新しい脆弱性によってハッキングされることを恐れ、セキュリティ製品を購入したのである。情報セキュリティの分野において、恐怖は非常に発達した通貨であり、「恐怖（Fear）」「不確実性（Uncertainty）」「疑念（Doubt）」を表す独自の略語「ＦＵＤ」まで存在する。ハッカーもセキュリティ業界も、ＦＵＤが強力な動機付けになることを知っていて、その力をあからさまに行使した。

セキュリティ企業の最大手であるシマンテックは、「ノートン・インターネット・セキュリティ」というウイルス対策製品を開発した。この製品は、ライセンスの有効期間が切れると、ユーザーに対して次のようなポップアップメッセージを表示する。「時間切れです。あなたのノートン・インターネット・セキュリティは有効期間を過ぎました。あなたはもはや保護されていません。いまにもコンピュータがウイルスに感染し、悪意のあるマルウェアがインストールされ、個人情報が盗まれるかもしれません。もうしばらく大丈夫である可能性もあります。しかしそれが過ぎたら、サイバー犯罪者があなたの銀行口座を空っぽにしようとするかもしれません。選ぶのはあなたです。いますぐ自分の身を守るか、慈悲を請うか[123]」

セキュリティカンファレンスの中で最も有名なものの１つが「ブラックハット・ブリーフィングス」で、情報セキュリティの分野では単に「ブラックハット」として知られている。ブラックハットに参加するためのチケットは数千ドルもするが、それは企業を参加者として想定しているためだ[124]。第１回のブラックハット・ブリーフィングスの広告は、次のような内容だった。「夜遅く、あなたはオフィスに1人きりで、データベース管理に追われている。背後ではネットワークサーバーが静かに、そして順調に稼働している。順風満帆だ。いや、本当にそう言えるだろうか？　不安の波があなたを襲う。空気は冷たく、恐ろしいほどに静まり返っている。手がかじかみ、第六感があなたに告げる——誰かがいると。彼らはそこにいる。さらに悪いことに、侵入しようとしている。しかし誰が？　どうやって？　どうすれば彼らを止められるだろうか？　ファイアウォールの陰に潜む者たちを阻止するために必要なツールと知識を提供できるのは、ブラックハット・ブリーフィングスだけだ。現実に、彼らはそこにいる。選ぶのはあなただ。彼らに怯えながら生きるか、彼らから学ぶか」[125]。たまたまこの広告を目にしてFUDを体験した人は、ブラックハット・ブリーフィングスの創設者が、ハッカー・コミュニティにおける最大の年次集会「デフコン」の創設者でもあることを知ったら、驚いたに違いない。ブラックハットもデフコンも、「ダーク・タンジェント」というハンドルネームで知られるジェフ・モスが始めたものだ[126]。セキュリティ業界と同様に、モスはハッキングのホワイトハットとブラックハットの両サイドを収益化することに成功した。

ハッカーとセキュリティ業界が作り上げた利益のフィードバック・ループは、副作用を生む可能性をほとんど考慮せずに回転していた。しかし、その不満が公に表明される出来事が起きようとしていた。

マーカス・J・レイナムは、情報セキュリティの分野に関わることを指して、「首に巻いたネクタイが機械に引っ掛かり、巻き込まれて身動きが取れなくなる」ようなものだと表現している[127]。レイナムは、ファイアウォールの概念が生まれた初期の頃に活動し、アプリケーション層ファイアウォールとしても知られる「プロキシファイアウォール」のアイデアを生み出したことで知られている。プロキシファイアウォールはネットワーク接続の仲介役として機能し、デバイスの向こう側でこれらの接続を再構築する。このアプローチを取ることで、パケットごとに許可または拒否するファイアウォールを使うよりも高い安全性が得られると考えられていた。またレイナムは、初の商用ファイアウォール製品「DEC SEAL」の開発でも中心的な役割を果たした。[128]

1993年、トラステッド・インフォメーション・システムズ（TIS）というセキュリティ会社で働いていたレイナムは、DARPAから連絡を受ける。[129] 初めてウェブサイトを立ち上げようとしていたホワイトハウスに代わって、DARPAがTISに連絡を取ったのだ。当時はビル・クリントンの大統領就任直後で、クリントン政権はウェブという新しい技術を取り入れようとしていた。[130] 翌日には、DARPAとTISの代表者によるミーティングが設定された。これを好機と見たレイナムは、徹夜で提案書を書き上げた。[131] DARPAとホワイトハウスはその内容を非常に高く評価し、レイナムはDARPAが資金提供する、ホワイトハウスのために安全なウェブサイトを研究するプロジェクトのリーダーに就任した。[132] サイト構築の一環として、レイナムは「whitehouse.gov」というドメイン名を登録したが、これは現在ホワイトハウスのウェブサイトで使われているドメイン名と同じものである。[133] 数日後、ワシントンDCで政府関係者と会っていたレイナムは、「whitehouse.com」というドメイン名も登録しておくことを提案した。しかしその関係者は、提案に関心を示さなかった――誰かにそのドメイン名を取得されたとしても、政府は単に使用停止を求める文書を出せばよい、と考えたのだ。しかし実際にwhitehouse.comを取得する人物が現れ、後に政府は、そのドメイン名を買い取るために200万ドルを支払わなければならなかった。[134]

そのキャリアの晩年、レイナムはペンシルベニア州モリスデールにある1820年代に建てられた農家の家で、2匹の犬、3匹の猫、2頭の馬と一緒に暮らすようになった。[135]彼はその広々とした敷地で、石鹸づくりや魅力的な写真の撮影などのさまざまな創造活動を行うことができた。[136]他にも、騎乗からモンゴル弓を射る方法を覚えたり、ジョン・F・ケネディを殺害したとされるリー・ハーヴェイ・オズワルドのライフル射撃を再現してみたり、大口径のスナイパーライフルを撃って鍵のかかった金庫を開けようとしたりと、特異なプロジェクトや実験を行った。[137]

レイナムは、情報セキュリティ界がハッカーやハッキング行為を容認していることに対して、確固たる意見を持っていた。彼の考えでは、インターネット上でのハッキング行為を抑制したければ、ハッカーによるトレーニングや講習を推進したり、ハッカーが書いた本を買ったり、ハッカーに数万ドルを払ってタイガーチームを運営させたりしていては駄目だというのだ。[138]レイナムは「ハッキングはクール」という考え方を、「コンピュータセキュリティにおける最も馬鹿げた考えの1つだ」と言って非難した。[139]

2000年夏のブラックハット・ブリーフィングスに招待されたレイナムは、基調講演を行うことになり、自分の思いを述べる機会を得た。このカンファレンスは、ラスベガスのカジノ「シーザーズ・パレス」で開催された。広大な講演会場に集まった何千人もの参加者を前に、レイナムは講演を始めた。プログラムに掲載されていた講演のタイトルは「フルディスクロージャとオープンソース」という何の変哲もないものだったが、彼はプレゼンテーションの冒頭で、代わりに「スクリプトキディは最悪だ」と題した話をすると宣言した。[140] この講演でレイナムは、ハッカーとセキュリティ業界の行っていることが、いかにスクリプトキディの大群を生み出しているかを批判した。そしてセキュリティの脆弱性は、それを公開して自分たちを売り込みたいだけのハッカーやセキュリティ企業によって研究されているのだと訴えた。[141] レイナムは「ホワイトハットとブラックハットの間には非常に大きなグレーゾーンがある」と表現することで、この分野における寛容さを批判した。「この戦いでは、両方の陣営から参加している人々があまりにも多すぎる」と彼は指摘し、そのことが、「極めて無責任な行動を取ることに全く抵抗を感じずにいられる」環境を生み出すことにつながったと指摘した。壊し方だけ知っていて、築き方は知らない人々――ハッカー――に対して、過度な信頼が寄せられていたのだ。[142] 彼が提案したのは、ハッカーの「アマチュアテロリズム」を打ち負かすために、「テロ対策」のアプローチを採用すること、「快適なグレーゾーンを減らす」ために、焦土作戦とゼロトレランスのアプローチを取って「敵のいるところで戦いを挑む」こと、そして「元ハッカーをセキュリティコンサルタントとして雇うのをやめる」ことだ。彼の言葉を借りれば、「改心した狼を羊飼いとして売るのは、羊に対する侮辱」であった。[143] そしてレイナムは、挑戦的な言葉で講演を終えた。聴衆として座っているカンファレンス参加者であり実際に脆弱性の研究に時間を費やしている人々に対して、代わりにその知識をより優れたファイアウォールやより安全なOSなどの有用な製品の開発に使うことを求め、「コミュニティのために生産的で価値のあることをしてほしい」と呼びかけたのである。[144]

この講演に対する反応は、「まるでローマ教皇が統一教会のローブを着て説教をしたようなものだった」とレイナムは述べている。[145] ブラックハット・ブリーフィングスの目的は、ハッカーたちが、自らの知識や技術をカンファレンスの参加者に披露することであると定められている。そのためレイナムの講演は、カンファレンス参加者たちに大きな認知的不協和をもたらした。彼らはハッカーたちの話を聞くためにカンファレンスに参加したのに、同時にそれは非生産的だと言われたのだ。

レイナムの講演は、情報セキュリティ分野の方向性を、少なくともある程度は変える可能性があった。しかし、彼の講演が行われたのは、ドットコム・バブルの崩壊が始まってからまだ数か月後のことだった。後に「ブラックフライデー」と呼ばれることになるそのバブル崩壊の日、テクノロジー関連の株が大量に売り出された。取引時間の終了を告げるベルが鳴ったとき、ナスダックは350ポイント以上も下落し、ナスダック史上最大の下げ幅を記録した。[146] 同じ日、ダウ平均株価もまた600ポイント以上も下落した。[147]

ドットコム・ブームは終わった。株式市場の暴落は、資本市場に与えたのと同じ影響を、情報セキュリティの分野にも与えることとなった。つまり、支出が抑制されるようになったのだ。それにより重心が短期主義からファンダメンタルズへとシフトした（投資分野において短期主義とは、長期的な視野で判断するのではなく短期的なリターンを求めて行動することを、ファンダメンタルズとは国や企業の経済活動の状況を示す基礎的な指標（財務状況など）を指し、ここではバブル崩壊により、企業がより基礎的な活動を重視するようになったことを意味している）。そうした中、世界最大の企業の1つにスポットライトが当てられようとしていた。

5　ソフトウェアセキュリティと「苦痛なハムスターホイール」

OSのセキュリティ

ドットコム・ブームの間に生まれたフィードバック・ループは、セキュリティ企業には収益を、ハッカーたちには割の良い職をもたらした。しかし、それは同時に、企業がセキュリティパッチを適用しなければならない新たな脆弱性を次々に生み出すこととなった。「ペネトレイト・アンド・パッチ（ペネトレーションテストをして脆弱性を見つけ、パッチを当てる）」という手法は、いつしか「パッチ・アンド・プレイ（パッチを当てて祈る）」に替わっていた。企業は新たに見つかる脆弱性にパッチを当て、さらなる脆弱性が発見されないようにと祈ったのだ。しかし新たな脆弱性は必ず発見され、新たな脆弱性はさらなるパッチの適用を意味した。こうした状況を、ある専門家は「苦痛なハムスターホイール（回し車）」と呼んだ。[1] この喩えにおいて、ハムスターに相当するのは企業である。

彼らは常にパッチを適用しているが、実際にはちっとも前進していないのだ。
ドットコム・ブームで普及したセキュリティ技術が、この問題をいくらか悪化させていた。ペリメータセキュリティ・モデルの中心となったのはファイアウォールだったが、企業のファイアウォールは、ウェブトラフィックにその企業のウェブサイトへのアクセスを許可しなければならなかった。ウェブサーバーに脆弱性がある場合（それはほぼ確実に発生する）、ハッカーはそのセキュリティを侵害し、ウェブサーバーが稼働しているOSのセキュリティも侵害する恐れがあった。
基盤となるOSが強固なサポートを提供していなくても、ウェブサーバーやその他のアプリケーションがセキュリティを実現できるという考えは、誤った前提であると見なされ始めた。[2] 概念上、OSはウェブブラウザやウェブサーバーといったアプリケーションの下位に位置するため、理論的には、脆弱性を持つアプリケーションがコンピュータ全体のセキュリティを脅かすのを阻止することができる。1998年にNSAのスタッフが執筆した論文は、「コンピュータ業界は、セキュリティに対するOSの重要な役割を受け入れていない。それは現在主流のOSが提供する基本的な保護メカニズムが不十分なものであることからも明らかだ」と指摘している。[3] また論文は、OSのセキュリティを無視したセキュリティ対策は、「砂上の楼閣」にしかならないとも述べている。[4]
セキュリティの取り組みの焦点をOSのセキュリティに置こうとすることは、1970年代と80年代の考え方への興味深い回帰だった。ウェア・レポート、アンダーソン・レポート、証明可能な安全性に関する研究、そしてベル＝ラパドゥーラ・モデルの開発は、すべてOSに焦点を当てていた。しかしOSのセキュリティは、オレンジブックの失敗とインターネットの登場による熱狂の後、軽視される傾向にあった。

21世紀初頭における2つの支配的なOSはUNIXとウィンドウズだった。この頃までには、UNIXがデスクトップOSとして使われることは少なくなり、ウェブサーバーなどのサーバーを提供する目的で使われることが多くなっていた。UNIXには、さまざまな非営利団体やベンダーによって開発されたいろいろなタイプがある。こうしたUNIXは、ソースコードが公開されるオープンソースとして開発されることが多かった。オープンソースのソフトウェアの場合、ユーザーはそのソフトウェアを自分の目的に合わせて書き換えることができる。

ウィンドウズの製品ラインは、ワシントン州レドモンドに本社を置くマイクロソフトによって開発された。ウィンドウズはクローズドソースであり、ソースコードを見たり変更したりできるのはマイクロソフトの社員だけである。マイクロソフトはホームユーザーや大企業など、さまざまなタイプの顧客や市場に向けて、さまざまなバージョンのウィンドウズを開発した。ウィンドウズの新しいバージョンは時とともに、ウィンドウズNT、ウィンドウズ2000、ウィンドウズXP、ウィンドウズサーバーなど、さまざまな製品名で発売された。ウィンドウズOSは世界中で広く使われており、マイクロソフトのデータベースソフトウェアのSQLサーバーや、ウェブサーバーソフトウェアのIIS（Internet Information Server）も同様に世界中で使われていた。2000年代初頭、これらのマイクロソフト社製品のセキュリティ障害が何度も発表され話題となった。[5] マイクロソフト社製品に発見された脆弱性の数と種類は、同社のソフトウェア開発方法に組織的な問題があることを示唆していた。発見された脆弱性が、ウィンドウズでのTCP／IPプロトコルの実装に関わる低レベルのものから、IISなどのウィンドウズ上で動作するアプリケーションレベルのものまで多岐にわたっていたからである。[6] SQLサーバーで見つかった脆弱性では、ハッカーは1つのパケットを送信するだけで、SQLサーバーが動作しているコンピュータを完全に制御することができた。[7] インターネットエクスプローラーには非常に多くの脆弱性が見つかったため、「インターネットエクスプロイター」（攻撃者の意味。エクスプロイトは脆弱性を利用してコンピュータを攻撃する行為を指す）や「インターネットエクスプローダー（爆破者）」というあだ名まで付けられたほどだ。[8]

脆弱性の数を数えるのは容易ではなかった。どの公開脆弱性データベースを使うかによって、記録されている脆弱性の数は2倍も異なることがあった。これは個々の脆弱性データベースが、異なる基準に従って脆弱性をカウントしていたためだ。[9] また、公開されている脆弱性の統計には、さまざまなバイアスがかかっていた。ハッカーやセキュリティ研究者は、特定のソフトウェアベンダー製品の脆弱性を意図的に探すことがある。これは、そのベンダーが格好の標的になると気づいたり、あるいはそのベンダーを嫌っていて、悪評を流すことで損害を与えようとするためである。[10] また、無料で入手できるソフトウェアやオープンソースのソフトウェアにおいても、1つには簡単に入手できることからより多くの脆弱性調査が行われやすくなる。特定の種類の脆弱性を見つけることに特化したハッカーやセキュリティ研究者が、さまざまなソフトウェアでそれを調べることもある。その結果、ある種の脆弱性が何百件も発見され、その報告数が急増することになる。[11] 脆弱性の統計を専門とするある研究者は、こうした根本的な問題によって分析が不十分になるため、脆弱性の統計には「価値がない」と述べている。[12]

もし脆弱性の統計の質におけるこうした問題点のせいで、マイクロソフト社製品の危険性は真偽の不確かなものに思われていたとしても、多くの人の目に触れた出来事によって、たちまち疑いようのないものに変わってしまうのだった。

ビル・ゲイツのメモ

2001年7月19日、マイクロソフトのIISにおけるバッファオーバーフローを利用したインターネットワームに、30万台以上のコンピュータが新たに感染した。[13]この感染は14時間以内に発生し、[14]ピーク時には毎分2000台以上のコンピュータが感染した。[15]モリスワームとは異なり、この新しいワームには悪意のあるペイロードが含まれていた。このワームはコンピュータ上で動作するウェブサーバーを感染させると、ウェブページを改竄して「中国人がハックしました!」と表示させ、[16]さらに感染したコンピュータを操って、ホワイトハウスのウェブサーバーを含む特定のターゲットに対して、月に一度、サービス拒否攻撃を実行させるというものだった。[17]このワームが「コードレッド」と名付けられたのは、最初に発見した2人の研究者が、発見時にたまたま「コードレッド・マウンテンデュー」というカフェインを多く含むソフトドリンクを飲んでいたからだ。[18]コードレッド・ワームは、感染したマシンからすべてのデータを削除することもできたため、その影響はさらに深刻なものになっていたかもしれない。それでも、このワームは26億ドル以上の損害をもたらしたと推測され、「コンピュータのセキュリティを最新の状態に保つことの必要性」を訴える「警鐘」と評された。[19]

コードレッドからわずか2か月後、ウィンドウズの脆弱性を利用した「ニムダ（Nimda）」という別のインターネットワームが登場した。この名前は、ウィンドウズシステムで最高レベルのセキュリティ権限を持つ管理者アカウントの「Admin」を逆につづったものだった。ニムダは2001年9月18日にインターネット上で広がり始め[20]、ウィンドウズ95、ウィンドウズ98、ウィンドウズME、ウィンドウズNT、ウィンドウズ2000の5種類のウィンドウズOSを感染させることに成功した[21]。単一の脆弱性を悪用したコードレッドとは異なり、ニムダは「あらゆる手を使って」感染を拡大させた[22]。電子メールやオープンネットワーク共有など、クライアント側とサーバー側の両方の脆弱性を利用していたのだ[23]。ニムダはひとたびコンピュータを感染させると、そのコンピュータの設定を変えてハードディスクの内容をインターネット上に公開してしまう[24]。またウィンドウズNTやウィンドウズ2000においては、コンピュータにゲストアカウントを追加し、そのゲストアカウントを管理者グループに追加した[25]。そうすることで、その後ゲストアカウントを使ってログインした人なら誰でも、そのコンピュータ上で任意の操作を行うことができたのである[26]。

ニムダ・ワームを調査した研究者は、そのソースコードに「Concept Virus(CV) V.5, Copyright(C)2001 R.P.China」という文言が含まれていることを発見した[27]。中国への言及は、このワームが中国で作られたことを示していたのかもしれないし、ワームの作者が中国を中傷することで自身への注意を逸らそうとしたのかもしれない。

ニムダは世界中のコンピュータを感染させた。感染したマシンの数が最も多かった国は、カナダ、デンマーク、イタリア、ノルウェー、英国、そして米国だ[28]。ワームの除去は、時間とコストのかかる作業となった。このワームは「腹立たしいプログラム」で、場合によっては、感染の被害を受けた組織を「麻痺させる」原因となった。[29] ニムダ・ワームの発生時期にも問題があった。2001年9月11日の米国同時多発テロからわずか1週間後に感染が広まり始めたのである。2つの出来事が近接していたことから、米国の司法長官だったジョン・アシュクロフトは、「両者の間には既知の関連性はない」という声明を発表した。[30]

コードレッドとニムダの発生を受けて、調査会社のガートナーは、「コードレッドとニムダの被害を受けた企業は、ウェブアプリケーションを他のベンダーのウェブサーバーソフトウェアに移行するなどの代替策を直ちに検討すること」を企業に勧告した。[31] さらに、次のように追記している。「そうしたウェブサーバーは、いくつかのセキュリティパッチを必要とするものの、これまでのところセキュリティにおいてははるかに優れた結果を残しており……膨大な数のウイルスやワームの作者から攻撃を受けているわけでもない。ガートナーは、マイクロソフトが製品を一から作り直し、公の形で徹底的なテストを行った新しいバージョンを発表するまで、ウイルスやワームの攻撃が続くのではないかと懸念している」[32]

コードレッド、ニムダ、そして果てしなく続くように感じられるセキュリティパッチの適用によるコストの増加は、企業にマイクロソフト社製品の使用を再考させるきっかけとなった。米行政管理予算局（OMB）は、すべての米国政府機関に対して、あらゆるコンピュータシステムのセキュリティコストを報告するよう勧告した。[33] これを受けて空軍は、マイクロソフトと会合を持ち、安全なソフトウェアに対する期待度を「引き上げる」ことを伝えた。[34] 当時、空軍の年間技術予算は60億ドルで、マイクロソフトは空軍にとって最大のサプライヤだった。空軍の最高情報責任者（ＣＩＯ）だったジョン・ギリガンは、マイクロソフトに対し、「われわれにはリスクを冒す余裕はない。だから、より良いソリューションを提供してくれるところにビジネスを任せるつもりだ」と伝えた。[35]

さらに進んだ対応を行った組織もある。カリフォルニア大学サンタバーバラ校は、さまざまな脆弱性や、コードレッドやニムダによる感染といった「何百もの重大な問題」を理由に、学内ネットワークにおいてウィンドウズＮＴとウィンドウズ２０００を使用することを禁止した。[36] ケンブリッジ大学のニューナムカレッジは、「ウイルス駆除にリソースを割くことは耐えられない」という理由で、マイクロソフトのメールクライアントであるOutlookとOutlook Expressの使用を禁止した。[37] ２００１年には、マイクロソフトを悩ますセキュリティ問題に拍車をかけるかのように、マイクロソフトが所有する13のウェブサイトが改竄される。その中には同社の英国法人のウェブサイトや、マイクロソフトがセキュリティパッチを配布するために使用していたウィンドウズアップデートサーバーのウェブサイトなどが含まれていた。[38]

ウェブサイトの改竄、マイクロソフト社製品の脆弱性を利用したインターネットワーム、そしてマイクロソフト社製品の使用をやめる企業などが出たことから、同社に対する悪評は高まる一方だった。[39] また、セキュリティの脆弱性に関連する費用について、マイクロソフトは法廷で責任を問われるべきではないか、という疑問の声も上がった。[40] 全米研究評議会のコンピュータ科学・電気通信委員会は、セキュリティ侵害のコスト（その額は数十億ドルに上ると推測された）に対するソフトウェアメーカーの責任拡大を検討すべきだと議会に勧告した。[41]

セキュリティ問題に関するマイクロソフトへの世論は悪化していた。また、マイクロソフトの顧客によるセキュリティへの要求も変化していた。２００１年に発売されたＯＳのウィンドウズＸＰは、ネットワーク機器やその他のアプリケーションに簡単に接続できるように設計されていた。ところがその結果、ウィンドウズＸＰではいくつかのネットワークポートが開いた状態になっており、ハッカーはそれをコンピュータのセキュリティ侵害に利用できた。[42] デフォルトでポートを開いておくこのやり方は、「治安の悪い場所にクルマを停め、ドアをロックせず、キーはイグニッションに挿したままで、ダッシュボードに『盗まないでください』というメモを貼っておく」ようなものだと評された。[43] これまでは、顧客は使いやすさを求めていたため、マイクロソフトがこのような機能を持つウィンドウズＸＰを開発したのも合理的と言えた。また、マイクロソフトがセキュリティの脆弱性をあまり考慮せずにプログラムを書き製品を開発することも、競合他社よりも早く製品を市場に投入できるため合理的と言えた。製品がバグを抱えていても出荷してしまい、以後のバージョンで修正するのは合理的なやり方であり、マイクロソフトのようにＰＣビジネスで勝利した企業ならどこも、同じような方法を取ったはずだ。[44] しかし、セキュリティに対する顧客の要求はますます高まっており、マイクロソフトはそれに応えなければならなかった。

マイクロソフト会長のビル・ゲイツは、ハッキングの危険性を身をもって経験していたこともあり、彼自身が行動を起こさなければならないことをわかっていた。１９６０年代後半、ワシントン大学の学生だったゲイツは、コントロール・データ・コーポレーションという企業が所有していた全米規模のコンピュータネットワーク「サイバーネット」に侵入した。[45] そして自分のプログラムを組み込もうとしたとき、彼は誤ってすべてのコンピュータを一斉にクラッシュさせてしまったのである。[46] このことでゲイツは捕まり、叱責を受ける。[47]

2002年1月15日、ゲイツはマイクロソフトの全正社員宛てにメールでメモを送った。[48] メールの件名は「信頼できるコンピューティング」で、彼はメモの中で、セキュリティは「私たちが行うすべての仕事の中で最優先されるべきもの」と述べている。[49] また、セキュリティ障害がマイクロソフトに与えるダメージを認め、マイクロソフトは「もっとうまくやれるはずだし、やらなければならない」、さらに「たった1つのマイクロソフト社製品、サービス、ポリシーの欠陥が、私たちのプラットフォームやサービス全体の品質に影響を与えるだけでなく、お客様のわが社に対する見方にも影響を与える」と述べた。[50] 続いてゲイツは、マイクロソフト社内で必要だと彼が考えるパラダイムシフトについて説明した。これまでマイクロソフトは「新しい機能を追加すること」に注力してきたが、「もしいま、機能の追加とセキュリティ問題の解決の選択を迫られることがあるなら、私たちはセキュリティ問題の方を選択しなければならない」と彼は述べた。[51] そして「この優先順位は、私たちが取り組むすべてのソフトウェアの仕事について言えることだ」と強調した。[52] ゲイツは、組織が脆弱性へのパッチ適用を余儀なくされているという問題を突きつけ、マイクロソフト社によるセキュリティへの新しいアプローチは「マイクロソフトとパートナー企業、顧客が作成するソフトウェアに見られるこうした問題の数を劇的に減らす必要がある」と述べた。[53] またマイクロソフトの社員に対して、「コンピューティングにおける信頼性について、まったく新しいレベルへと業界を導く」よう求めたのだった。[54]

その5年前、マイクロソフトは自社製品のセキュリティに関する批判に対して、マイクロソフト社製品は「基本的に安全」であると主張し、自社を守ろうとした。[55] しかし、ゲイツのメモ「信頼できるコンピューティング」は、同社の製品が実際には「基本的に安全」ではなく、それに近いものでもないことを認めるものだった。ついにマイクロソフトは、最高レベルのセキュリティに取り組むようになった。大手ソフトウェア企業が自社製品のセキュリティを有意義な方法で改善することは可能なのか、世界中がそれを知ろうとしていた。

マイクロソフトはなぜ成功したのか

ゲイツのメモの前年、マイケル・ハワードとデイビッド・ルブランという2人のマイクロソフト社員が、『WRITING SECURE CODE』（トップスタジオ訳、日経BP、2004年）と題する本を執筆した。[56] この本はマイクロソフト・プレスから出版され、ゲイツはメモの中で、本書をマイクロソフト社員に薦めていた。[57] メモに込められたメッセージは、社員にしっかりと伝わったようだ。その証拠に、メモが送信されてから数週間後、この本はアマゾンのベストセラーランキングのトップに躍り出た。[58]

ゲイツのメモを受けて、マイクロソフトは「信頼できるコンピューティング・イニシアチブ」と名付けられたプロジェクトを開始する。[59] 初めに、セキュリティ・アシュアランス・グループが、8000人以上のウィンドウズプログラマー、テスター、プログラムマネージャーを対象に、安全なプログラミングをテーマとした4時間のトレーニングコースを実施した。[60]このトレーニングの完了には1か月を要すると予想されていたが、実際には2か月かかり、総費用は2億ドルに上った。[61]このコースを受講したウィンドウズのOSのソフトウェアコードに関与するマイクロソフト社内のすべてのチームは、そのコードからどのようにしてセキュリティの脆弱性を取り除くかについての計画書を作成しなければならなくなった。[62]計画書を作るにあたっては、マイクロソフトの新しい哲学である「設計段階からセキュアであり、デフォルトでセキュアであること」を重視する必要があったのだ。[63]たとえば、ある機能をウィンドウズユーザーの90パーセントが使用しないのであれば、その機能はデフォルトでオフにされる必要があった。[64]この新しい哲学は、マイクロソフトがウィンドウズXPで取った従来のアプローチとは根本的に異なるものだった。目的は開いているポートを閉じるなどしてソフトウェアにおける攻撃対象を減らすことにあり、そうすることでハッカーが脆弱性を悪用する機会を減らすことができた。

マイクロソフトのすべての製品グループに、ソフトウェアセキュリティの責任者が任命された。[65]そして、マイクロソフトのソフトウェアエンジニアが受け取る昇給やボーナスなどの金銭的な報酬も、製品のセキュリティと連動するようになった。[66]

ソフトウェアコードに生じる脆弱性の数を減らすために、マイクロソフトはいくつかのイノベーションを導入した。同社の「Visual Studio .NET」というコンパイラ製品には、スタック保護メカニズムが組み込まれた[67]（「スタック」とは「積み重ねる」の意味で、ITの分野では、物を積み重ねたり、一番上に載っている物を取り外したりするように、最後に置いた（入れた）データが最初に取り出されるようなデータ構造を指す）。

これはスタックベースのバッファオーバーフローのリスクを軽減するものである。ここで重要なのは、このスタック保護メカニズムがデフォルトで有効になっており、コンパイラが生成したすべてのプログラムが保護されることだ。[68] この技術の設計方法は、スタックガードという既存の製品に似ていた。[69] マイクロソフトはこの他にも、静的解析やファジングなど、潜在的な脆弱性を特定するための技術を多数導入している。静的解析とは、コンピュータプログラムにソースコードを調べさせ、脆弱性の存在を示すパターンを検出させるというものだ。[70] ファジングとは、無効かつ予想外なランダムデータをコンピュータプログラムに入力するプロセスのことで、クラッシュさせたり予期せぬ動作をさせたりする。これにより、ハッカーがセキュリティの脆弱性を発見しようとするときに使用すると考えられるテクニックを再現できる。[71]

しかし、こうした取り組みが本格化してきた頃、「スラマー」と名付けられた新しい強毒性のインターネットワームが、2種類のマイクロソフトのデータベース製品を使用しているコンピュータを感染させ始めた。スラマーは協定世界時（UTC）で2003年1月25日土曜日の5時30分頃にコンピュータへの感染を開始した。[72] コードレッド・ワームがインターネット上の脆弱なコンピュータ群を感染させるのに14時間以上かかったのに対し、スラマーは10分以内に7万5000台以上のコンピュータを感染させた。[73] ピーク時には、スラマーに感染するコンピュータの数は8・5秒ごとに倍増した。[74] 世に放たれてからわずか3分後、スラマーは数多くのコンピュータを感染させ、感染したコンピュータは他のコンピュータを感染させようと毎秒5500万ものパケットを生成した。[75] スラマーの感染があまりに多くのネットワークトラフィックを発生させたため、インターネットの一部が一時的に容量不足に陥った。[76]

スラマーがこれほど急速に感染を拡大できたのは、ワーム全体を1つのネットワークパケットに収めることができたためだ。[77] それにより、ワームはターゲットとなるコンピュータごとに個別のネットワーク接続を確立する必要がなく、単に自分のコピーをインターネット上に散布するだけで済んだのである。スラマーは世界初の高速ワームと言われている。[78] 高速ワームは急速に拡散するため、人間では迅速に対応することができない。高速ワームは数分、あるいは数秒のうちにインターネット上のあらゆる脆弱なコンピュータを感染させるため、ファイアウォールを手動で変更するなどしてブロックしようとしても無駄なのだ。

スラマーには悪意のあるペイロードは含まれていなかったが、拡散速度が速かったために一部のインターネット接続が詰まってしまい、多くの組織に影響を与えた。アメリカン・エキスプレスのウェブサイトは数日間にわたって停止した。[79] バンク・オブ・アメリカの一部の顧客は、ATMから現金を引き出すことができなかった。[80] シアトル警察と消防に至っては、コンピュータシステムへの影響があまりにも大きかったため、職員は紙と鉛筆に頼らなければならなかった。[81]

スラマーのソースコードには、誰によって作られたかを特定できるような情報は含まれていなかった。これは作者が、予防措置として、どの国で開発されたかを明らかにする情報を削除していたためである。[82] しかしながら、スラマーがある既知の脆弱性を悪用していたことが、すぐに判明する――それは、ブラックハット・ブリーフィングスで初めて明らかにされた脆弱性だったのだ。[83]

スラマーに続いて、マイクロソフト社製品を悪用する別のインターネットワームが登場した。２０

03年8月11日に発生した、ウィンドウズXPおよびウィンドウズ2000の脆弱性を悪用したワーム「ブラスター」である。[84] ブラスターのソースコードには、「ビリー・ゲイツ(billy gates)よ、なぜこんなことを可能にしたんだ? 金儲けはやめて、ソフトウェアを直せ!」というメッセージが書かれていた。[85](後にゲイツはインタビューの中で、このメッセージが自分に対する個人攻撃だとは思っていないと語っている。[86])

ブラスター発生からわずか1週間後の8月18日、「ウェルチア」と名付けられたインターネットワームが広がり始めた。[87] ウェルチアには興味深い仕掛けが施されていた。このワームは、スラマーに感染したコンピュータにうつるように設計されていた。それからスラマーによる感染を取り除き、コンピュータがスラマーに再感染しないよう脆弱性にパッチを当てた後、2004年にはウェルチア自身を削除するよう作られていたのである。[88] ウェルチアは善意から作成されたようだったが、ウィンドウズの新しい脆弱性を利用したことで、望まれない場所にまで広がってしまった。[89] 米国務省が彼らのネットワークにウェルチアを発見した際は、9時間にわたってアクセスが遮断された。[90]

ウェルチアに続いて登場したソービッグは、「Re: Approved(承認されました)」や「Re: Your application(申請の件)」など、思わず開封してしまいそうになる件名の電子メールを送信することで、何百万台ものウィンドウズコンピュータを感染させた。[91] マイクロソフトは、ソービッグの作者の逮捕につながる情報に対して25万ドルの報奨金を出すと発表したが、その人物が捕ることはなかった。[92]

ソービッグに続いて、サッサーという名のワームが登場した。このワームは2004年4月下旬、ウィンドウズXPおよびウィンドウズ2000の脆弱性を悪用して広がり始めた。[93] サッサーは香港の病院のコンピュータをクラッシュさせ、米国のデルタ航空に40便のキャンセルをもたらし、オーストラリアの鉄道網で使用されているコンピュータを感染させて、何千人もの旅行者を立ち往生させた。[94]ソービッグの際と同様、マイクロソフトはサッサーの作者を捕まえるために25万ドルの報奨金を出し、この際には複数のタレコミがあった。[95]２００4年5月7日、18歳のスベン・ヤシャンがドイツの警察に逮捕される。[96]ヤシャンはドイツのローテンブルクでコンピュータ科学を専攻していた。彼は自分のやっていることをクラスメイトに自慢しており、タレコミの一部はそのクラスメイトからもたらされたようだ。彼らによると、ヤシャンは内向的で、1日の大半を実家のコンピュータの前で過ごしていたという。[97]ヤシャンがワームを放ったことを認めたのは4月29日で、その日は彼の18歳の誕生日だった。[98]彼はワームを作成してリリースした時点で17歳だったため、ドイツの裁判所で未成年者として裁かれ、21日間の執行猶予付きの判決を受けた。[99]

コードレッド、ニムダ、スラマー、ブラスター、ウェルチア、ソービッグ、サッサーといったインターネットワームは、暗い未来を予感させるものだった。ある研究者グループは、想像しうる最悪のインターネットワームが発生した場合のコストを計算し始めた。ウィンドウズの脆弱性を利用して拡散し、非常に破壊的なペイロードを持つようなワームである。そうした最悪のインターネットワームが生み出す損害について、研究者たちは直接的な経済的損失を５００億ドルと見積もった。さらにこのレベルの被害なら、経験豊富なプログラマーが数人集まっただけで起こせることがわかったのだ。[100]研究者たちは調査を進め、ハッカーがインターネット上の何百万台ものコンピュータを感染させるワームを作り、そのコンピュータを制御して、サービス拒否攻撃などさまざまな攻撃を仕掛ける可能性についても検討した。[101]

こうした感染コンピュータのネットワークは、国家によって武器として用いられる恐れがあり、競合国家が制御する別の感染コンピュータのネットワークとの戦いに使用される可能性もあるのだ。[102]

大きな被害を出したインターネットワームは広く知れわたり、それによってマイクロソフトのセキュリティに対する取り組みは上手くいっていないのではと囁かれるようになった。ご意見番たちもすかさず「信頼できるコンピューティング・イニシアチブ」は失敗だったと主張した。[103]これにより、世界で最も使われるソフトウェアのプロバイダーとして、マイクロソフトは不相応に支配的な役割を担っているのではないかという疑問も生じた。2003年7月、米国土安全保障省はマイクロソフトと9000万ドルの契約を交わし、同社よりウィンドウズデスクトップおよびサーバーソフトウェアの供給を受けることを発表した。[104]これに注目したのが、ワシントンDCを拠点とする非営利団体、コンピュータ通信産業協会（CCIA）だ。それよりも前に、CCIAは2001年のマイクロソフトに対する反トラスト法訴訟に関与していた。そこで問題視されたのは、マイクロソフトのウェブブラウザのインターネットエクスプローラーがウィンドウズOSにバンドルされていることは独占にあたるかどうかだった。[105]CCIAは国土安全保障省の長官に、マイクロソフトとの契約締結を再考するよう要請し、数か月後の2003年9月には、「サイバーセキュリティ――独占のコスト」と題したポジションペーパーを発表した。[106]執筆者は情報セキュリティの専門家グループで、ポジションペーパーの中では、「技術のモノカルチャー」のリスクについて考察されていた。[107]モノカルチャー（単一栽培）とは農業の分野で使われる専門用語で、特に生物多様性に関する言葉である。農家が単一の作物を栽培する場合、特定の植物だけを手入れして収穫すればよいため、コストが軽減される。しかし単一栽培では、1つの病気により作物が全滅してしまうリスクが高まる。モリスワームが拡散できたのは、インターネット上のコンピュータの多くがOSとしてUNIXを使用しており、同じバッファオーバーフローの脆弱性を抱えていたためだ。それと同様に、マイクロソフト社製品を感染させたインターネットワームはその脆弱性を利用して数多くのコンピュータを感染させることができたのである。

このポジションペーパーの執筆者は、マイクロソフトのソフトウェアが広く使用されていることで生じる「明白かついまある危険」について書いている。[108]もし世界中のほぼすべてのコンピュータに単一のオペレーティングシステム、すなわちウィンドウズが搭載されており、さらにウィンドウズにセキュリティ上の脆弱性があるとすれば、ほとんどのコンピュータは、その脆弱性を悪用するインターネットワームやハッカーに対して脆弱になるだろう。ソフトウェアの販売市場は、この主張を裏付けているようだった。ポジションペーパーが引用する資料によれば、当時ウィンドウズの市場シェアは97パーセントを超え、ウィンドウズは「2002年に米国で販売されたコンシューマークライアントソフトウェアの94パーセント」を占めていた。[109]執筆者はさらに主張を展開し、OS市場で支配的な地位にあるソフトウェアベンダーが、その地位を定着させる方法を説明した。ベンダーロックイン〔特定のベンダーが提供する独自の製品やサービス等を使用することで、他社への乗り換えが難しくなる現象〕は、ユーザーのスイッチングコスト（ユーザーが競合他社に乗り換える際に発生するコスト）を増加させることによって生じる。ベンダーはさまざまな方法でこれを実現でき、それには独自のファイル形式を使い続ける方法などがある。たとえばコンピュータの所有者がワープロソフトとしてマイクロソフトのWordを使用しており、Wordが独自のファイル形式で文書を保存する場合、その文書を別のファイル形式に変換しようとするとコストが発生する。このスイッチングコストがあることで、コンピュータの所有者はWordに、ひいてはウィンドウズOSにも縛られることになる。2人のユーザーが文書を共有するには、共有するファイルの形式を理解できるワープロソフトが必要である。そのため、文書を共有したい友人全員がマイクロソフト社製品を使用している場合は、マイクロソフト社製品を購入することがますます魅力的になるのだ。ソフトウェアベンダーはこうしたネットワーク効果〔ある製品やサービスを利用するユーザーが多ければ多いほど、そのユーザー間でファイルなどのデータを共有できるようになり、その製品やサービスの価値がさらに上がること〕を生み出して市場シェアを拡大しようとするが、これにはモノカルチャーのリスクが高まるという副作用がある。[110]

ポジションペーパーの執筆者は、ウィンドウズがもたらす広範な脆弱性のリスクを軽減する唯一の方法は、「コンピューティングにおけるマイクロソフトの独占的支配によるセキュリティ脅威に対抗する」ための、意識的な措置を講じることであると主張した。[111] 彼らは、Microsoft Officeやインターネットエクスプローラーなどのマイクロソフト社製のソフトウェアを、LinuxやマックOSといった他のOSに実装すること、同じく、相互運用性を向上させるために、マイクロソフトの製品とOSのインターフェースをオープンにすることをマイクロソフトに強制するよう各国政府に提言した。[112] さらに彼らは、政府機関がテクノロジーのモノカルチャーに陥らないよう、規制を活用することを推奨した。[113] 具体的には、政府で使用されるコンピュータのOSについて、その50パーセント以上を単一のベンダーから調達しないよう義務付けるルールを導入することが有効であると訴えたのだ[114]。

この「テクノロジーのモノカルチャー」という考えは、大きな注目を集めた。全米科学財団はカーネギーメロン大学とニューメキシコ大学に対し、多様なコンピューティング環境がもたらす利点、およびコンピュータのモノカルチャーについての研究のために、75万ドルの助成を行った[115]。しかし、モノカルチャーを減らすことに対しては、「技術の多様性を実現するにはコストがかかる」という反論があった。航空会社は、あるタイプの航空機に発生した欠陥によって、所有する機体すべてが運航停止してしまうのを避けるために、航空機の多様性を高めるということはしない。航空会社は所有する航空機の種類を抑えることで、初期導入費用と継続的なメンテナンスの面でコストを削減することができる。これは企業がコンピュータソフトウェアを購入して維持する場合も同様だ[116]。また、多様なソフトウェア環境を構築すると運用面でのセキュリティコストも発生する。さまざまなタイプのソフトウェアでパッチが出ているかどうかをチェックして、それらを継続的にインストールする必要があるからだ。

モノカルチャーを論じたこのポジションペーパーは、「政府と産業界が聞くべき警鐘」と自らを表現したが、「すでに出航した船の船尾を撃ち抜くようなもの」ではないかという指摘を受ける[117]。マイクロソフトによるＯＳ市場の支配は、当時すでに確立していたのだ。他の企業もマイクロソフトに先立って市場を独占していたし、たとえばＩＢＭはマイクロソフト以前、コンピュータのハードウェアとソフトウェアの両方の市場を席巻しており、他の企業もそれに続いて同じようなことをするのは確実と言えた。また、マイクロソフト社製品の脆弱性を利用したインターネットワームの存在という、より現実的で差し迫った問題もあった。マイクロソフトは自社製品のセキュリティ上の脆弱性を特定し、それに対するパッチを作成して提供していたが、企業はその脆弱性が悪用される前に、迅速にパッチをインストールするということができていなかったのである。

スラマーが利用した脆弱性には6か月前からパッチが提供されていたが、数万台のコンピュータにはまだパッチがインストールされておらず、スラマーへの感染を許すことになった。マイクロソフト社製品がスラマーに感染したことに対するマイクロソフトの見解は、同社が「他の業界と同様、パッチ管理を100パーセント遵守してもらうことに苦労している」からだった。[118] ブラスターに利用された脆弱性の場合、パッチは1か月前から提供されていた。コードレッドの場合は16日前、サッサーの場合は17日前からパッチが利用可能だった。セキュリティインシデントに見舞われたサイトを対象とした調査によれば、インシデントで悪用された脆弱性に対するパッチは、通常、そのインシデントが発生する少なくとも1か月前には提供されていた。[119] この調査では、既知の脆弱性に対するパッチの適用速度は「極めて不十分」とされた。[120] また、別の調査が明らかにしたのは、一般的なケースでは、脆弱性の発表から2週間経っても、3分の2以上のコンピュータが関連するパッチをインストールしていないということだ。[121]

マイクロソフトが行っていた大規模な取り組みでは、自社製品のセキュリティ脆弱性を発見してパッチを発行し、顧客がそうした脆弱性を解消できるようにしようとしていた。しかし、企業は提供されたパッチをインストールしていなかった。この状況は、大規模感染を起こすインターネットワームが発生しても、米国政府といった組織が企業に対して、パッチを効果的に管理することが「極めて重要である」と呼びかけても変わらなかったのである。[122] こうした企業にとって、パッチにおける日々の現実は、一筋縄ではいかないものだったからだ。各企業は、ソフトウェアベンダーから発行されるセキュリティ勧告やパッチをしばしば確認する必要があった。どのパッチを適用すればいいのかを理解すること自体も、時間のかかる作業だった。[123] また、パッチのインストール後に問題が発生した場合、コンピュータからパッチを削除する方法についても計画しておく必要がある。あるパッチを適用することを決定した後でも、組織内のすべてのコンピュータにインストールされている他のソフトウェアとパッチが競合したり、パッチが正しく機能しないことが後に判明したりする場合があるからだ。実際、マイクロソフトは他のソフトウェアとの競合により、セキュリティパッチの撤回に追い込まれたことが何度かあった。ウィンドウズXPのセキュリティパッチは60万台のコンピュータをインターネットに接続できなくしたし、パッチによってコンピュータがクラッシュし、いわゆる「ブルースクリーン・オブ・デス」〔「青い死の画面」の意味。ウィンドウズでOSに障害が発生した場合、青い画面とメッセージが表示されることから、クラッシュを指す言葉として使われる〕状態になったこともあったのだ。[124]

したがって、企業はそれぞれのパッチをいつインストールすればよいのかを判断する必要があった。[125] パッチの適用が早すぎると、害をもたらす可能性のあるパッチをインストールしてしまったり、適用後にベンダーがパッチの公開を取りやめたりするリスクがある。逆にパッチの適用が遅すぎると、そのパッチが解消するはずだった脆弱性をハッカーに悪用されてしまいかねない。こうした問題を回避するために、企業はまず自社環境内の少数のコンピュータにパッチをインストールし、パッチが正常に動作するかどうかをテストした後で、パッチを適用するコンピュータを段階的に拡大するという対応を取るようになった。そのため大規模な組織では、すべてのコンピュータに必要なパッチがインストールされるまでに、数週間かかることもあった。これはハッカーに対して、脆弱性を悪用するための格好の機会を提供することになった。[126] どのような適用方法でパッチをインストールするかも複雑な問題だった。パッチの展開方法としては、マイクロソフトが開発したソフトウェア・アップデート・サービス（SUS）プログラムが一般的だったが、同社は他にも7つのパッチツールを提供していた。[127]

こうしたパッチ適用に関する課題を認識したマイクロソフトは、いくつかの重要な決定を下した。彼らはパッチ適用のメカニズムを、8種類から2種類へと減らすことを表明した。[128] 複数のパッチを個別に発行するのではなく、パッチをまとめて「サービスパック」として提供するようにしたのである。このサービスパックは累積的なもので、最新版のサービスパックをインストールすれば、コンピュータはそれ以前のすべてのサービスパックが適用された状態になる。2003年9月、マイクロソフトはさらにセキュリティパッチを不定期にリリースする方式から、毎月第2火曜日にリリースする月次スケジュールへと移行した。[129] スケジュールを固定する目的は、それまでパッチが発表されるたびに対応に追われていた、システム管理者の負担を軽減することにあった。[130] マイクロソフトはこの新しい月次スケジュールを「アップデート・チューズデー」と名付けたが、一般的には「パッチ・チューズデー」として知られるようになった。[131]

セキュリティパッチを発行するという取り組みは、不幸な、しかし予測し得た副産物を生み出した。それはセキュリティパッチをリバースエンジニアリングして、パッチが適用されている脆弱性を特定しようとするハッカーである。パッチはプログラムのコードの一部を変更するもので、通常、対象となるコードは脆弱性を含んでいたり、脆弱性の原因と密接に関係していたりする。つまりパッチは、ハッカーに対してプログラムのどこを見ればよいかを示す、ビーコンの役割を果たすのである。ハッカーはパッチが適用される脆弱性の詳細を把握した上で、その脆弱性を悪用するコードを作成し、パッチがまだ適用されていない組織に対して使用することができる。こうした理由から、パッチ・チューズデーの翌日は「エクスプロイト（攻撃）・ウェンズデー」と呼ばれるようになった。[132]

脆弱性に対するパッチをインストールするにあたって企業が直面する困難は、セキュリティに対するマイクロソフトの取り組みの副産物とも言えた。マイクロソフトは自社製品でますます見つかるセキュリティ脆弱性に対応し、パッチはその結果である。脆弱性が「陰」なら、パッチは「陽」にあたる。製品をリリースする前にソースコードから脆弱性を取り除くことでしか、マイクロソフトがパッチの数を減らすことはできず、これは安全なソフトウェアを開発する能力を高めることを意味した。

マイクロソフトは、各製品のセキュリティを向上させるために、ソフトウェアセキュリティの取り組みを彼らが「プッシュ」と呼ぶものに集中させた。[133] しかしこのプッシュは、ソフトウェア開発者にとって、ハードで時間のかかる作業だった。[134] ２００３年の後半になると、こうした状況を回避するために、より正式なアプローチが必要であるという認識が生まれた。[135] そして２００４年の半ば、マイクロソフトの「信頼できるコンピューティング」グループの中心人物であり、20年前にオレンジブックに寄稿した経歴を持つスティーブ・リプナーが、既存のセキュリティトレーニング教材を整理し、マイクロソフトが製品を作る方法そのものに統合できるようなプロセスを構築する。[136] この新しいプロセスは、「セキュリティ開発ライフサイクル（ＳＤＬ）」と名付けられた。[137] ＳＤＬはマイクロソフトＣＥＯのスティーブ・バルマーの承認を得て、２００４年７月に運用が開始された。[138] ついにマイクロソフトで開発されるすべてのソフトウェアは、プロジェクトの開始から要件定義、設計、実装、リリースに至るまで、開発プロセスのすべての段階で、セキュリティに対する取り組みを統合することが求められるようになったのだ。[139] またソフトウェア製品が市場に投入された後も、時間の経過とともに発見される脆弱性に対処するための、構造的なアプローチが取られるようになった。[140] ＳＤＬの策定につながった、マイクロソフトの「信頼できるコンピューティング・イニシアチブ」は、大手ソフトウェアベンダーがこれまでに行ってきたソフトウェアセキュリティへの取り組みの中で、最も包括的で資金力のあるアプローチだったのである。

　マイクロソフトの担当者が折に触れて訴えたのは、セキュリティ向上の取り組みにおいて、マイクロソフトは顧客がインストールしなければならないパッチの数をゼロにまで減らすことを目指している、ということだ。ただこうした主張は、彼らのセキュリティ対策を宣伝する目的で行われた可能性が高い。[141] むしろマイクロソフトは、セキュリティ問題が自社の市場支配を脅かさない程度に自社製品の安全性を確保する、という現実的な目標を持っていたと考えられる。ソフトウェアのセキュリティを向上させることは、一種のコスト削減でもあったようだ。脆弱性の対応にコストがかかるように、悪評もまた損失を生むのである。コンピュータ科学の分野では、ソフトウェア開発ライフサイクルの早い段階でバグを発見して修正する方が、パッチを発行するなどして後からバグに対処するよりも、コストがかからないことがよく知られている。[142] その意味で、セキュリティにおける脆弱性の数を減らすことは、ソフトウェアの品質を向上させるための努力と見なすことができる。結局のところ、脆弱性とはセキュリティに影響をもたらすソフトウェアのバグに過ぎないのだ。

マイクロソフトのセキュリティへの取り組みが大きな結果を出すまでには、数年を要した。ビル・ゲイツの「信頼できるコンピューティング」のメモが送信されてから1年後、情報技術管理者、アナリスト、情報セキュリティ専門家を対象とした非公式の調査では、マイクロソフト社製品のセキュリティに対してレターグレード（A、B、C、D、Fの5段階評価で、これに＋や－が付く場合もある。Fは「不合格」を表す）による評価で、Ｂ＋からＤ－まで付けられた。[143] その後の数年間にわたり、「信頼できるコンピューティング・イニシアチブ」に対する懸念は徐々に薄れていった。その取り組みが進むことは、広い意味でインターネットにプラスの影響を与えていると見なされるようになったのだ。[144] コメンテーターたちは、マイクロソフトを「セキュリティリーダー」と称え、ソフトウェアセキュリティを改善する取り組みの「ゴールドスタンダード」を確立したと評価した。[145] マイクロソフトのＳＤＬは、組織がソフトウェアセキュリティを実装する際のアプローチ方法のテンプレートとして、広く使用されるようになった。ＳＤＬの影響を受けた企業には、アドビやシスコなどがある。[146] ２００４年に初めてリリースされて以来、マイクロソフトが作成したＳＤＬを解説するドキュメントは、１００万回以上ダウンロードされ１５０か国以上で利用されている。[147]

より安全なソフトウェアの開発にマイクロソフトを集中させるというビル・ゲイツの決断と、その結果マイクロソフト社内に深く浸透した著しい変化は、他の著名な大企業とは全く対照的だった。彼らとまったく異なるアプローチを採用した企業の典型的な例としては、オラクルが挙げられる。

オラクルの誤算とアップルの躍進

オラクルは1977年にカリフォルニア州で設立された。同社は主にデータベース製品を開発している。そうした製品の成功により、オラクルの共同創業者でCEOのラリー・エリソンは億万長者に、そして世界で最も裕福な人物の1人になった。エリソンは豪勢な買い物をすることで知られ、これまでにジェット戦闘機を手に入れたり、封建時代の日本の村をモデルにしたカリフォルニア州の不動産を所有したり、ハワイのラナイ島を3億ドルで購入したりしてきた[148]。

コードレッド・ワームが蔓延し始めてから4か月後の2001年11月13日、エリソンはラスベガスで開催されたコンピュータ見本市で基調講演を行った。この講演でエリソンは、オラクルのソフトウェアは「アンブレイカブル（壊れない）」だと豪語した[149]。エリソンは講演の前に、オラクルの社員から「ソフトウェアがアンブレイカブルだと言うと、ハッカーを惹きつけてしまうからやめてほしい」と進言されていたが、彼はそれを無視しただけでなく、「最近オラクルのソフトウェアに対する攻撃が増えているが、すべての攻撃が失敗に終わっている」とさらに踏み込んだ発言までしたのだ[150]。その月、オラクルはセキュリティ上の脆弱性に対するパッチを4件発行することになる[151]。12月にはさらに7件、2月には20件ものパッチが発行された[152]。

エリソンの「アンブレイカブル」発言に対して情報セキュリティの専門家たちから懐疑的な反応があったからなのか、オラクルはこの発言を修正するための白書を発表した[153]。この白書は、エリソンの発言をめぐって、まるで後付けのマーケティングキャンペーンを行おうとしているように読める。そこには、「アン、ブレイ、カブル、だと言い切れる者などいるだろうか？」「なぜアン、ブレイ、カブル、だと言い切るのだろうか？」と、苦し紛れの問いかけがなされていたのだ。[154] こうした問いかけに対して、白書の執筆者は、「アンブレイカブル」発言の根拠となったのは、過去10年間に行われた、独立したセキュリティ評価機関によるオラクル社製品に対する14件のセキュリティ評価である、と主張した。[155] これらの評価には100万ドルの費用を要したと白書には記されており、さらに執筆者は、オラクルに最も近い2つの競合企業は「評価数がそれぞれ0と1」であったことを指摘している。[156] 2000年代初頭、エリソンが「アンブレイカブル」発言をし、それを受けて白書が執筆されていた頃、マイクロソフトは自社製品に発見された脆弱性に対して、大量のセキュリティパッチを発行していた。オラクルの白書の執筆者は、名指しこそしていないものの、「12件もの最新セキュリティパッチを適用して初めて達成される」ようなセキュリティは「恥」であると述べて、マイクロソフトを批判している。[157] さらにこの白書は、「私たちの競合企業の1社は、2日半ごとにセキュリティ・アラートを発行している」と非難している。[158]

こうしたコメントは、ブーメランになりがちだ。2002年2月、オラクルのデータベース製品へのハッキング方法を示した論文が発表された。[159] その論文には、バッファオーバーフロー、認証を回避するテクニック、容易に推測できる特権アカウントのパスワードなど、「膨大な」数の実行可能な攻撃方法が記載されていた。[160] この論文を報じた記事は、「アン、ブレイ、カブル、なオラクル社製品の所有者、もしくは管理者は必読」と白書を皮肉っている。[161]

2002年3月から10月にかけて、オラクルは22件のセキュリティ脆弱性に対するパッチをリリースした。[162] しかしその翌月、エリソンは自らの主張を繰り返して、オラクルのデータベースが最後にハッキングされてからすでに10年以上が経っていると言い張った。[163] さらにエリソンは、「中国やロシアをはじめとする世界中の最もタフなハッカーたち」に対して、オラクル社製品へ侵入するようけしかけたが、誰も成功しなかったと主張したのだ。[164]

その発言に続く1年半の間に、オラクルは66件のセキュリティ脆弱性に対するパッチをリリースした。[165] ２００５年１月には、オラクル社製品に数十件のセキュリティ脆弱性を発見した研究者が、それらに対するパッチの質を問題視した。[166] 彼は、特定の脆弱性に対する攻撃を止めるパッチは作成しているが、根本的な問題は解決していないとオラクルを非難した。攻撃方法に小さな変更を加えるだけで再び攻撃が有効になり、パッチは無意味なものとなる。彼はオラクルのアプローチを「実際の問題そのものを解決することを考えていない、杜撰（ずさん）なもの」と表現した。[167]

オラクルが発行するセキュリティ上の脆弱性に対するパッチの数は月を追うごとに増え、２００５年４月に69件、10月に90件、２００６年１月には１０３件に達した。[168] ２００８年５月には、脆弱性の追跡を専門とする研究者が、「オラクルが改善していることを示す統計的証拠はない」と述べている。[169]

「アンブレイカブル」マーケティングキャンペーンをテーマにしたオラクルの白書には、ソフトウェアセキュリティの取り組みを通じて、オラクルが「業界全体のセキュリティを向上させる」と記されていた。[170] しかしこの壮大な主張は、時間の経過とともに、まったくの幻想であることが明らかになる。ソフトウェアが「アンブレイカブル」であるためには、その中にバグが含まれていないことが必要だが、ほぼすべてのソフトウェアにバグが含まれていることは、ソフトウェア開発における最も基本的な理解なのだ。

オラクルが自社のセキュリティを語るときの虚勢は、マイクロソフトが行ってきたような実践的な努力とは対極にあるものだった。ソフトウェアセキュリティは、単に主張したり望むことで実現するものではない。エリソンとオラクルの主張は、オラクル社製品に見つかるセキュリティ脆弱性の種類と量の実態とは、絶えず矛盾していることが明らかになったのだ。2018年10月には、オラクルはたったひと月の間に300件以上のセキュリティパッチを発行することとなる[171]。

オラクルは、口に出さぬまま壮大な戦略を実施していたのかもしれない。マイクロソフトとは逆の判断をして、セキュリティに関するリップサービスはしても、実際の活動には投資しない方が得策だと判断したのだろう。仮にそれが彼らの計画だったのだとすれば、そこには大きなリスクが潜んでいた。2015年、セキュリティパッチをインストールすれば「安全・安心」が得られると顧客に約束したことについて、オラクルは米連邦取引委員会（FTC）から告発されたのだ[172]。オラクルが発行したパッチの一部では、ソフトウェアの古いバージョンがアンインストールされないことがあった。そのため、安全性が確保されていないソフトウエアがユーザーのコンピュータに残り、ハッキングされる危険性があったのである。FTCの告発では、オラクルがこの事実を認識していたにもかかわらず消費者に情報を提供しなかったことが指摘されている[173]。オラクルは最終的にFTCと和解したが、その際オラクルには「自社ソフトウェアのプライバシーやセキュリティに関して、消費者を欺くような発言を今後一切してはならない」という命令が下された[174]。

オラクルは失敗し、マイクロソフトは成功した。マイクロソフト内の「信頼できるコンピューティング」グループは、ビル・ゲイツのメモから12年後の２０１４年に解体された。「信頼できるコンピューティング・イニシアチブ」の一環としてマイクロソフトが始めたその他の取り組みは、現在も続いている。たとえば、セキュリティの動向をまとめた「セキュリティ・インテリジェンス・レポート」の発行、システム管理者がウィンドウズシステムを設定するのを支援する「セキュリティ・ガイド」の作成、セキュリティ上の脆弱性やセキュリティインシデントに対応する拠点「マイクロソフト・セキュリティ・レスポンス・センター（ＭＳＲＣ）」の創設などである。[175] ２００６年６月に出版されたＳＤＬの解説書も、いまなお影響力を持ち続けている。[176]

２０００年代初頭に始まったマイクロソフトのソフトウェアセキュリティへの取り組みは、情報セキュリティの幅広い分野に貢献した。それはソフトウェアセキュリティへの体系的なアプローチという課題に向き合うきっかけとなり、またソフトウェアセキュリティを明確に定義された学問分野として認識させることにもつながった。静的解析やファジングといった手法を使うことも、次第に一般的となっていった。また、ソフトウェアをプログラムで解析するためのオープンソースツールや商用ツールも増え、それらは時間とともに改良されていった。[177] 防御的なプログラミング手法も人気を集めるようになった。これは他のコードが機能しないような場合でも、特定のプログラムやコードの一部が、期待どおりに機能し続けるようにするものだ。さらに、新しいプログラミング言語を使用することで得られるメリットも認識されるようになった。これらのプログラミング言語はある種のセキュリティ脆弱性を完全に回避するように設計されており、Rust（ラスト）や、マクロソフトのＣ#（シーシャープ）といったプログラミング言語の開発者は、これらの言語を設計する際、バッファオーバーフローやその他のセキュリティ脆弱性を利用した攻撃に対して脆弱なコードが生成されることのないよう熟慮していた。また、ソフトウェアセキュリティに注目が集まることで、ドットコム・ブームの時のように、商用セキュリティ製品が不要なまでに重視されることもなくなった。脆弱性スキャナは、コンピュータの脆弱性を特定するプロセスをある程度自動化することができ、侵入検知システムは、脆弱性を悪用するハッカーを検知することができるかもしれない。しかしソフトウェアセキュリティは、脆弱性を未然に防げる可能性を秘めていた。ゴールドマン・サックスの最高情報セキュリティ責任者であるフィル・ヴェナブルズが指摘するように、「必要なのはセキュリティ製品ではなく、セキュアな製品」なのである。[178]

アップルは、この哲学をソフトウェアとハードウェアの両方の設計に取り入れているという点で注目に値する。2000年代初頭、コンピュータOS市場を席巻していたマイクロソフトのウィンドウズは、できるだけ影響力を高めようとするハッカーやセキュリティ研究者の注目を集めていた。[179] この時期アップルは、ウィンドウズに注目が集まることで恩恵を受けていた。2007年、アメリカ陸軍は一部のウィンドウズコンピュータをアップル社製のマシンに置き換えることを選択し、アップルからリリースされるセキュリティパッチの数が少ないことを「良いサイン」であると述べた。[180] しかし、当時は単に、アップル社製品のセキュリティを調査するハッカーやセキュリティ研究者の数が少なかっただけである可能性が高い。2000年代が終わるころには、アップルはセキュリティ上の脆弱性に対するパッチを次々とリリースするようになっていた。[181]

2007年に発売された初代アイフォーンは、タッチスクリーンを採用した使いやすいインターフェースで、メディアから大きな注目を集めた。しかし、この革新的なデバイスのセキュリティ性能に不信感を抱く組織もあった。そうした組織の1つがNASAである。彼らは、セキュリティソフトウェアが用意されていないことなどを理由に、アイフォーンは「企業向けの水準に達していない」と判断した。[182]アイフォーンのセキュリティに対するこうした懸念は、調査を実施したセキュリティコンサルティング会社によっても確認された。彼らが言うところの「セキュリティの設計と実装における重大な問題」が見つかったのだ。[183]アップルはこれを受けて、セキュリティ対策に多額の投資を行い、その結果、ハードウェアとソフトウェアのセキュリティ対策が強力に統合されることになった。

携帯電話などのモバイル機器は紛失したり、盗難されたりすることが多く、悪人の手に渡る恐れがある。悪意のある人物は、携帯電話のパスワードを推測しようとするかもしれない。さらに巧妙な攻撃者は、携帯電話の複製を試みる。要するに、携帯電話内のデータのコピーを作成し、それを別のコンピュータで読み取ることで、パスワードを推測する必要が完全になくなるのだ。この問題を解決するためにアップルが開発したのが、2013年のアイフォーン5sに搭載された「セキュアエンクレーブ」である。セキュアエンクレーブは、メインプロセッサから独立したハードウェアだ。[184]セキュアエンクレーブによって、各デバイスに固有の秘密鍵を保存し、それをデバイス上のデータを暗号化するために使用することが可能になる。[185]またセキュアエンクレーブは、デバイス上で動作するソフトウェアがたとえ攻撃者によって完全に乗っ取られたとしても、秘密鍵を取り出すことができないように設計されている。[186]データの読み取りには秘密鍵が必要であり、物理的なセキュアエンクレーブから秘密鍵を抽出することはできないため、携帯電話を複製しようとしても失敗することになるのだ。[187]その結果、アイフォーンにアクセスするには、所有者によって設定されたパスワードを知るしか方法がない。アイフォーンでは、パスワードの入力に10回失敗すると、デバイス上のすべてのデータを消去するよう設定できる。またパスワードの試行が無制限に許可されている場合でも、セキュアエンクレーブはその試行を遅くするため、十分に長いパスワードを設定しておけば、パスワードを探し当てるのにかかる時間を膨大なものにすることができる。[188]

2014年、セキュアエンクレーブを搭載したアイフォーン5sが発売された翌年に、米司法省の関係者は「このデバイスは捜索できない家や、絶対に開けられない車のトランクに相当する」と表現した。[189] 2015年にサンバーナーディーノ銃乱射事件（この事件では14人が死亡し、22人が重傷を負った）が発生した後、連邦判事はアップルに対し、犯人の1人が所有していたアイフォーンのロックを解除するための「合理的な技術支援」をFBIに提供するよう命じた。[190] アップルは、顧客のセキュリティを脅かすような技術は作らないことを理由に、この要請を拒否した。[191] またアップルの弁護士は、判事の命令は「1789年の全令状法を前例のない方法で利用し、その権限の拡大を正当化したものだ」と主張した。[192]

アップルは消費者向け電子機器メーカーであるため、そのセキュリティ対策は主にアイフォーンなどの物理的な製品に集中している。マイクロソフトはコンピュータのソフトウェアで最も知られており、そのセキュリティ対策は、歴史的にソフトウェアセキュリティに重点が置かれてきた。マイクロソフトは、自社のソフトウェアで見つかるセキュリティ脆弱性の数を減らし、ソフトウェアセキュリティという学問分野の確立に貢献して、ソフトウェアセキュリティ全般の認知度を高めることに成功した。2003年にはソフトウェアセキュリティに特化した初のワークショップが開催され、マイクロソフト、DARPA、AT&T、IBM、さらには各地の大学から参加者が集まった。[193] それ以来、ソフトウェアセキュリティに関するワークショップやカンファレンスが増え、ソフトウェアセキュリティをテーマにした学術論文も数多く発表されるようになった。マイクロソフトのソフトウェアセキュリティへの取り組みが成果を上げ始めると、悪用できる脆弱性をマイクロソフトの製品に見つけることが難しくなってきた。ウィンドウズのリモートエクスプロイト〔脆弱性を利用したコンピュータへの攻撃手法の中で、攻撃用コードを実行するマシンと、攻撃対象のマシンが異なるものを指す〕を見つけるのにかかるコストは、時間と労力の観点で考えると、平均的なハッカーには割高なものとなった。ウィンドウズのハッキングは難しくなったのである。[194] ハッカーたちは他の場所に活路を見出そうとし、その結果、ソフトウェアのパッチが行われることのないターゲットを発見した――人間の脳である。[195]

6　ユーザブルセキュリティ、経済学、心理学

「なぜジョニーは暗号化できないのか」

コンピュータの処理能力には限界があり、それは人間の脳も同じだ。脳が何らかの障害や、疲労、あるいはストレスを抱えている場合、この限界に早く到達する。[1] スペースシャトル・チャレンジャー号の事故やチョルノービリ（チェルノブイリ）原発事故などの大惨事の主な要因は、工学的な欠陥ではなく、ヒューマンエラーだった。

コンピュータ上で動くソフトウェアのハッキングが難しくなりつつあるのなら、脆弱性を他の場所に探すのが合理的である。コンピュータのユーザーである人間は、理に適ったターゲットだった。コンピュータのユーザーは、パスワードを公開したり、セキュリティ対策を弱めるような行為を取ったりするなど、システム全体のセキュリティを脅かす行動を取る恐れがとても高い。情報技術に携わる

人々は、いつまで経っても間違いを犯し続けるユーザーを長らく見下してきた。PEBCAK〈「問題は椅子とキーボードの間（つまり人間）にある」という意味の英文の頭文字を並べたもの〉といった、コンピュータに疎い人たちの知識のなさを馬鹿にする言葉も技術者たちは使ってきたのだ。また情報セキュリティの専門家も、一般のユーザーがセキュリティに関する知識を持っていないことを非難してきた。1999年、プリンストン大学のコンピュータ科学と公共政策の教授であるエドワード・フェルテンは、頻繁に繰り返されることになる格言を生み出した。「豚のダンスとセキュリティのどちらかを選ぶよう迫られたら、ユーザーは常に豚のダンスを選ぶだろう」[2]

自分の行動がセキュリティに与える影響を理解していないユーザーのこうした傾向は、電話通信の黎明期から悪用されてきた。[3] ハッカーは電話会社の従業員に電話をかけ、アクセスに必要な情報を提供するよう説得する。[4] こうしたソーシャルエンジニアリング攻撃〈人間の心理的な盲点を利用して、パスワードなどの秘密にされている情報を入手する手法〉には、技術的な知識が要らず、他人を説得する能力があればよかった。[5] インターネットに接続されたコンピュータを所有する家庭が増えたことで、セキュリティに関する意思決定が、一般の人々の手に委ねられるケースが増えた。しかし、こうした人々はセキュリティに関する専門知識がないため、自分の判断が正しいかどうかがわからなかったのだ。しかし彼らにはセキュリティが必要だった。彼らにはセキュリティが必要だった。しかし彼らには根本的なジレンマに苦しめられた。2008年に発行された情報セキュリティ専門誌に掲載された記事は、1981年のIBMパーソナルコンピュータの発売で幕を開けた時代が「コンピュータの大半が無能な人間によって管理される」環境を生んだ、と評している。[6] このような感覚がセキュリティ担当者の間に生まれた大きな要因は、ユーザーたちがセキュリティ規範に反する行動を取るのを目のあたりにしたことだ。２００４年、ニューヨークタイムズ紙は街で出会った１７２人に、チョコレート１枚と引き換えにインターネットにログインするためのパスワードを教えてくれるかどうかを尋ね、その調査結果を報じた。[7] 人々が本当のパスワードを教えたかどうかは不明だが、チョコレートを受け取ったのは、調査対象者の70パーセントに達した。[8]

システムの強さはしばしば鎖に喩えられ、その全体の強度は、最も弱いリンクの強さによって決まる。[9] もし人間がコンピュータシステムのセキュリティにおける最も弱いリンクであるならば、いま必要とされるのは、それを調査し、理解し、強化することなのだろう。[10]

ランド研究所を始めとする初期の研究者たちが行った研究では、ユーザビリティの重要性はあまり考慮されていなかった。初期のコンピュータは、軍の資金提供を受けて軍事目的で作られたものであり、軍人は命令、規則、手順に忠実に従うよう訓練され、あたかも機械の一部であるかのように行動したからだ。[11] その後の多段階安全システムや証明可能な安全性に関する研究では、数学の純粋性が重視され、人間の行動特性は軽視されていた。[12] それでもコンピュータを操作する人間の存在が、完全に無視されていたわけではない。ジェリー・サルツァーとマイケル・シュローダーが１９７５年に発表した古典的な論文の中で述べられている設計原則の１つに、「心理的受容性」の要件がある。[13] ここに書かれているのは、「ヒューマンインタフェース」は、「ユーザーが日常的かつ自動的に保護メカニズムを正しく適用できるよう、使いやすさを考慮して」設計される必要があるということだ。[14] さらに、システム内のセキュリティの実装を、セキュリティの目標に対するユーザーのメンタルモデルとどのように一致させるべきかについても説明している。[15] こうした提言は、人間が犯しがちな2種類のエラーとも一致する。スリップ（しくじり）とは、適切な目標のもと行動したにもかかわらずうまくいかなかったことを指し、ミステイクとは、うまくはいったがあらかじめ設定していた目標が不適切だったことを指す。[16]

1996年、2人の研究者がある論文の中で、「ユーザビリティはまだセキュリティコミュニティに大きな影響を与えていない」が、「この影響力の欠如は、必要性の欠如によるものでもなければ、ユーザビリティ（特にセキュリティに関係するもの）の重要性に対する理解の欠如によるものでもない」というパラドックスを指摘している。[17] この断絶状態は、ドットコム・ブームの狂乱期にも続いた。市場のインセンティブにより、企業はセキュリティ製品、つまりソフトウェアの開発・販売に注力するようになったからだ。ソフトウェアは限界費用（生産量を増加させたときに追加でかかる一製品あたりの費用）が低く、いち早く市場に投入できるチャンスがあるため、起業家にとっては非常に魅力的な商品である。ファイアウォールやネットワーク侵入検知システムなどの新しいセキュリティ技術は、インターネット上に存在する脅威から隔離することで、組織内のすべてのユーザーを守ることができると期待されていたのだ。

後に「ユーザブルセキュリティ」の研究として知られるようになるこの分野への取り組みは、1999年に「なぜジョニーは暗号化できないのか」というタイトルの学術論文が発表された時から始まったと言えるだろう。[18] この論文には、PGPという暗号化プログラムのユーザビリティ調査の結果が記されていた。[19] PGPとは「非常に良いプライバシー（Pretty Good Privacy）」の略である。[20] このプログラムは、電子メールを暗号化するとともに、そのメールが特定の人物によって送信されたものであることを受信者に証明するための、署名の付与に使用される。[21] ＰＧＰは、公開鍵暗号（もしくは非対称暗号）と呼ばれる暗号分野の革新的な技術を利用していた。[22] 公開鍵暗号方式は、２人の人間が安全に通信するには、事前に秘密の情報を交換していなければならないという、それまでの問題を解決する方法だ。公開鍵暗号をＰＧＰなどの製品に実装することで、誰でも簡単に安全な通信ができるようになったのである。ＰＧＰのマーケティング資料では、「大幅に改良されたグラフィカルユーザーインターフェースにより、複雑な数学的暗号を初心者でも簡単に扱えるようになった」と謳われており、同製品は業界紙でも高い評価を得た。[23]

ＰＧＰのユーザビリティ調査では、研究者はテスト参加者に90分与え、ＰＧＰソフトウェアを使って電子メールを暗号化して送信するよう伝えた。[24] 90分もあればこのタスクを達成するには十分すぎるはずだったのだが、この実験の結果は、悲惨としか言いようがないものだった。90分かけても、メールを暗号化して送信することができた被験者は１人もいなかったのである。[25] 暗号化が正しく行われていないメールを送信したのが７人、実際には暗号化されていないにもかかわらず、暗号化されたメールを送信したと思っていたのが３人、まったく暗号化できなかったのが１人だ。[26] 研究者はこれらの失敗の原因が、「必然的にユーザーインターフェースデザインの問題に」あると結論した。[27] 効果的なセキュリティを実現するには、ユーザーインターフェースデザインにはコンシューマ向けソフトウェアの開発に使われているものとは異なる手法が必要だと、彼らは考えていたのだ。[28]

「ジョニー」論文は、セキュリティを一般の人々にとって使いやすいものにしなければならないという課題を浮き彫りにした。2003年、非営利団体のコンピューティング・リサーチ・アソシエーションが、「信頼できるコンピューティングにおける4つの主要課題」という論文を発表する。[29] この論文の目的は、情報セキュリティの分野において、最も研究するのに適している領域を特定することだ。そして見出された目標の1つが、「新しいコンピュータシステムを設計する際には、そのシステムのセキュリティとプライバシーの側面を、平均的なユーザーが理解し制御できるようにする」ことだったのである。[30] アカデミアは、ユーザビリティの安全性に関する研究発表の場を設けることで、この呼びかけに応えた。2005年、プライバシーとセキュリティに関する年次シンポジウムのSOUPS(Symposium on Usable Privacy and Security)が創設された。[31]

SOUPSは、ユーザブルセキュリティに関する研究を発表する主要な場の1つとなった。より多くの研究者がこのテーマに取り組むようになると、ユーザブルセキュリティにはそれ自身を難しい問題にしてしまう根本的な側面があることがわかった。[32] その問題の中心にあるのは、セキュリティとユーザビリティの間にある一見明らかな矛盾である。ユーザビリティを向上させるには、システムを簡単に使えるようにしなければならないが、セキュリティを向上させるには、システムをあまり簡単に使えないようにする必要があると考えられる。というのも、本来は必要がないセキュリティに関連する作業を、ユーザーに行ってもらう必要があるからだ。[33] コンピュータのユーザーは、ウェブを閲覧したり、電子メールを送信したり、ダウンロードしたソフトウェアを使ったりしたいと考えている。しかし、通常はセキュリティに関するタスクを実行しようとはしない。セキュリティはせいぜい二の次であり、その結果、ユーザーはセキュリティの話題に無関心になったり、他の誰かが自分の代わりにセキュリティを気にかけてくれていると考えてしまう[34]。

他にも深刻な問題がある。物理的な世界においては、人々はセキュリティやプライバシーが守られているかどうかに関わる選択を意識的に行っている。たとえば繊細な話題をするには、誰かに聞かれるかもしれないカフェではなくプライベートな空間を選んだり、自宅の玄関ドアは開けっ放しにせず、施錠したりする、といった具合だ。このように、人々は自分のセキュリティレベルを常に把握し、状況に応じて変化させることができる。それが可能なのは、人々が持つセキュリティに関するメンタルモデルが現実と一致しているためだ。しかしオンラインの世界では、そうした判断を可能にする目に見える特性は、ほとんど、もしくはまったく存在しない[35]。

こうした困難を考えると、単に人間をこのループから完全に排除してしまうのが理に適っているように思える。ユーザーがセキュリティに関する判断をしないで済むのであれば、誤った判断も生まれないだろう[36]。これはマイクロソフトがソフトウェアセキュリティ対策で採用していた、「デフォルトでセキュア」というアプローチと同様の考え方だ。しかしマイクロソフトは、セキュリティに関するすべての決定権をユーザーから奪うことはできず、ユーザーを除外できるのは、ソフトウェアの初期構成に関する決定のみであることを理解していた。ソフトウェアは、インストールされ設定が済むと使用可能な状態になる。そして、それから先ユーザーが下すすべての決定を予測することはできない。人間のユーザーをコンピュータプログラムで完全に置き換えることができない限り、そこには常に意思決定が存在し、その意思決定がセキュリティを侵害しうるのだ[37]。

一般の人がインターネットで利用する技術は、電子メールとウェブだった。本人が自覚しているか否かにかかわらず、電子メールを開くか、ウェブのリンクをクリックする、といった判断をするとき、その人はセキュリティに関わる判断をしていることになる。そうした判断はハッカーによって悪用される可能性がある。それをまざまざと見せつけるのが、新しく非常に効果的な攻撃手法「フィッシング」だ。

騙されやすい人たち

フィッシング攻撃は、ハッカーが標的となる人物に電子メールを送信することから始まる。送信される電子メールは、ユーザーが本文にあるウェブリンクをクリックしたり、添付されたファイルを開いたりするなど、何らかのアクションを促すように設計されている。[38] この目的を達成するため、ハッカーは受信者の不安を煽（あお）ることで前述の行動を取るよう仕向ける。たとえばフィッシングメールを金融機関からのものに見せかけ、疑わしい取引が確認された、などと伝えるのだ。あるいは「懸賞に当選した」という内容のメールを送ったり、添付ファイルに「給与」など気になる名前を付けたりして、さまざまな感情に働きかけることもできる。攻撃対象となった人物がメール内のウェブリンクをクリックしたり、添付ファイルを開いたりすると、その人が使うコンピュータのセキュリティが危険にさらされる。これを成し遂げるのに、ハッカーは攻撃対象者が使うウェブブラウザの脆弱性を利用するのだ。[39] もう1つの典型的なフィッシングの手法では、ハッカーはフィッシングメールを使って、一見すると正規のようだが実際にはハッカーが作成した不正なウェブサイトにユーザーを誘導する。この詐欺サイトは、ユーザーにユーザー名とパスワードの入力を要求する。そしてユーザーがその求めに応じると、ハッカーは入力されたユーザー名とパスワードを使って、正規のウェブサイトにアクセスするのだ[40]。

フィッシングは2003年に新しいタイプの攻撃として言及され、2005年頃から注目を浴びるようになった[41]。フィッシングサイトの数は短期間で劇的に増加した。ある研究グループは、2005年8月に5000の新しいフィッシングサイトが作成されたことを確認し、そのわずか3か月後の12月には、7000の新しいサイトが作成されたことを確認した[42]。

フィッシング（phishing）という言葉の起源は、1995年に、米国のインターネットサービスプロバイダーであるアメリカ・オンラインのユーザーに対して、ハッカーがフィッシング（fishing）攻撃を仕掛けたことにさかのぼる[43]。ハッカーたちは、単語の発音を変えずに綴(つづ)りを変えるのを好み、「fishing」も時間が経つにつれて「phishing」と綴られるようになったのである[44]。

2000年代半ばに始まったフィッシング攻撃の爆発的な増加は、さまざまなトレンドの変化によってもたらされた。ファイアウォールによって、個々のコンピュータに対するハッカーの攻撃はブロックされるようになった。ソフトウェアセキュリティの取り組みにより、OSなどのソフトウェアの脆弱性を発見し、悪用することも難しくなった。しかし電子メールはファイアウォールを通過する。そしてフィッシング攻撃では、被害者にユーザー名とパスワードを詐欺サイトに入力させることができれば、脆弱性を利用する必要は全くない。組織にとっては、フィッシングメールかどうかをユーザーに届く前に識別する作業も、一筋縄ではいかない。フィルタリングが厳しすぎると正規のメールがブロックされ、フィルタリングが甘すぎるとフィッシングメールがユーザーに届いてしまう。そのためフィッシング攻撃は、ファイアウォールを突破したり、ウィンドウズの脆弱性を発見したりするのに比べて、比較的少ないスキルと労力で実行できる。ハッカーに与えられた選択肢は、マイクロソフトのプロのプログラマーと競い合うか、ユーザーを騙してフィッシングメール内のウェブリンクをクリックさせるかのどちらかであり、後者の方がはるかに簡単だった。

さらにフィッシングは、ハッカーに「規模の経済」をもたらした。ハッカーは実質的にはフィッシングメールを無制限に送ることができるため、最終的には成功を収めることができるのだ。いくつかの研究がフィッシング攻撃の成功率を明らかにしようとしているが、その結果にはばらつきがある[45]。しかし、たとえフィッシングメールに騙されるのが受信者のごく一部だったとしても、それが組織に大量のインシデントをもたらす可能性がある[46]。大数の法則では、大きな数の小さな割合は、それ自体が大きな数になる。つまりハッカーは、何百万通もの電子メールを送れば何万回も成功する可能性があるということだ[47]。

フィッシング攻撃では、すべてのユーザーは受け取った電子メールが正当なものかどうかを判断しなければならないため、まさにユーザブルセキュリティが試される戦場となった。ハッカーはユーザーを欺くような電子メールやウェブサイトを設計し、ユーザーインターフェースのデザイナーやユーザブルセキュリティの研究者は、フィッシングを打ち破るようなユーザーインターフェースやセキュリティ対策を設計した。

フィッシング対策として最初に注目されたのは、「ブラウザ・インジケータ」だ[48]。これはユーザーのウェブブラウザ上に表示される情報で、これによって閲覧しているウェブページが本物かどうか確認することができる。この機能の中心にあるのがＵＲＬ（Uniform Resource Locator）だ。ある銀行のウェブサイトが「http://bank.com」というＵＲＬだったとしよう。このように、ＵＲＬにはドメイン名（この場合はbank.com）が含まれている。この銀行を装うために、ハッカーはbanc.comやbank.securelogin.comなどの別のドメイン名を登録し、そのドメイン名をフィッシングメール内のウェブリンクとして使う。電子メールの受信者は、そのドメイン名が銀行の正規のドメイン名なのか、それとも詐欺のドメイン名なのかを判断する必要があり、ブラウザ・インジケータはその判断を助けるためのものだ。

理論的には、ドットコム・ブームの初期に開発されたＳＳＬプロトコルとその基盤となる公開鍵のインフラにより、ユーザーは自分が正規のウェブサイトにアクセスしているかどうかを判断できる。しかし実際には、こうした判断ができるかどうかは、ユーザーがこれらのセキュリティ技術を理解しているかどうかに大きくかかっており、一般ユーザーがそれを理解している可能性は非常に低かった。[49] ウェブブラウザはＳＳＬのこの複雑さを、ユーザーにも理解できる視覚的な表示に置き換えようとした。たとえば南京錠のアイコンを、ブラウザのユーザーインターフェース上のＵＲＬの近くに表示させる方法がある。しかし依然として、ユーザーには「南京錠を確認する」という知識が求められた。ハッカーもまた、ユーザーを混乱させるために、フィッシング用のウェブページに南京錠のアイコンを置くことができた。[50]

このようなブラウザ・インジケータの問題を受け、多くのユーザブルセキュリティ研究者や民間企業は、ウェブブラウザにインストールできるプラグインを開発した。そうしたプラグインは、正規のウェブサイトとフィッシング・ウェブサイトを区別するための情報をユーザーに提示するものだった。[51]たとえばイーベイは、ユーザーがイーベイの正規ウェブサイトに接続しているときに通知を行うブラウザ・プラグインを作成した。[52]しかし、こうしたウェブブラウザ用プラグインをテストしたところ、テスト対象のユーザーに注意を促した場合でも、大半のユーザーにはプラグインの効果はないことが判明した。[53]被験者に対し、なぜプラグインの指示に従わなかったのか尋ねたところ、彼らは、ブラジルのヤフーを装ったフィッシングサイトが本物だと思ってしまったのは、ヤフーがブラジル支社を開設したばかりなのかもしれないと考えたからだ、といった正当化をした。[54]

ブラウザ・インジケータやプラグインでフィッシングを防ぐことができないのであれば、ユーザーにフィッシングメールを判別する能力を高めるためのトレーニングを行うことが考えられる。疑似的なフィッシングメールをユーザーに送り、ユーザーがメール内のリンクをクリックしてしまったとしても、コンピュータのセキュリティが脅かされる代わりに、今後その種のフィッシングメールを見分ける方法を示すメッセージを表示するというものだ。[55]このようなサービスを提供する企業が現れ、組織はそれをユーザーのトレーニングに利用するようになった。トレーニング用の資料を渡してユーザーに読んでもらうだけでも、彼らがフィッシングに騙される確率を減らすのに有効だった。[56]こうした取り組みの課題は、いかにユーザーに対してフィッシングメール全般の知識を与えるかにあり、ハッカーによって簡単に変更される特定のフィッシング手法を認識させることではない。

ハッカーは2つの異なる方法でフィッシング攻撃を行う。特定の人物を狙う場合、ハッカーはフィッシングメールやフィッシングサイトをその人物に合わせてカスタマイズし、たとえば彼らの個人名を記載するなどして攻撃を行う。この方法は「スピアフィッシング」と呼ばれ、攻撃が成功する確率が高い[57]。スピアフィッシングのような対象を絞った攻撃とは対照的に、ハッカーが広く網を張り、できるだけ多くの被害者を陥れたいと考えている場合は、フィッシングメールの文面を大まかに記述すればいい[58]。このような、悪意のある電子メールを数多くの相手に送信するタイプのフィッシングは、電子メールを利用した他のオンライン詐欺とアプローチが似ている。不遇な境遇にあるナイジェリアの王子が、多額の謝礼と引き換えに、銀行を通じて資金を移動させる手助けをしてくれる西洋人を探している――多くの人が、この信じられない内容のメールを受け取った[59]。この種の詐欺では、被害者はウェブサイトに誘導されることはない。代わりに、その後の電子メールのやり取りで口座情報を提供するように説得され、電子マネーを盗られるのだ[60]。

この「ナイジェリア型」詐欺は、電子メール詐欺ではよく見られ、ある調査によれば、電子メール詐欺の51パーセントがナイジェリアについて、さらに31パーセントがセネガルやガーナなどの西アフリカ諸国について言及している[61]。なぜ詐欺師たちは、ナイジェリアを騙った同じ内容のメールを頻繁に使うのだろうか？「ナイジェリア詐欺」など、グーグルで調べられたらすぐばれるだろう。その答えは、詐欺師たちが、彼らを阻止しようとしている情報セキュリティ分野の人々と、多くの同じ課題に直面しているからである。ステファン・アクセルソンは、侵入検知システムで発生する誤報の数が多すぎると、誤報への対応に多くの時間を取られるため、システムが使い物にならなくなることを示した。電子メール詐欺も同じ構造の問題を抱えている。詐欺メールに反応した人を、メールのやり取りの中で銀行口座の詳細を教えるよう説得できなかった場合、詐欺師に機会費用が発生する。つまり、詐欺師は時間を無駄にするわけだ。したがって詐欺師にとっては、一番騙されやすい人たちに狙いを定めるのが得策となる。有名で簡単に調べることもできる「ナイジェリア詐欺」を使うことで、詐欺師は、まずは検索エンジンを使って調べるといったこともしない、ひと握りの騙されやすい人々を効果的に特定できるのである。(62)

フィッシングは、電子メールとウェブという、比較的新しい2つのテクノロジーを組み合わせることで生まれた。しかし、ユーザブルセキュリティ問題は、セキュリティ技術が使われ始めた最も早い時期から存在しており、そうした技術でとりわけよく見られるのが、不適切なパスワードという問題である。

パスワード問題

パスワードは、コンピュータの使用と切っても切り離せない。コンピュータやウェブサイトにアクセスするには、パスワードが求められることがほとんどだ。携帯電話やタブレットなどのモバイル機器では、従来のパスワードではなくPIN(Personal Identification Number)を使用するのが一般的だが、PIN自体もパスワードの一種だ。パスワードは認証メカニズムである。(63) 認証(authentication)とは、ある人物の身元を確認する作業のことで、その人物が本人であることを証明するものである。(64)一般的に認証は、ユーザーがコンピュータを使い始めるときに行われる動作である。つまり「ログイン」という行為のことだ。

認証方法としてパスワードが圧倒的に広く使われているのは、いくつかの有用な特性を持っているからである。パスワードはわかりやすく、使いやすく、覚えやすく、書き留めておくことで保存しやすく、相手に伝えるだけで共有できる。

現代でパスワードが初めて使われたのは、1961年にMITで開発された「互換タイムシェアリングシステム」に代表される、タイムシェアリング型のメインフレームシステムにおいてである。[65] 初期のコンピュータでは、パスワードは各ユーザーが割り当てられた時間を超えてコンピュータを使用しないようにするために使われた。[66] しかしそうした初期のコンピュータにおいても、パスワードに関するセキュリティ問題は報告されていた。それらの問題には、ユーザーが互いのパスワードを推測したり、パスワードが保存されているマスター・パスワード・ファイルが漏洩したりすることなどが挙げられる。[67] 1974年に米空軍が実施したマルティックスのセキュリティ評価では、パスワードがこのOSの顕著な弱点として指摘されている。[68] マルティックスに続いて、UNIXも独自のパスワード方式を導入した。UNIXのパスワードに対するアプローチは、UNIXの共同開発者の1人であるケン・トンプソンと、ロバート・T・モリスの父であるロバート・モリスの論文に記されている。[69] UNIXのパスワード方式では、パスワードは一方向の暗号ハッシュアルゴリズムで暗号化される。[70] ハッシュは平文から暗号文、つまり暗号化されていない形から暗号化された形へという一方向の生成しかできない。[71] 暗号化されたパスワード、つまりパスワードの暗号文を手に入れたとしても、ハッカーは単純にアルゴリズムの手順を逆に行って平文を特定することはできない。ハッカーはパスワードが何であるかを推測し、その推測を暗号化して2つの暗号文を比較し、一致するものを特定するという試みを繰り返すしかないのだ。[72] しかしこの場合、ユーザーが簡単に推測できるパスワードを選んでいると、安全性は低下する。モリスワームがコンピュータからコンピュータへと拡散する方法の1つが、パスワードのクラック(割り出し)だった。

モリスとトンプソンは論文の中で、すべてのUNIXユーザーは、一定のルールに準拠したパスワードを選択しなければならないことを説明している。ユーザーが、アルファベットだけで構成された6文字より短いパスワードを入力したり、それよりも複雑だが5文字より短いパスワードを入力した場合、パスワードプログラムはより強いパスワードを入力することを要求する。[73] この論文では、UNIXユーザーが選択したパスワードの強度のテスト結果も紹介されている。彼らは、彼らがUNIXに実装したパスワードのルールがあるにもかかわらず、ユーザーは脆弱で簡単に推測できるパスワードを選ぶ傾向にあることを発見した。またモリスとトンプソンは、独創的なパスワードクラッキング方法も実験している。一例を挙げると、トンプソンの勤務先であるベル研究所が所在するニュージャージー州で、有効な自動車のナンバープレートすべてに対して、そのナンバーがパスワードとして使われていないかテストしたのだ。[74]

1985年、米国防総省は「グリーンブック」を発行した。これはパスワードのクラックに対する防御策を紹介するものだった。[75] オレンジブックと同様、グリーンブックという名も公式版の表紙の色にちなんで付けられた。グリーンブックでは、パスワードに求められる長さや、パスワードに使用されるべき文字の種類など、パスワードの複雑さに関する推奨事項が記載されている。また、ユーザーが弱いパスワードを選択するリスクを完全に排除するために、「すべてのパスワードはアルゴリズムを用いて機械によって生成されるべきである」と主張している。[76] パスワードはアルゴリズムによって生成されるため、ユーザーはアクセスするコンピュータごとに異なるパスワードを使用しなければならなくなる。グリーンブックの執筆者らは、コンピュータごとに異なるパスワードを使用することをユーザーに強いることで、あるコンピュータが攻撃され、そのコンピュータのパスワードがクラックされても、それを使って他のコンピュータが危険にさらされるリスクを取り除くことができると考えた。

グリーンブックに続いて、米国立標準技術研究所（ＮＩＳＴ）から、パスワード使用ガイドラインが発表された。[77] ＮＩＳＴは、グリーンブックで推奨されているパスワードの複雑さの要件を維持したが、ユーザーのパスワードはアルゴリズムによって生成されなければならない、という要件は削除した。その代わりに、ＮＩＳＴはユーザーに対して、「可能であれば、許容しうるすべてのパスワードの中から無作為に選択したものを使用するか、個人のアイデンティティ、経歴、環境に関係のないものを選択するように指導すること」を推奨した。[78] コンピュータで生成したパスワードをすべてのユーザーに覚えさせることは現実的ではないため、ＮＩＳＴの指針は、表面的には実用的に見える。しかしそれは、実際には致命的な誤りだった。グリーンブックでは、複雑なパスワードがアルゴリズムによって生成されることを前提としていたが、ＮＩＳＴのガイダンスでは、その作業をユーザーの手に委ねたのである。つまりユーザーは、自分がアカウントを持っているコンピュータのそれぞれに、異なる複雑なパスワードを考える責任を負うことになった。これは、「覚えられないパスワードを選んで、それを書き留めないでください」と求めるのに等しいとされている。[79]

比較的安価なパーソナルコンピュータが登場し、企業内でのデスクトップコンピュータの使用も増加したことで、一般の人々が使用するコンピュータの数は増加していた。またドットコム・ブームの際には、便利なウェブサイトの数が飛躍的に増加した。これらの要因が相まって、一人ひとりが覚えなければならないパスワードの数は大幅に増えた。異なる複雑なパスワードを記憶することは、その数が少ない場合を除いてはとても無理であり、その結果、ユーザーは同じパスワードを複数のコンピュータやウェブサイトで使い回すことになった。[80] パスワードの使い回しに関するある調査によると、平均的なユーザーは、頻繁に使い回すパスワードを6つ持っている。[81] 別の調査では、43～51パーセントのユーザーが、同じパスワードを複数のウェブサイトで使い回していることがわかった。[82]

パスワードの使い回しは、厳格なパスワードポリシーの結果としてユーザーが採った対処法の1つに過ぎない。たとえば「毎月パスワードを変更しなければならない」というパスワードポリシーがあったとしても、毎月ほぼ同じパスワードを使用し、変更が必要になるたびに少しずつ変えることで回避できる。「パスワードは少なくとも6文字以上でなければならず、また少なくとも1つの大文字、1つの数字を含み、毎月1回変更しなければならない」というパスワードポリシーを守るために、ユーザーは最初の月に「Password1」を使い、翌月には「Password2」を使う、といった対応ができるのだ。[83] パスワードに「!」や「@」などの特殊文字を入れるようユーザーに要求することは、パスワードの複雑性を増すのに良い方法のように思えるが、「password」の代わりに「p@ssword」を使うような場合、実質的には複雑性を増していることにはならず、そうした変換はハッカーに簡単に推測されてしまう。[84]
厳格なパスワードポリシーに準拠したパスワードを生成する方法として、一般的に推奨されているのが「ニーモニック・パスワード」の作成だ（ニーモニックは、「記憶を助ける」を意味する）。ニーモニック・パスワードは、文章中の各単語の最初の文字を組み合わせて作ることができる。たとえば「Things fall apart; the center cannot hold」という詩の一節が、「TFA;tcch」というパスワードになる。しかし、ハッカーはインターネットで見つけたフレーズを使ってニーモニック・パスワード辞典を作ることができるため、ニーモニック・パスワードは他のパスワードよりもわずかに推測されにくいだけである、といった研究結果がある。[85] 結局のところ、シャーロック・ホームズが言うように、「人が発明したものは、人に解けないはずはない」のである。

さらに、パスワードに関する研究は、「強い」パスワードとは何か、という根本的な問題にまだ答えを出せていない。大文字と特殊文字を含むパスワードでも、それが「P@ssword」のようなものであれば、小文字をランダムに並べたパスワードよりも明らかに推測しやすい。[86]「Dav1d95」のようなパスワードは、そのままであれば「7491024」よりも推測が困難だが、それを使うユーザーのミドルネームがDavidであり、彼が1995年に生まれたことがわかっている場合には、実際にはより簡単に推測されるかもしれない。[87] ユーザーは通常、より複雑なパスワードを設定すればより安全になると考えているが、ここで挙げたような理由から、パスワードの強度と推測される可能性にはそれほど相関はないのである。[88]

パスワードは本来、シンプルで使いやすいものだ。しかし、複雑なパスワードをコンピュータやウェブサイトごとに使い分ける必要があるため、ユーザーにはフラストレーションが溜まる。あるユーザーがウェブサイトにログインしようとしているとしよう。その人はまず、サイトに登録するために使用したパスワードを思い出そうとし、思い付いた5〜6個のパスワードを順番に試して、最終的にはパスワードリセット機能に頼ることになるだろう。このようなパスワードの使い勝手やセキュリティ上の問題が明らかになるにつれ、セキュリティ研究者たちは、パスワードに代わるユーザー認証のための技術や手法の開発に取り組み始めた。そうした取り組みは、パスワードを使う無数のユーザーのセキュリティや日常生活をより良いものにする可能性があり、大きな意味を持っていた。

グラフィカル・パスワードは、キーボードで文字を入力する代わりに、一連の画像の中から選択することで認証を行う、というアイデアに基づくものだ[89]。たとえばユーザーは、さまざまな人間の顔や、動物の写真から選択するよう求められる。グラフィカル・パスワードの問題点は、テキストベースのパスワードに存在する根本的な問題の多くを、本質的に引き継いでしまっていることだ。ユーザーは、推測しやすいパスワードを選ぶのと同じように、推測しやすい一連の画像を選ぶ可能性がある。そのためグラフィカル・パスワードは、通常のパスワードと比べても、特定の場合に最小限の利点しかもたらさないことがわかっている[90]。

二要素認証方式は、パスワードなどの第1要素「あなたが知っているもの（something you know）」と、携帯電話の所持などの第2要素「あなたが持っているもの（something you have）」の組み合わせによってアクセスを許可する仕組みである[91]。この「知っているもの」と「持っているもの」を組み合わせるという考え方は、誰かのパスワードを入手したハッカーは、そのパスワードを使えば被害者のアカウントにアクセスできてしまうという、従来のパスワードの根本的な問題点を解決する点において説得力がある。二要素認証では、ハッカーがユーザーの携帯電話といった第2要素も持っていない場合、漏洩したパスワード1つではアクセスすることができない。二要素認証の課題は、認証を成功させるためにユーザーに求められる要素が2つに増えるという点である。二要素認証は「知っているもの」と「持っているもの」ではなく、「忘れたもの」と「なくしたもの」の組み合わせである、というジョークもあるほどだ。

顔認証システムや指紋認証などの生体認証（バイオメトリクス）は、「あなたの特徴（something you are）」を認証手段として利用することを可能にする。[92] これらの技術は、顔認識ソフトウェアや指紋リーダーを搭載した携帯電話で一般的に使用されるようになった。セキュリティの観点から見た生体認証方式の明らかな欠点は、ユーザーが指紋リーダーに指を置くよう強制されるような事態が発生することだ。

グラフィカル・パスワードや生体認証など、パスワードに代わるものとして提案された技術は、一般的にパスワードよりも優れたセキュリティをもたらした。しかしこれは当然の結果と言える。開発に取り組んだ研究者は、通常、セキュリティの向上に関心があるからだ。しかし、セキュリティを向上させるだけでは十分ではない。セキュリティの向上は、必要条件ではあるが十分条件ではないのだ。パスワードの代替手段として成功するには、パスワードと同じくらい使いやすく、いまパスワードが使用されているようなさまざまな状況で使用できなければならない。これまで提案されてきた代替認証技術の中で、そうした条件をすべて満たすものは存在しない。コンピュータのOSベンダーやウェブサイト管理者の立場からすると、パスワードをやめて代替認証技術のどれかを使うことにした場合、顧客に負担を強いる恐れがある。その結果、彼らが競合他社に移ってしまう可能性があるのだ。

このような厳しい現実があっても、パスワードの時代は終わったと公言する人は後を絶たない。ビル・ゲイツは２００４年に「パスワードは死んだ」と宣言したが、いまにして思えばこれ以上の間違いはなかった。[93] パスワードに代わるものを広く普及させようとする試みは、すべて失敗に終わっている。[94] それどころか、パスワードは認証における支配的なメカニズムとしてますます定着している。ウェブサイトでは二要素認証が広く使われているが、それは従来のパスワードを強化したものだ。スマートフォンでは生体認証が使用されているが、生体認証が失敗した場合は、デフォルトのＰＩＮコードを求められることが多い。

ユーザブルセキュリティ分野がパスワードに代わるものを用意できなかったことは「大きな恥」であると言われており、ユーザブルセキュリティの研究者たちは、現実世界の制約を考慮できなかったと批判された。[95] デザインとユーザビリティを専門とするＭＩＴのドン・ノーマン教授は、「学者は正しいことを示すのではなく、賢さを見せることで報酬を得る」と語った。この言葉は、パスワードの代替手段を探そうとするユーザブルセキュリティ研究者を簡潔に批判するのにも使える。パスワードが残り続ける理由は、ウィンストン・チャーチルを真似て言うなら、「パスワードは最悪の認証方式だ――他のあらゆる認証方式を除けば」というわけだ。パスワードがいまだ他の方法に置き換えられていないことから言えるのは、多くのシチュエーションにおいて、パスワードは現在の認証要件に最も適している、ということだ。[96] パスワードの使用によって、何十億人ものユーザーがパスワードで保護された何百万ものウェブサイトにアクセスできるほどに、ウェブは成長した。パスワードは、ウェブサイトがユーザーの認証に使用できる、シンプルかつ低コストの方法である。パスワードを導入することで、ウェブサイトはユーザーに、どのようなウェブブラウザからでもアクセスできるようにしつつ、認証することができる。パスワードがもたらす恩恵なしには、インターネットが現在の規模と影響力を持つまでには至らなかったかもしれない。[97]

パスワードに関する最近の研究では、数十年にわたって積み重ねられた矛盾したアドバイスの寄せ集めを修正し、パスワードとパスワードポリシーに関する従来の常識を見直すことに重点が置かれている。こうした研究の主な発見の1つが、パスワードの強さが重視されすぎている、という点だ。[98]複雑なパスワードポリシーに基づいて作られた強力なパスワードであっても、他の理由で推測されやすいことがある。さらに、強力なパスワードは推測されにくいからといって、必ずしも有用な特性とは言えない。ハッカーがシステムから暗号化されたパスワードのリストを手に入れた場合、強力なパスワードは、ハッカーによってそうした暗号化されたパスワードが解読されるのを困難にする。しかし、ハッカーが暗号化されたパスワードのリストを手にしているのであれば、パスワードを解読する必要はない。また、強力なパスワードをもってしてもフィッシングを防ぐことはできず、さらにフィッシング攻撃は、ハッカーが暗号化されたパスワードのリストを入手するのに比べたらはるかに頻繁に発生する。[99]むしろ組織は、暗号化されたパスワードのリストを漏洩させないことに集中すべきだ。[100]パスワードリストの漏洩が確認された場合には、速やかにすべてのパスワードをリセットし、ユーザーに新しいパスワードを選択させる必要がある。[101]

ウェブサイトに強力なパスワードを用いても、ユーザーが使うコンピュータのセキュリティが侵害されている場合には効果がない。この場合、ハッカーはユーザーが入力したすべての情報を記録し、パスワードの強度に関係なくそれを知ることができる。ウェブサイトは、ハッカーによるパスワードの推測を阻止するのに、必ずしもユーザーに強力なパスワードを要求する必要はない。ログイン試行が3回失敗した際にユーザーのアクセスをロック、または一時停止するようにウェブサイトが設定されている場合、6桁のPINのようにエントロピーが20ビットしかない弱いパスワードでも、1つのユーザーアカウントに対するパスワードの推測は、現実的ではなくなる[102]〔パスワードの強さを考える際、エントロピーとは「ある事象の起こりにくさ」を意味し、単位はビットで表される。この数値が大きければ大きいほど起きるのが珍しい、つまり強いパスワードと見なされる〕。

「いろいろなウェブサイトでパスワードを使い回さないように」という従来のアドバイスは、一般の人が保有するアカウント数を考えれば、もはや役に立たない。より現実的なアドバイスをするなら、「大事なアカウントでのパスワードの使い回しは避けよう」になる。しかし、ハッカーにとって価値の低いアカウントでのパスワードの使い回しは、過度に心配する必要はない[103]。例外は政治家や著名人など公人で、彼らには私人に比べてより一層のパスワードの保護が求められる。

一定の期間が経過したら（たとえば月に一度）パスワードを変更させる有効期限ポリシーは、多くの問題を引き起こす。こうしたポリシーでは、ユーザーがパスワードを忘れてしまい、アカウントがロックされてしまう可能性が高くなる。有効期限ポリシーの利点は、漏洩したパスワードを攻撃者が使う機会を狭められることにある。しかし、ある研究は、あるユーザーの古いパスワードを知っているハッカーは、そのユーザーが選択した新しいパスワードを41パーセントの確率で推測することができることを明らかにしている。(104)

こうした調査結果から、セキュリティ問題を分析するにあたっては、その技術面だけではなく幅広い側面から検証するのが有効であることが示された。分析の範囲を広げることで、より役立つ発見が得られるかもしれないのだ。

情報セキュリティの経済学

その広い世界への扉を開くきっかけとなったのが、ケンブリッジ大学のセキュリティ工学教授であるロス・アンダーソンだった。(105)子供の頃、アンダーソンは地元の図書館で、数学のアイデアを使って教師が生徒にインスピレーションを与える方法が書かれた本に出会った。その瞬間、彼は数学者になることを決意する。(106)ケンブリッジ大学で数学を学び始めたアンダーソンは、2年目になると、自分には太刀打ちできないほど数学に熱中する仲間がいることに気づいた。(107)彼は専攻分野を変え、3年目には歴史と科学哲学を学び始めた。(108)ケンブリッジ大学卒業後、彼は1年をかけて、欧州、アフリカ、中東を旅した。(109)その後はコンピュータ関連の仕事に就いたが、30代前半に、博士号取得のためにケンブリッジ大学に戻った。(110)博士論文の指導教官は、ロジャー・ニーダムというコンピュータ科学者で、ニーダム＝シュレーダー・セキュリティ・プロトコルを共同開発するなど、情報セキュリティの分野で多くの業績を残していた人物だった。(111)ニーダム＝シュレーダーは、ＭＩＴで開発された「ケルベロス」という、コンピュータネットワークで認証を行うための人気のセキュリティソフトウェアで使われている。[112] ニーダムの言葉の1つに「良い研究はピンセットではなくシャベルで行う」というものがある。[113] 彼はアンダーソンにこうアドバイスした。「ピンセットを手にして這いつくばり、200人の数学者が踏み荒らした場所で残りかすを拾っている自分に気づいたら、それは間違ったところにいるということだ。そんな場所は他人に任せて、でかい肥やしの山、それもほかほかで湯気が出ているような肥やしの山を見つけて、そこにシャベルを突き立てるんだ」。[114] このアドバイスをきっかけに、アンダーソンは当時の問題点を解決するためのまったく新しい方法を模索するようになった。

2000年、カリフォルニアで開催された「オークランド会議」として知られるセキュリティ会議に出席していたアンダーソンは、ハル・ヴァリアンという経済学者と言葉を交わすようになった。[115] ヴァリアンはカリフォルニア大学バークレー校の教授で、オークランドが地元だった。彼は「なぜ人々はウイルス対策ソフトを購入しようとしないのか」という疑問に興味を持っていた。アンダーソンはその答えを知っていた。つまり「かつてはウイルスがデータを削除してしまうため、人々はウイルス対策ソフトにお金を払っていたが、1990年代半ば以降、ハッカーはデータを削除することにはあまり関心を示さなくなり、感染したコンピュータを使ってサービス拒否攻撃をしたり、スパムメールを送信したりすることに興味を持つようになった」からだ。[116] ハッカーが多数のコンピュータに不正アクセスしてそれらを一斉に使用する場合、そうしたコンピュータは「ボットネット」を形成したと表現される。このような、ウイルスに感染したコンピュータの新たな使い道が出てきたことで、消費者は自分のコンピュータが感染するのを防ぐ経済的なインセンティブを失った。ボットネットの動作は、自分たちに直接被害を与えることはないと彼らは考えたのだ。自分のデータが削除されるのを避けるためであれば、ユーザーはその対策に100ドルを費やすかもしれない。しかし、第三者が被害にあうのを避けるという目的には、1ドルも出そうとはしないだろう(117)。

ヴァリアンはこの状況を、1833年に英国の経済学者ウィリアム・フォースター・ロイドが提唱した「コモンズの悲劇」の一例だと考えた(118)。ある村にいくつかの農家があるとしよう。各農家は、それぞれ村の周辺の放牧地で羊を放牧している。そこに、ある農家が自分の羊の群れに1匹の羊を加えた。するとその農家が得られる利益、つまり羊毛は羊1匹分増え、一方で他の羊が食べられる草の量は、ごくわずかしか減少しない。しかし、どの農家も何匹でも羊を群れに加えられるから、村の周りの放牧地はやがて荒野になってしまう。これがコモンズの悲劇の典型的な例である(119)。アンダーソンとヴァリアンは、レストランから会議場に戻る車の中で会話を始めた。この考え方に夢中になった2人は、会議場の駐車場に着いてからも、車の中で1時間ほど会話を続け、その日の夜に行われたレセプションにはほとんど参加しなかった(120)。

アンダーソンとヴァリアンが発見したのは、情報セキュリティにおける経済的側面の重要性、特に外部性の役割に関する重要な知見だった。経済学において、外部性とは第三者が感じる副作用のことを指す。外部性は正にも負にもなりうる。科学的研究は正の外部性を生み出す。科学的発見は互いに積み重なり、社会全体に利益をもたらすからだ。環境汚染を引き起こす発電所は、負の外部性を生み出す。発電所の所有者は、自分の行動がもたらすすべてのコストを負担しておらず、逆にそこから利益を得ている。それと同じように、自分のパソコンにウイルス対策ソフトを使わない個人ユーザーが、インターネット上で赤の他人に負の外部性をもたらすことがある。その個人ユーザーのパソコンに感染したボットネットから送られてくるスパムメールやサービス拒否攻撃の被害を受けるのは、赤の他人なのだ。少なくとも20万台の感染したコンピュータから成る「リアクター・メーラー」と呼ばれるボットネットは、1日に1800億通以上のスパムメールを送信していたことがわかっている。[121] なぜハッカーはボットネットを使ってこんなにも膨大な数のスパムメールを送信するかというと、量を増やすことがスパムビジネスの収益性を高める唯一の方法だからだ。これはある研究者グループによって実証されている。彼らはボットネットに侵入し、送信されるスパムメールの内容を変更して、彼らが管理するウェブサイトにつながるリンクを掲載した。[122] それから研究者たちは、実際に購入手続きを行ったり、広告に表示された物を買ったりした人の数を調べた。その結果、送信された3億5000万通のメールのうち、購入数はわずか20件、つまりコンバージョン率は0・00001パーセントだったのである。[123]

農家の人たちは、放牧地を荒野に変えないために、各農家が所有できる羊の数を法律で定めることで、規制による解決が図れる。[124] しかしボットネットの場合、解決策はそれほど明確ではない。ボットネットを構築するためにコンピュータを感染させたハッカーに責任を負わせるのは、現実的ではない。彼らを追跡するのは困難であり、海外に住んでいる可能性もあるからだ。その次の選択肢は、OSベンダーに責任を負わせることだが、マイクロソフトなどのベンダーは何十年間にもわたってセキュリティに多大な投資を行ってきており、これ以上のセキュリティ向上が可能かどうかは不明である。またコンピュータを攻撃する方法も、OSの脆弱性を利用するというよりは、ハッカーがフィッシング攻撃などでユーザーを騙すケースが多いようだ。ウィンドウズやＵＮＩＸなどのＯＳは、ユーザーに極めて大きな柔軟性を与えており、ユーザーは基本的にどのような操作でも行うことができる。もしユーザーが、自分のコンピュータのセキュリティを脅かすような操作を行うことに決めたのなら、ユーザーが下した判断の責任を、そのコンピュータにインストールされているＯＳベンダーに負わせるのは不公平のように感じられる。しかし、ウイルス対策ソフトなどのセキュリティツールのインストールやメンテナンスに関する責任を、コンピュータの所有者個人に負わせるのは難しいだろう。多くのユーザーは十分な知識やスキルを持っていないからだ。このように、ハッカー、ＯＳベンダー、ユーザーの3者に焦点を当てて問題を解決しようとすると、いずれも行き詰まることになる。しかし、ここに4つ目の可能性がある。インターネットサービスプロバイダー（ＩＳＰ）は、顧客にインターネットへのアクセスを提供している。そのためＩＳＰは、個人のコンピュータから送受信されるネットワークトラフィックを監視するのに、最適な立場にある。[125] もしＩＳＰが、ウイルスに感染してスパムメールの送信やサービス拒否攻撃に利用されているコンピュータを検知した場合、ＩＳＰはそのコンピュータをインターネットから一時的に遮断したり、ネットワークトラフィックをブロックしたりするなどの措置を取ることができる。[126] またＩＳＰは顧客情報を利用することで、コンピュータの所有者を特定してコンタクトを図れるが、これはインターネット上の他の人々には容易にできないことである。[127] このような考え方は、情報セキュリティの分野における積年の課題に、新たな視点を与えるものだった。

アンダーソンは、初めて「セキュリティ経済学」をテーマにしたと言われる論文を書いている。タイトルは「なぜ情報セキュリティの実現は困難なのか――経済学の視点から」で、2001年12月に発表された[128]。この論文でアンダーソンは、外部性などの経済学の考え方を用いて、情報セキュリティのさまざまな問題を説明する方法を述べている。論文の発表後、アンダーソンは2002年6月に行われた第1回「情報セキュリティの経済学に関するワークショップ（WEIS）」の開催に協力した[129]。アンダーソンをはじめとする研究者たちが、経済学の概念をセキュリティ問題に適用するようになると、いくつかの興味深く有用な発見が生まれ始めた。

ドットコム・ブームの頃、いわゆる「信頼性証明」を企業に販売する営利企業が多数設立された。信頼性証明によって認証を受けた企業は、プライバシーや安全性に関する一定の基準を満たしていることを示すバッジを自社のウェブサイトに掲示することができる。認証を受けたりサイトに掲示したりするのは、サイトを閲覧してバッジを目にした人々の信頼感を高め、「このサイトなら安心して購入できる」と感じてもらうためだ。ハーバード・ビジネス・スクールのベンジャミン・エデルマンは、オンラインの信頼性証明を調査し、そこに「逆選択」の強力な事例が隠れていることを発見した[130]。逆選択は、市場の参加者が受け取る情報に非対称性が存在する場合に発生する。エデルマンは、TRUSTeという認証会社から信頼性証明を受けたサイトのセキュリティとプライバシーを調査した。TRUSTeは自らを、「プライバシーのナンバーワンブランド」と宣伝し、その「Certified Privacy Seal（サーティファイド・プライバシー・シール）」は、「プライバシーのベストプラクティスを示すものとして、消費者、企業、規制当局から世界的に認められている」と主張していた[131]。エデルマンは、TRUSTeの認証を受けたサイトとそうでないサイトを比較した。その結果、TRUSTeの認証を受けているサイトは、認証を受けていないサイトに比べて、信頼できない可能性が2倍以上高いことが判明した[132]。悪意のあるサイトの割合は、ＴＲＵＳＴｅの認証を受けていないウェブサイトでは2パーセントだったが、ＴＲＵＳＴｅの認証を受けたウェブサイトでは5パーセントに達した[133]。ここで起きていることは、逆選択によって説明できる。仮にＴＲＵＳＴｅが運営するような認証プロセスが、サイトのセキュリティを効果的に測定していない場合、セキュリティが弱いサイトが認証を受けようとするインセンティブは、強いサイトよりも大きくなる[134]。信頼できないサイトがさも信頼に値するかのように装うのは、詐欺師がロレックスの時計を身に着けるのと同じ理由だ。ＴＲＵＳＴｅはその後、米連邦取引委員会から「顧客を欺くだけでなく、非営利団体であると偽っていた」という告発を受け、20万ドルの罰金を支払うことで和解することになる[135]。

もう1つの貴重な知見は、経済モデルを応用することで得られた。２００4年、ハル・ヴァリアンは、カリフォルニア大学ロサンゼルス校の教授で、ランド研究所に数年間勤務していた経済学者ジャック・ハーシュライファーの研究を基にした論文を発表した[136]。ヴァリアンは論文の中で、読者に対して周囲に壁のある都市を想像してほしいと述べている。この都市の安全性は、壁の高さによって決まる。都市に住むすべての家族が協力して壁を築く場合、その都市の安全性は「努力の総和」、つまり集団作業によってどれだけ壁を高くできるかにかかっていると言える。しかし構築の責任が各家族に分散され、それぞれが割り当てられた箇所の壁を築く場合、安全性は鎖に喩えるなら「最も弱いリンク」、つまり壁の高さが最も低い箇所によって決まる。第三の可能性は、都市に何重もの壁を設け、それぞれの壁を個々の家族が築くというものだ。この場合、都市の安全性は「最高の作業」、つまり最も高い壁によって決まる。

ヴァリアンの論文で解説されている経済モデルによると、努力の総和パターンが最高のセキュリティをもたらし、最も弱いリンクパターンが最悪のセキュリティをもたらす[137]。同じモデルを使って、安全なソフトウェアの開発作業を分析することもできる。ソフトウェアのセキュリティは最も弱いリンク、つまりプログラマーが誤ってセキュリティの脆弱性を作ってしまう恐れのある箇所に依存する。また、テスト担当者たちがセキュリティの欠陥を発見する責任を負っている場合、セキュリティは努力の総和にも依存する。さらに、セキュリティの良し悪しがソフトウェアのセキュリティアーキテクトのような1人の人間の努力にかかっている場合には、セキュリティは最高の作業にも依存する。ソフトウェアのセキュリティを高めたい組織がここから得られる教訓は、少数の優秀なプログラマー、できるだけ多くのコードテスト担当者、そして、プロジェクトのリーダーとしてできるだけ熟達したセキュリティアーキテクトを雇うべきである、ということだ[138]。

第1回「情報セキュリティの経済学に関するワークショップ」が開催された直後、ダニエル・カーネマンが行動経済学という新しい分野での功績によりノーベル経済学賞を受賞した[139]。（彼と共同で論文を執筆したエイモス・トヴェルスキーは受賞前に亡くなった。ノーベル賞が死者に与えられることはない。）行動経済学の概念は、心理学と経済学の中間に位置する。つまり、人々が経済市場に参加する際に、行動面での系統的な誤りを犯してしまう心理的な理由を検討するものである。古典派経済学では、人（エージェント）は嗜好（しこう）が変化しない合理的なアクターであると想定されている。しかし行動経済学では、人は完全には合理的ではなく、実際には選好が変化することを示している。不確実性があるケースでは、人は従来のヒューリスティクス、つまり経験則に頼ることが確認されている。また、人は認知バイアスに陥りやすく、経済的に最適であると考えられる判断から離れてしまうこともある。行動経済学は伝統的な経済学に比べより推論的であったが、それは当時の経済学で正しいとされていることと、当時の心理学で正しいされていることの両方に基づいていたためである。しかし行動経済学は、人間の行動に関する新たな知見、つまり情報セキュリティ問題を解決するための新たな知見を生み出すことが期待されていた。(140)

情報セキュリティの心理学

現実の世界においては、ハッカーは心理学の応用という点で、セキュリティ研究者たちのはるか先を行っていた。フィッシングメールやスパムメールは、恐怖や強欲などの基本的な感情に訴えて被害者をおびき寄せようとする。一方でソーシャルエンジニアリングは、「困っている人を助けたい」という人間の心理や、純朴さにつけ入る攻撃である。日本では、ポルノサイトを閲覧しているユーザーに対し、「支払い義務のある契約を結んだ」という内容のポップアップを表示するネット詐欺が横行している。請求される金額は5万円前後が相場で、これはランダムに設定されているわけではなく、日本のサラリーマンの毎月のお小遣い程度の金額となっている。(141) このネット詐欺は日本特有のものだが、それは権威を重んじ、恥をかきたくないという日本人ならではの心理を利用しているからだ。(142) このように詐欺師やハッカーは、心理学を利用して巧みな攻撃を仕掛けるが、心理学はまたコンピュータセキュリティが失敗する原因を解明するためにも利用できる。

マイクロソフトはウィンドウズXPのサポートを終了する際、それ以降はセキュリティパッチを作成しないことを公言した。しかしその発表から4年経っても、ウィンドウズXPは6・6パーセントの市場シェアを維持していた。[143] こうしたウィンドウズXPユーザーの中には、新しいセキュリティパッチが発行されないことにまったく気づかなかった人や、最新のOSにアップグレードする余裕のない人もいただろう。しかし一部のユーザーは、安全ではなくなったOSを使い続けることを意識的に選択していたはずだ。[144] このような行動は、心理的な要因を考えることで説明できる。セキュリティに関するアドバイスが無数にある（その多くが相反する内容で、その多くが一般の人には理解不能なほど複雑だ）ことが、「セキュリティ疲れ」を引き起こしている。[145] 研究者とセキュリティについて話すとき、ユーザーは「イライラする」「フラストレーションを感じる」といった言葉で感情を表現し、「疲れた」「圧倒された」と語る。[146]

セキュリティ疲れによって、人々はお手上げ状態になったり、欠陥のあるメンタルモデルに頼ってしまうこともある。家庭用のコンピュータの大半は、セキュリティに関する知識がほとんどない、あるいは全くないユーザーによって操作されており、彼らにはハッキングから身を守るための詳しい情報を得る機会がない。[147] 彼らがセキュリティについて知っていることは、ウェブページやニュース記事、友人や家族から聞いた個人的な体験など、偶然によって得た情報が多い。[148] その結果、セキュリティについてユーザーが下す判断は、情報セキュリティに関する正しい知識ではなく、ユーザーが遭遇した情報をもとに頭の中で構築した「フォークモデル」、つまり民間信仰のようなものに基づいて行われることになる。[149] そうしたモデルは、彼らの意思決定の基礎となっている。[150] フォークモデルを調査した結果、人々が自衛行動を起こすのは、脅威を認知し、そのターゲットが自分であってもおかしくないと感じているときであることがわかった。ある研究によれば、ハッカーたちのことを10代のトラブルメーカーだと思い込んでいる人は、自分のパソコンにセキュリティソフトをインストールして、ハッカーを締め出そうとする傾向が強いという。[151] しかし、ハッカーたちは犯罪者だと考えている人は、「自分は犯罪者に狙われるほど重要人物でも金持ちでもない」と考えて、セキュリティソフトをインストールしようとしない傾向が強い。[152] 別の研究でも同様の結果が得られている。ハッカーたちは、銀行や大企業のコンピュータなど、「注意を引く人物」や「重要なコンピュータ」を標的にしていると考える人たちがいるのだ。[153] そうした人たちは、自分たちがハッカーに狙われる可能性は低いと考えていた。彼らは普通の人間で、ハッキングされるほど「重要」でも、「注意を引く」ことも、「挑戦しがいがある」わけでもないからである。[154] 非公式の情報源からコンピュータセキュリティに関する情報を積極的に得ようとする人たちは、ハッキングやその防御方法に関する情報には触れるものの、ハッカーとは何者で、なぜ攻撃を行うのかといった情報には触れないようだ。[155] それとは対照的に、セキュリティに関する情報に体系的に触れた人たちは、さまざまなタイプの攻撃者に関する情報を学ぶが、そうしたハッカーによる攻撃から身を守る方法については知らないことが多い。[156] もし、コンピュータセキュリティに関する非公式の情報源しか利用できないのであれば、問題を包括的に把握するために、複数の情報源を利用する必要がある。[157]

　しかし、セキュリティに関する良質な情報を得て、それを理解し、適切に行動することができたとしても、経済学や心理学の知見を考慮すると、そうした努力は無意味なものと言えるかもしれない。その知見とは、行動適応やリスクホメオスタシスと呼ばれることもある「リスク補償理論」である。これは、ある活動に安全や安心を向上させる対策を導入すると、その活動に参加する人々は、リスクのレベルを以前と同じ水準まで引き上げてしまう傾向がある、という考え方だ。セキュリティ対策の導入は、セキュリティのレベルを改善しない――ユーザーがシステム全体のリスクを再配分するため、セキュリティレベルは以前と同じままなのだ[158]。

これは直感に反する考え方かもしれないが、多くの実例によって裏付けられている。スカイダイバーが自由落下中に意識を失えば、命を落とすことになるだろう。しかし、CYPRES（Cybernetic Parachute Release System）と呼ばれる特殊な装置を装着していれば、その運命を回避できる。CYPRESは、あらかじめ設定された高度（通常は750フィート）に達すると、スカイダイバーがまだ自由落下中であるかどうかを検知し、自由落下中であれば自動的にスカイダイバーの予備パラシュートを展開する。ダイバーが意識を失っていても、予備パラシュートが開いた状態であれば、その後の着地に耐えられる可能性がある。CYPRESは多くのスカイダイバーに採用され、多くの命を救ってきた。しかし不思議なことに、スカイダイビングでパラシュートを展開しなかったことによる死者数と、その他の理由による死者数を並べてグラフにすると、ほぼ完全な逆相関が見られるのだ[159]。スカイダイビングを行う人の数の経時的な変化を補正すると、スカイダイビングによる死者数の合計は各年でほぼ同じになるが、死因の種類は変化していることがわかる[160]。この結果は、リスク補償理論によって予想されるものだ。CYPRESのような安全対策が導入されると、スカイダイバーは他のである[161]。

面でより大きなリスクを取るようになり、安全対策によるリスクの低下を相殺するると考えられるから

英国でシートベルトの着用を義務化する法律が制定された際には、歩行者が車にはねられて死亡するなど、交通事故による死者数は実際には増加している[162]。リスク補償理論で説明すると、ドライバーはシートベルトを着用することで安全だと感じ、そのためよりスピードを出してしまうのだ。シートベルトの着用を義務化することで、「車を運転する」というあまり社会的に望まれない行為をしていた人たちから、「歩く」というより社会的に望まれる行為をしていた人たちへと、リスクが移ったと言えるだろう[163]。

ABS（アンチロック・ブレーキ・システム）は、ドライバーがより積極的にブレーキをかけられるようにするものだ。ノルウェーのオスロで、タクシーにABSを装着した場合の効果を調べた研究が行われた[164]。この研究が明らかにしたのは、ABSの装着後、タクシー運転手は前の車にかなり接近して運転するようになり、ABSによる安全性向上の効果を打ち消していた、ということだ[165]。ABSに関する別の研究が、ドイツのミュンヘンで行われている[166]。この研究では、車を2つのグループに分けてモニタリングし、片方の車にはABSを装着し、もう片方には付けず、それ以外は同一の性能を持つ車を用意した。タクシー運転手は、ABSが装着されている車とされていない車に無作為に振り分けられた。3年後に車の事故件数を集計したところ、ABSを装着した車の方が多くの事故を起こしていたことがわかったのである[167]。

これらの研究は、ユーザーがその時点でのリスクレベルがすでに許容範囲にあると考えている場合、

リスクをさらに減らす試みは挫折してしまう可能性があることを示唆している。経済学では、このリスク補償効果を「モラルハザード」という言葉で表現する。人は、自分の行動に伴う直接的なコストを払わずに済む場合、そのコストを払わなければならないときとは異なった行動を取る。保険に加入している人はより大きなリスクを取る傾向があるため、保険会社はこの効果を考慮に入れている。セキュリティ対策が過信されることで誤った安心感を与えた例はいくつもある。ファイアウォールやペリメータセキュリティ・モデルは、個々のコンピュータにおけるセキュリティの軽視につながると批判された[168]。鉱山で使用されていたデービー灯は、メタンに点火することなく明かりを灯(とも)せたため、鉱山労働者の命を救ったと言われている。しかし、このランプのおかげで鉱山はより深くまで掘り下げられるようになり、結果的に死者数は増えた[169]。

経済学や心理学の理論を情報セキュリティの研究に応用することで、外部性やインセンティブ、セキュリティのメンタルモデルといった領域で重要な知見が生まれた。しかしそれは、パンドラの箱を開けることにもなった――暗号技術やファイアウォール、侵入検知システムなどのセキュリティ技術を導入しても、セキュリティは実現されないことが判明したのである。ユーザーがセキュリティをどのように認識し、セキュリティに関する意思決定をどのように行っているのかという、より根本的な課題を克服しなければならなかった。

情報セキュリティの研究がこのような側面まで考慮しなければならなくなるのは、必然だったのかもしれない。言語学者のノーム・チョムスキーは次のように語っている。「たとえば物理学は、非常に単純な問題に対象を絞っている。分子が複雑になりすぎたら、問題は化学者に引き継がれる。それがさらに複雑になった場合には、生物学者の手に委ねられる。そしてシステムがあまりにも複雑になると、心理学者に押し付けられるのだ[170]」

ユーザブルセキュリティ研究のきっかけとなった「なぜジョニーは暗号化できないのか」論文は、電子メールの暗号化ソフトは普通の人が使うには難しすぎることを示した。しかし、本当の意味での貢献は、ソフトウェア開発者や情報セキュリティ専門家の能力や世界の見方と、一般ユーザーの能力や世界の見方との間に、断絶があるのを示したことだった[171]。理想は、ジョニーが「暗号化」を必要としない、つまりセキュリティを実現するためにさまざまな作業を行う必要がない状態だ。これは、コンピュータが人間の介入なしに、またユーザーに意識させることもなく、ユーザーを保護できれば達成可能である。しかしコンピュータは用途の広いマシンだ。ユーザーは自分に固有のニーズを満たすために、コンピュータに正確に指示できる柔軟性を求めている。そして電子メールやウェブは、使用するユーザーに選択することを求めないわけにはいかない。

ユーザブルセキュリティの研究者たちは、「ジョニーも暗号化できる」ようにしようとしたが失敗した。ある論文では、ジョニーが暗号化できるようになることはないのではないか――セキュリティに関わる仕事に取り組む際には、一般人の認知能力の限界を考慮すべきではないか、といったことにまで言及している[172]。またリスク補償理論から予想されるのは、たとえジョニーが暗号化できるようになったとしても、彼はその新たな能力を、他のセキュリティリスクを高めることで相殺してしまう宿命を背負っているかもしれない、ということだ。このように見通しは暗いが、ジョニーの置かれた窮状については別の考え方もできる。セキュリティ研究者のコーマック・ハーレーは、暗号化をするよう勧めるセキュリティ専門家の警告を無視することは、ジョニーにとって合理的であると主張している。[173] その論拠は、ユーザーに提供されるセキュリティ関連のガイダンスには、ハッキングを阻止できる可能性をもたらすメリットがあるが、そうしたガイダンスに従うことでユーザーには多大なコストがかかり、全体としてはそのコストがメリットを上回る、というものだ。[174] これは特に、ハッキングが成功した際のコストをハッキングされたユーザー自身が負担するのではなく、外部性が生まれる場合に当てはまる。人々はオンライン詐欺について、過度に心配する必要はない。何らかの損失が生じても、通常は銀行が被害者への返金を行うからだ。[175] 米国の連邦準備制度は、詐欺事件における消費者の負担額を50ドルに制限しているが、実際には銀行や信用組合などの金融機関は、その金額をゼロにする保証を提供している。[176]

もし不審な電子メールを受け取った人が全員、そのメールがフィッシング攻撃かどうかの判断に1分間を費やして、本文中のウェブリンクを注意深く読んで分析していたら、費やされる時間という意味でのコストは、フィッシングによって生じるすべての損失よりも桁違いに大きくなるだろう。[177] 米国では約1億８０００万人の成人がインターネットを利用している。彼らの時間には平均して最低賃金の2倍の価値があると仮定した場合、全成人が毎日1分間をメールの分析に費やしたとすると、その額は年間で１６０億ドルにも達する。[178] したがって、セキュリティガイダンスに従うことで生まれるコストは、従わないことで生まれるデメリットを大きく上回るため、ユーザーがガイダンスに従わないのは合理的なことだと言えるのである。ハーレーの主張は、情報セキュリティの分野ではこのような計算が考慮されておらず、情報が足りていないのはユーザーではなくセキュリティの専門家自身である、というものだ。[179] この点において、「豚のダンスとセキュリティのどちらかを選ぶよう迫られたら、ユーザーは常に豚のダンスを選ぶだろう」というよく使われる格言には、より深い意味を見出せる。表面的には、セキュリティの選択についてユーザーがどれだけ無頓着であるかを、セキュリティ専門家が嘆いているように聞こえる。しかし同時にこの格言は、セキュリティ専門家がユーザーはなぜそうするのかを理解していないことも明らかにしている。[180] セキュリティ専門家は、自分たちの目指すセキュリティが広く世の中に採用されるべきだと考えているが、それはユーザーが実際に望んでいるものではないし、また莫大なコストをかけずに達成できるものでもないのである。[181]

セキュリティガイダンスの非現実的な性質に対するハーレーの批判は、情報セキュリティ分野の中心にある、有害なテクノクラート・パターナリズムを明らかにした点で最も痛烈だった（テクノクラート（技術官僚）は高度な専門知識を持つ官僚を、パターナリズム（父権主義）は強い立場にある者が弱い立場の者の行動に干渉する姿勢をそれぞれ指し、ここではセキュリティ専門家のユーザーに対する姿勢を批判する表現として使われている）。ランド研究所と初期の研究者たちは、コンピュータのOSはユーザーを思うままにでき、事実上、ユーザーにセキュリティを強制できると期待していたのだ。この哲学は、その後の数十年間、情報セキュリティ分野で働く人々の間に浸透し、技術的な解決策を好む傾向として現れた。しかし電子メールやウェブの台頭により、ユーザーとそのユーザーが下す判断が、システム全体のセキュリティにとって重要になっていった。技術だけでセキュリティが達成できるという期待は、機械の幻想であることが明らかになった。コンピュータのセキュリティはユーザーの気まぐれに左右され、その気まぐれは経済的動機と心理的要因の混沌とした影響を受けているのである。

これらの事実は、セキュリティ製品を購入すればセキュリティを確保できる、という単純な世界を描きたかったセキュリティ業界の利益を損なうものだった。またハッカーやセキュリティ研究者など、新たな脆弱性やハッキング技術を発見しようとする人々の存在感も薄れた。彼らは自分たちの力と権威を取り戻すための、新しいアイデアを必要としていた。そこで彼らは、セキュリティ脆弱性の脅威が誰も考えていなかったほど大きいことを証明しようとした。あらゆるものがハッキング可能であると世間に思わせることができれば、彼らの技術は再び高く評価されるだろう。これは情報セキュリティの分野で働く人々だけでなく、企業やメディア、政府の情報セキュリティに対する考え方までも変えるほどの成功を収めることになるビジョンだった。

7　脆弱性の開示、報奨金、市場

ゼロデイ脆弱性

英植民地時代のインドでデリー市の職員の頭を悩ませていたのは、コブラに噛まれることによる死亡事故だ。そこで死者を減らすために、役所は死んだコブラの皮を懸賞金と交換する制度を設けた。当初この計画は成功し、コブラの数は減少した。ところがこの制度を悪用して、コブラを繁殖させる市民が現れた。当局はこの悪だくみを察知し、制度を廃止した。するとコブラを飼育していた人々は、不要になったコブラを野に放ってしまった。その結果、猛毒のコブラは以前よりも数を増やすこととなったのである[1]。

2012年、米国のアルコール・タバコ・火器及び爆発物取締局（ATF）は、銃を買い取るための偽の軍放出物資店を設置した。彼らの目的は、街中に出回る銃の数を減らし、それによって銃による犯罪を減らすことだった。この店を運営するATF捜査官は、できるだけ多くの銃を買い取れるように、市場価格よりも高い金額を支払うことにした。その結果、強盗などの犯罪が増加した。犯罪者は、店で売るために銃を探して盗むようになったのだ。また店には強盗が入り、ATF捜査官が使用していた全自動機関銃が盗まれ、回収されることもなかった。[2] ATFの計画は、犯罪を増やし、街に銃を増やすことにもなったのである。

デリー市の職員と米国のATF捜査官が生み出した逆インセンティブは、どちらのケースでも彼らが望んだものとは逆の結果をもたらした。これと同じパターンが、21世紀初頭の情報セキュリティの分野でも繰り広げられる。その原因は、セキュリティ脆弱性の技術的な側面への執着にあった。

ドットコム・ブームにより、コンピュータソフトウェアの市場は巨大化し、さらなる成長を続けていた。ユーザーを惹きつけて離さないよう新しい機能を追加していくうちに、ソフトウェアのサイズは大きくなり、より複雑になっていった。ウェブブラウザとウェブサーバーは、何百万行ものコードで構成される規模にまで拡大した。2004年にマイクロソフト・プレスが出版した本によれば、1000行のコードには通常2〜20個のバグが含まれる（ただし、マイクロソフトのSDLのようなプロセスを遵守すれば、その数を大幅に抑えることができる）。[3] マイクロソフトの「信頼できるコンピューティング・イニシアチブ」や同社が作成したSDLなどのソフトウェアセキュリティの取り組み、さらには静的解析やファジングなどのソフトウェアセキュリティ技術の使用の増加により、ソフトウェアの脆弱性を発見するために必要なスキルのレベルが上がった。その結果、広く使われているソフトウェアでセキュリティ脆弱性が見つかるのは稀になり、発見の価値はかえって高まることとなった。

一般に知られておらず、パッチがリリースされる前の脆弱性を「ゼロデイ脆弱性」という[4]（「0day」とも表記される）。ゼロデイとは、セキュリティ脆弱性がもたらすリスクについて事前の警告が行われたのが0日前であること、つまり脆弱性の発見から間もないことを意味している[5]。もし人気のソフトウェアにゼロデイ脆弱性が見つかれば、多数のコンピュータが脆弱である恐れがある[6]。もしハッカーがたとえば携帯電話のOSにゼロデイ脆弱性を見つけた場合、理論上、ハッカーはそのOSを使用しているすべての携帯電話をハッキングできる。ただし、それも脆弱性にパッチが適用されるまでの話だ。（また実際には、そうした攻撃を実行するには別のハードルが立ちはだかるかもしれない。）

ゼロデイ脆弱性が価値を持つのは、それがまだ誰にも知られていないことが大きな理由だ[7]。しかしハッカーにとっては、ゼロデイ脆弱性には特別な利点もある。侵入検知システムやウイルス対策ソフトなどのセキュリティ技術は、通常、既知の攻撃パターンを検知しようとするため、ゼロデイ脆弱性を使っても見つからないことが多いのだ[8]。ただ、十分な対策を講じている組織であれば、ハッカーがアクセスした後の行動を検知するなど、他の方法でゼロデイ脆弱性の使用を検知することもある。

あまり使われていないソフトウェアで、発見されたものの公表されていない脆弱性は、厳密に言えばゼロデイの定義に合致するが、そう呼ばれることはまずないだろう。俗にゼロデイと呼ばれるのは、大きな影響をもたらすことが予想される、広く使われるソフトウェアで見つかる脆弱性などだ。セキュリティ関係者の間では、ゼロデイ脆弱性はある程度「クールな要素」を持つべきだという考えもあり、ある研究者に至っては、これ見よがしにゼロデイ脆弱性を「めちゃくちゃヤバいやつ」と表現している。[9] ゼロデイ脆弱性は、必ずしもバッファオーバーフローといったソフトウェアのバグである必要はない。これまでに知られていなかった「バックドア」を通じてコンピュータへのアクセスを得る手法や、カバートチャネルを作る新しい手法も、ゼロデイと考えられる。[10]

「ゼロデイ」の語源は明らかになっていない。ウィンストン・チャーチルは、1951年に出版された著書 *Closing the Ring* の中で、1943年10月20日を、ドイツ軍のロンドンに対するV2ロケット攻撃が始まった「ゼロデイ」と表現している。[11] 一方でゼロデイという言葉は、映画や音楽、コンピュータソフトなどの海賊版コンテンツを共有・取引する、違法なファイル共有の世界でも使われていた。ファイル共有用にフォルダを作る際、「0day」のようにフォルダ名の頭に「0(ゼロ)」をつけることでディレクトリの先頭に表示され、フォルダの中のファイルが人目(ひとめ)を引きやすくなる。[12] しかし、「ゼロデイ」という修飾語が、現在のようにセキュリティの脆弱性を指す言葉として一般に使われるようになった経緯は、やはり定かではない。[13]

モリスワームが悪用したバッファオーバーフローは、ゼロデイ脆弱性のリスクを大規模な形で示した最初の事例となった(パスワードのクラッキングなど、他の手法も感染のために用いられていたが)。モリスワームを調査していた人々が逆コンパイル〔コンパイルとは、ソフトウェア開発の際、人間が理解しやすい高水準言語でプログラミングし、それをコンピュータが理解可能な機械語に変換することである。逆コンパイルはその逆で、機械語で書かれたプログラムを解析し、高水準言語に戻すことを指す〕を行いそのソースコードを徹底的に調べた結果、ゼロデイ脆弱性が使われているのが確認された。その後、このバッファオーバーフローを利用した攻撃を阻止するパッチが発行される。この件は、ゼロデイ脆弱性のパラドックスを明らかにした――ゼロデイ脆弱性を利用することで、その存在が明らかになる可能性があるのだ。[14]ゼロデイ脆弱性によってハッキングされた被害者は、攻撃の副産物として生まれたログファイルなどから、脆弱性の技術的な詳細を再構築できる可能性がある。[15]これはマイクロソフトが直面していた状況を逆転させたものだ。ハッカーはマイクロソフトが発行したパッチの情報を利用して、パッチが適用されている脆弱性を特定していた。ここでは両者の立場が逆になっているのである。

ゼロデイ脆弱性は、その詳細が広く知られてしまえば、有用性が低下し始める。ソフトウェアベンダーが脆弱性に対するパッチを発行した後に、ハッカーがその脆弱性を使えるのは、組織や個人がパッチを適用しない場合に限られる。パッチを適用する組織が増えれば増えるほど、脆弱性の価値はゼロへと近づく（すべての組織がパッチをインストールするとは考えられないため、完全にゼロにはならないだろうが）。このため、ゼロデイ脆弱性が利用されることは、実際には非常に稀だ。[16]ある調査では、ゼロデイ脆弱性による攻撃は、悪用される全脆弱性のわずか1パーセントの10分の1に過ぎないと推定されている。[17]多くの場合、ハッカーはゼロデイ脆弱性を特別な意味を持つターゲットに対して利用する。

２０１１年、あるハッキンググループがＲＳＡセキュリティという企業の社員にフィッシングメールを送った。メールの件名は「２０１１年度の採用計画」で、メールを受け取ったＲＳＡ社員の１人が、添付されていたスプレッドシートのファイルを開いた。[18]そのファイルは、社員のコンピュータのゼロデイ脆弱性を突くコードを含んでおり、コンピュータにバックドア（「裏口」を意味し、セキュリティ分野ではコンピュータに不正アクセスすることを可能にする侵入口を指す」をインストールした。ハッカーたちはバックドアを足がかりにして機密データにアクセスし、そのデータをコピーして「エクスフィルトレーション」した——要は情報を盗み出したのである。[19] ハッカーたちが貴重なゼロデイ脆弱性を利用してRSAをハッキングした理由は、同社が二要素認証製品を製造するセキュリティ企業だからだ。ハッカーたちがRSAからコピーした機密データは、米国最大の防衛関連企業であり、米軍のスパイ衛星や戦闘機を製造しているロッキード・マーティンが使用している二要素認証システムをハッキングするために必要な情報だった。[20] ハッカーたちは、ロッキード・マーティンをハッキングするためにはまずRSAをハッキングする必要があるのを知っていたのだろう。そのためにゼロデイ脆弱性を利用したのである。

マイクロソフトといった企業は、自社製品に脆弱性が含まれないかを調べて、ハッカーなど外部の脅威に発見されて悪用されないようにしていた。一方で営利企業は、名の知れたソフトウェアパッケージの脆弱性を探し、脆弱性の発見を誇示することで、自社のセキュリティ技術の水準を宣伝しようとした。[21] またセキュリティ企業が、脆弱性診断サービスのためのペネトレーションテストを行う中で発見したゼロデイ脆弱性を利用することもできた。あるソフトウェアのゼロデイ脆弱性を知っていれば、そのソフトウェアを使用している組織へはほぼ確実に侵入することができるからだ。[22]

2000年代初頭の情報セキュリティ界では、ゼロデイ脆弱性を公開するのは必要なこと、というコンセンサスがあった。そうすることで、ソフトウェアベンダーはその脆弱性にパッチを当てるようになるのだ。[23] さもなければ、ベンダーにはパッチを当てる理由がないと考えられていたのである。[24] その結果、ゼロデイ脆弱性の詳細をバグトラックなどのメーリングリストに投稿するハッカーやセキュリティ研究者は、社会の安定を向上させていると見なされるようになった。[25] このことに対する懸念の声はわずかで、中でもマーカス・レイナムは、脆弱性が公開される理由は、公開することで自分の名を売るためであるという「あまり好ましくない可能性は誰も考えていないようだ」と指摘した。[26]

ゼロデイ脆弱性に対するエクスプロイトが広く利用可能になると、ハッカーやスクリプトキディがそのエクスプロイトを使ってコンピュータに侵入するリスクが生じた。当時、脆弱性を悪用するコードは通常２００〜３００行以下の比較的小さなコンピュータプログラムであったため、インターネット上で転送されることで数秒の内にいとも簡単に世界中に広まってしまった。エクスプロイトのコードやスクリプトを公開することは、「概念実証の提供」といった意味合いで正当化されることもあった。つまり、個々のユーザーが自分のシステムが脆弱であるかどうかをテストするための手段となったのである。しかし、誰でもコンピュータの侵入に使えるようなエクスプロイトがいつでも利用可能な状態は、弊害も生んだ。普段はハッキングなどできない多くの人々も、ハッキングできるようになったからだ。[27] ある研究が発見したのは、ハッカーは脆弱性に関する知識を得てそれを悪用するために、バグトラックなどの新しい脆弱性に関する情報が投稿されるメーリングリストを注意深く監視しているということだ。[28] ここには明らかにトレードオフがあり、脆弱性を探してその詳細をバグトラックのようなフォーラムに公開するのは果たして有益なのだろうか、という問いが投げかけられていた。

２００５年に行われた研究ではこの問題が検討された。[29] 大勢のハッカーと大勢のセキュリティ研究者がセキュリティ上の脆弱性を探していたことを考えると、彼らが費やした努力によって脆弱性のプールが枯渇し、ソフトウェアの全体的な品質は顕著に向上したはずだ。しかしこの研究でわかったのは、「枯渇した」と考えるのは非常に根拠に乏しい、ということだ。[30] 実際、論文の執筆者らは、枯渇が全く起きていない可能性も否定できないことを発見したのだ。[31] この結論は、当時のセキュリティ専門家が経験していたことと一致していた。セキュリティ監査を受けたことがあるソフトウェアであっても、何年も前から存在する脆弱性が発見されるのは珍しいことではなかったのである。この研究は次のように結論づけている。「脆弱性を探して公開することの価値を裏付ける証拠が見当たらないのは、困ったことだ」。[32] 別の研究では、「ソフトウェアセキュリティの取り組みによって脆弱性が枯渇した可能性は否定できないが、さらなる調査が必要である」とされている。[33]

脆弱性を探すことは果たして有益なのかという問いは、おそらく理論的、学術的にしか意味をなさなかった。もし脆弱性を探す人がいなければ、存在するのは偶然発見された脆弱性だけとなり、その数は相対的に少なくなるだろう。しかし、少なくとも何人かが積極的に脆弱性を探して世間に公表したため、ソフトウェア企業など他の人たちも脆弱性を探さなければならなくなった。これはゲーム理論で言うところの「デス・スパイラル」であり、誰もがその中に閉じ込められたのだ。

それぞれの国家はゼロデイ脆弱性に特別な関心を持ち、それを獲得するための強い動機も持っている。国家は、ライバル国の情報を入手したいと考えており、ゼロデイ脆弱性は、他国が構築する強固な防御に対する有効な手段となる。また国家は、ゼロデイ脆弱性を発見するために使える多大なリソースを有している。

２０１４年、非営利団体の電子フロンティア財団（ＥＦＦ）は米国政府を提訴し、情報公開法に基づいて、政府が保有するゼロデイ脆弱性の情報を入手した。[34] 公判の前夜、米国政府は、自国の諜報機関が外国のコンピュータのスパイやハッキングといった「攻撃的」な任務を実現するために、脆弱性をどのように利用しているかを説明する情報を公開した。[35] NSAやCIAなどスリーレターエージェンシー（アルファベット3文字で表される機関）がゼロデイ脆弱性を取得・利用していたことは、大きな注目を集めた数々のリーク情報によっても明らかになった。2016年8月、「シャドウ・ブローカーズ」と名乗るハッキンググループがオンライン上で一連の投稿を始める。[36] シャドウ・ブローカーズはイクエイジョン・グループと呼ばれる別のハッキンググループをハッキングし、彼らの「サイバー兵器」、つまりゼロデイ脆弱性のエクスプロイトを盗んだと主張した。[37] そしてオンラインオークションを開催し、最高額の入札者にそのエクスプロイトを販売すると告げたのだ。[38] 彼らはつたない英語でこう書いた。「われわれはイクエイジョン・グループをハッキングする。われわれはイクエイジョン・グループのサイバー兵器を大量に発見する。証拠を見せよう。皆さんにイクエイジョン・グループのファイルを、いくつかタダで差し上げる。これでおわかりだろう？　楽しんでくれ！　皆さんは多くのものを壊す」[39]。シャドウ・ブローカーズは、イクエイジョン・グループが使用していたコンピュータをハッキングしてそこから脆弱性の知識を得たのか、単に情報を偶然見つけただけなのか、それとも情報は意図的に彼らに漏らされたのか、それは定かではない。[40]

売りに出した情報の価値を証明するために、シャドウ・ブローカーズは手に入れたエクスプロイトの一部を公開した。[41] そうしたエクスプロイトのソースコードには、「ETERNALBLUE（エターナル・ブルー）」「ETERNALROMANCE（エターナル・ロマンス）」「EXPLODINGCAN（エクスプローディング・カン)」といったコードワードが書き込まれていた。[42] そしてエクスプロイトの1つは、ウィンドウズのゼロデイ脆弱性を利用した、非常に価値の高いものだった。シャドウ・ブローカーズによるこの情報の公開は、他のハッカーもこうした脆弱性に関する知識を利用できるようになったことを意味していた。ETERNALBLUEの脆弱性は、ワナクライ(WannaCry)と呼ばれるインターネットワームの作成に利用され、このワームは150か国で20万台以上のコンピュータを感染させた。[43] ワナクライはランサムウェア(感染したコンピュータをロックしたり、その中に格納されているファイルを暗号化するなどして使えないようにし、それを解除する見返りとして身代金(ランサム)を要求するマルウェア)で、感染したコンピュータ上のファイルを暗号化し、3日以内に300ドル、もしくは7日以内に6000ドルを支払わなければ、暗号化されたファイルを削除するというメッセージを画面に表示したのだ。[44] 英国では国民保健サービスのコンピュータがワナクライに感染し、一部の病院では患者を受け付けられない事態となった。[45]

数か月のうちに、ETERNALBLUEを利用した別の悪意のあるプログラムが広まり始めた。[46] 既存のランサムウェア「ペチャ(Petya)」に似ていたことから、そのプログラムは「ノットペチャ(NotPetya)」と名付けられたが、金儲けのために作られたものではないことがすぐにわかった。[47] ノットペチャはランサムウェアとして位置付けられていたが、その真の目的は、混乱を引き起こすことにあった。[48] ノットペチャは世界中のコンピュータを感染させたが、主にロシアとウクライナのコンピュータを標的として設計されていたようだ。[49] ウクライナでは重要なサービスを提供している組織、たとえば国営の電力会社やキーウ(キエフ)の空港、地下鉄などで感染が発生した。[50] チョルノービリ原子力発電所のコンピュータシステムも被害を受け、現場の作業員は放射線量をコンピュータではなく手作業で確認しなければならなくなった。[51]

シャドウ・ブローカーズの存在も謎に包まれていたが、それ以上に不思議だったのは、イクエイジョン・グループがどのようにしてこれほど広範なゼロデイ脆弱性エクスプロイトのコレクションを構築できたのかという点だ。イクエイジョン・グループが作成したエクスプロイトのソースコードを調査したところ、特定の暗号アルゴリズムを好んで使用していること、また「並外れた技術力」と「無限のリソース」を持っていることが判明した。[52] ここから導き出される答えは、イクエイジョン・グループはほぼ確実に、NSA（米国家安全保障局）内に設置された「テイラード・アクセス・オペレーションズ（TAO）」という部門であるということだ。[53] TAOは、情報収集のために外国のコンピュータをハッキングすることを目的とした部門で、[54] 何百人もの民間人ハッカーとサポートスタッフを雇用していると言われている。[55] シャドウ・ブローカーズによって盗まれたゼロデイ脆弱性のエクスプロイトは、TAOが膨大なリソースを投入して開発したものだった。

TAOの能力は素晴らしいものだったが、欠点がなかったわけではない。イクエイジョン・グループがTAOであると特定できたのは、脆弱性を利用したプログラムに含まれていたコードが、すでに他の場所で使用されていたからだ。[56] TAOはまた、ファイルにタイムスタンプを残すというミスを犯していた。[57] このタイムスタンプから、コードは米国東部時間の午前8時から午後5時の間に働いていたプログラマーによって書かれたことがわかり、それはNSA本部があるメリーランド州フォートミードと同じ時間帯だったのである。[58] イクエイジョン・グループのエクスプロイトがシャドウ・ブローカーズによって公開されると、そのエクスプロイトを使用した過去のハッキング攻撃の被害者を特定することも可能になった。こうしたハッキング攻撃は、イラン、ロシア連邦、パキスタン、アフガニスタンのコンピュータを標的としていたと思われることが判明した。[59]

ＮＳＡ同様、ＣＩＡからもゼロデイ脆弱性が流出した。２０１７年3月、ウィキリークスは「ボールト7」と呼ばれる８０００以上の文書を公開した。[60] ウィキリークスは、この文書が「米国政府の元ハッカーや受託業者の間に無許可で流通していたもの」であり、その中には、グーグル・クロームやマイクロソフト・エッジなどのウェブブラウザ、アップルのｉＯＳ、グーグルのアンドロイド、マイクロソフトのウィンドウズなどの各種ＯＳに対するエクスプロイトを含む、複数のゼロデイ脆弱性の詳細が含まれていると主張した。[61] シャドウ・ブローカーズとは違い、ウィキリークスは自分たちではエクスプロイトを公開せず、影響を受けるベンダーと協力してパッチを作成することを表明した。

ボールト7には、ＣＩＡのハッキングツールに関する情報も含まれていた。その1つは、ＣＩＡと、英国の対諜報機関であるＭＩ5が共同で開発したもので、「ウィーピング・エンジェル（嘆きの天使）」というＣＩＡのコードネームが付けられていた。[62] これはサムスン製のインターネット対応テレビを攻撃するものだ。[63] このツールが使用されると、テレビは電源が切れているように見えても、実際には部屋の中で行われる会話を録音しており、それをインターネット経由でＣＩＡ本部に送信する。[64]

ウィキリークスは、ボールト7をリークすることで広く議論を促そうとしたと述べている。つまり「ＣＩＡのハッキング能力はＣＩＡに委任された権限を越えているのではないか」といったことや、「サイバー兵器の安全性、開発、使用、拡散、民主的コントロール」といったことについて――要はゼロデイ脆弱性とそれを組み込んだハッキングツールについての議論が必要であると考えたのである。[65]

ＮＳＡとＣＩＡは、自分たちが保有するゼロデイ脆弱性がリークされることや、流出した資料が自分たちに紐づけられることを避けたかったに違いない。ボールト7に含まれていた文書の中にはＣＩＡの内部会議の資料が含まれており、そこではイクエイジョン・グループがＴＡＯと特定されてしまったＮＳＡの過ちを繰り返さないためにはどうすればよいか、ＣＩＡの職員たちが議論していた。[66]

シャドウ・ブローカーズは、ＮＳＡが保有するゼロデイ脆弱性をリークして利益を得ようとした。しかしウィキリークスは、ＣＩＡが作成したゼロデイ脆弱性をリークして、広く議論を促そうとした。しかしホワイトハット・ハッカーやセキュリティ研究者、セキュリティ企業にとって、ゼロデイ脆弱性を公開するかどうか、またそれをどう公開するかについての判断はより複雑なものだった。ソフトウェアベンダーに脆弱性を開示すると、ベンダーはパッチをリリースする。すると今度はハッカーがそのパッチを使って脆弱性を特定し、エクスプロイトを作ることができる。組織はパッチを迅速かつ完全に適用することが難しいため、ハッカーはまだパッチを適用していない組織にエクスプロイトを使ってハッキングできる。しかし、ソフトウェアベンダーに脆弱性を開示しなければパッチは存在せず、脆弱性を発見したハッカーにそれを悪用されてしまう。パッチの存在する脆弱性を悪用するハッカーが大勢いるのと、パッチの存在しない脆弱性を悪用するハッカーが少しだけいるのとでは、どちらがましだろうか？　これがディスクロージャ（開示）の問題であり、情報セキュリティの分野で長い間考えられてきたことだ。

いかに開示するか

1990年代後半から2000年代前半にかけて、脆弱性の公開においては、「フルディスクロージャ（全面開示）」という手法が主流だった。ハッカーや脆弱性の研究者は、脆弱性の詳細をバグトラックや、「フルディスクロージャ」という名の別のメーリングリストに投稿していた。[67] バグトラックは1993年に、フルディスクロージャは2002年にそれぞれ作られた。[68] フルディスクロージャは、その名が示すとおり、脆弱性に関する「自由で検閲のない議論」を行うことを目的としていた。[69] 運営開始から1年もしないうちに、フルディスクロージャには月に1000件以上の新規投稿が行われるようになった。[70]

フルディスクロージャのアプローチは、開示という問いに答えるにあたっての、初期条件、あるいは土台のようなものである。フルディスクロージャはいつでも起こりうる。というのも、脆弱性に関する情報を得た人がそれをネット上で公開するのを止めることは、不可能だからである。フルディスクロージャには、セキュリティの脆弱性を取り巻いていた秘密主義に対する反発の側面もあった。1989年から91年にかけて、「ザルドス」と呼ばれる非公開メーリングリストの参加者が、セキュリティの脆弱性について議論していた。[71] このメーリングリストの本当の名前は「セキュリティ・ダイジェスト」だったが、リストのメンバーにメールを送信するのに使っていたコンピュータの名前が「ザルドス」だったため、非公式にそう呼ばれるようになったのである。ザルドスのメンバーになるには、大規模なコンピュータ設備の管理者や学者などセキュリティ関連の仕事に就いていること、もしくは他のメンバーによる審査を受けることが求められた。[72] ザルドスにはゼロデイ脆弱性に関する情報が載っていたため、ハッカーからは常に狙われていた。彼らは参加者のコンピュータから、ゼロデイ脆弱性リストのアーカイブを見つけ出そうとしていたのだ。[73]

フルディスクロージャのことを、ある人は「必要悪」と評し、またある人は、ベトナム戦争時の米国の戦争計画者の論理「村を救うためには村を破壊する必要がある」に似ていると評した。[74] また、「公衆の面前で辱めを行うような側面がある」と言ってフルディスクロージャを嫌う人もいた。「他人の車を覆う泥に『私を洗って』と書くようなものだ」というのである。[75] フルディスクロージャのアプローチは、ある種の被害者非難のように見られることすらあった。自社製品の脆弱性を公開されたソフトウェアベンダーは、ソフトウェアセキュリティの取り組みを行うリソースを持たないかもしれないからだ。さらに調査の結果、「フルディスクロージャによって、ベンダーは脆弱性に対するパッチをより迅速に発行するようになった」という主張は、わずかな支持しか得られていないことが明らかになった。[76] しかし情報セキュリティの分野では、こうした懸念にもかかわらず、フルディスクロージャで脆弱性を公開する人々を批判するのは使者の首を打つ（悪い知らせをした人を非難する）ようなものであり、バグトラックに脆弱性やエクスプロイトに関する情報を投稿しているホワイトハット・ハッカーやセキュリティ研究者は「社会全体の利益に貢献している」という見方が主流だった。[77]

この頃、ホワイトハット・ハッカーやセキュリティ研究者たちは、それが自分たちの利益につながることから、フルディスクロージャを支持する主張をしていた。脆弱性のフルディスクロージャはドラマチックで、緊迫感を生み出した。広く使われているソフトウェアでゼロデイ脆弱性を見つけて公表すれば、瞬く間に有名になることができ、それが強力なインセンティブとなった[78]。スラマー・ワームに使われた脆弱性を公表したある人物は、ワーム発生後のワシントンポスト紙のインタビューで、「今後はコードの公開はしない」と語っていたが、その翌月にはもうフルディスクロージャを再開することを決めている[79]。

その後フルディスクロージャは、「レスポンシブル・ディスクロージャ（責任ある開示）」へと進化した。レスポンシブル・ディスクロージャでは、ゼロデイ脆弱性を発見した人は、それを公の場で発表することはしない[80]。代わりにソフトウェアベンダーに連絡を取り、その詳細を伝える[81]。これによりベンダーは、脆弱性が広く世間に知られる前にそれを修正し、パッチを発行することができる[82]。レスポンシブル・ディスクロージャのアプローチによって、ブラックハット・ハッカーが脆弱性の情報を利用してパッチが用意される前にコンピュータをハッキングするという問題が解決した[83]。また、ベンダーが脆弱性に関する通知を受けたにもかかわらず、それを放置してパッチを出さない事態に対処するために、このアプローチではベンダーに対してパッチ作成のために一定期間（90日間など）を与えるスキームが一般に採用されている。そうした期間内にベンダーがパッチを作成しなかった場合、発見者は脆弱性の詳細を公開できるのだ[84]。

レスポンシブル・ディスクロージャに関する非公式なルールを成文化したものとして広く参照されているのが「フルディスクロージャ・ポリシー」だ。これは「レインフォレスト・パピー」の名で活動するセキュリティ研究者によって書かれたものである[85]。このポリシーでは、発見者とベンダーの両当事者に関する基本ルールが設定されている。たとえばベンダーは、発見者からメールで脆弱性の報告を受けた場合、5日以内に返信しなければならない[86]。

レスポンシブル・ディスクロージャはフルディスクロージャに比べてマイナス面が少ないため、セキュリティコミュニティでは、それを「正しい行い」と見なすようになった。しかし、レスポンシブル・ディスクロージャが好まれるようになった一因に、脆弱性を研究している人々とソフトウェアベンダーの双方が、彼らの目的をより効果的に達成できることがある。ホワイトハット・ハッカー、セキュリティ研究者、セキュリティ企業にとってレスポンシブル・ディスクロージャを採用するインセンティブは、自分たちの仕事に対する公的な信用を得られることだった。ソフトウェアベンダーがパッチの提供と同時に脆弱性を発表する場合には、一般的に脆弱性を発見した人の名前も記載する。そのため脆弱性の発見者は、レスポンシブル・ディスクロージャのおかげで公に認知される機会を得るのだ。ソフトウェアベンダーにとってレスポンシブル・ディスクロージャを採用するインセンティブは、脆弱性に関する情報が公になる前に、脆弱性を修正するための事前の警告が得られることだった。そのおかげで、ソフトウェアベンダーの顧客体験が改善された。フルディスクロージャでは、顧客はパッチのない脆弱性からシステムを守るために奔走しなければならなかった。しかしレスポンシブル・ディスクロージャでは、顧客は脆弱性に関する情報が広く知られる前にパッチを受け取り、事前にパッチをインストールして自衛することができる。多くの場合、パッチは脆弱性の詳細が公表されないまま提供された。

レスポンシブル・ディスクロージャは、フルディスクロージャに代わって支持される開示方法となった。しかしレスポンシブル・ディスクロージャのアプローチが成り立つのは、フルディスクロージャの脅威がその背後に潜んでいるためだ。セキュリティ脆弱性の報告を受けたソフトウェアベンダーは、パッチを作成して公開しなければ、脆弱性の発見者が脆弱性の詳細を公開できることを知っていた――つまりフルディスクロージャと同じ状態になるのだ。レスポンシブル・ディスクロージャの言葉があってもその精神が守られないとき、緊張が走る。研究者やセキュリティ企業は、ソフトウェアベンダーがパッチを発行してから数時間、さらには数分以内に脆弱性に対してのエクスプロイトを公開することもあり、それによってパッチを当てる組織と脆弱性を利用するハッカーとの間に競争が生まれた[87]。

脆弱性の研究者は、脆弱性に関する報告を受けたベンダーがその情報を長い間放置しているのではないかと不満を漏らすこともあった[88]。ベンダーはさらに、パッチの実装が遅れていることについて言い訳をしていると批判された[89]。こうした理由から、研究者の中には「レスポンシブル・ディスクロージャ」という表現に違和感を覚える者もいた。「レスポンシブル（責任ある）・ディスクロージャ以外の開示方法は、その名のとおり無責任である」ことを暗に示しており、そのことで彼らは精神的負担を感じ始めていたのである[90]。彼らの意見では、レスポンシブル・ディスクロージャによって、研究者が脆弱性を通知する相手やタイミングについて、ベンダーがあまりにも大きな発言力を持つようになってしまったというのだ[91]。

レスポンシブル・ディスクロージャによってソフトウェア企業は、外部の研究者が自社製品の脆弱性を発見した場合、その研究者のスケジュールに合わせて脆弱性を修正し、パッチを発行しなければならないという状況に陥った。その結果、一部の大企業は、バグハンターのチームを社内に設置し、外部の人間よりも先に脆弱性を見つけてパッチ作成スケジュールのコントロールを失わないようにした[92]。そうしたバグ発見チームはときに、自社製品だけでなく、それ以外のソフトウェアの脆弱性を探すことも求められた[93]。脆弱性を探すソフトウェアは、その企業が使っているオープンソースソフトウェアの場合もあれば、一般に使用されているソフトウェアの場合もあった。他人のソフトウェアの脆弱性を発見するこうした作業は、消費者保護のための利他的な行為と考えられることが多かった[94]。

しかし、専門のバグ発見チームによって他人のソフトウェアに重大な脆弱性を発見した企業は、ときに2つの目的のためにその脆弱性を公表していたようだ――彼らは脆弱性の存在を強調するだけでなく、自社が脆弱性発見に秀でていることを宣伝し、それによって会社の名前を売ろうとしたのである[95]。このように、大企業は脆弱性研究に資金を投じることで、レスポンシブル・ディスクロージャを「プロモーテッド・ディスクロージャ（宣伝された開示）」と呼べるものに変えた。

バグ発見チームが注目を集める脆弱性を発見・公開することで、企業は一般の報道機関やセキュリティ関係の報道機関から取り上げられリターンを得ることができた。しかし、そこにはときにビジネス上の思惑が絡んでいる印象もぬぐえない[96]。グーグルの脆弱性発見チーム「プロジェクト・ゼロ」は、マイクロソフトのウェブブラウザのインターネットエクスプローラーに脆弱性を発見し、マイクロソフトから「まだパッチが準備できていないので情報を公開しないでほしい」と言われたにもかかわらず、脆弱性の詳細を公開した[97]。またあるときは、プロジェクト・ゼロはウィンドウズの深刻な脆弱性を公開したが、それはマイクロソフトに報告したわずか10日後だった[98]。

２０１４年４月、グーグルに所属する脆弱性の研究者が、ウェブブラウザとウェブサーバー間の暗号化通信に広く使われていたコードに脆弱性を発見した。[99] これは深刻なバグだった――インターネット上のウェブサーバーの約17パーセント（約50万台に相当）が脆弱であると想定されたのだ。[100] この脆弱性を広く知らしめるために、脆弱性には「ハートブリード（心臓出血）」という名前が付けられ、赤い心臓が血を滴（したた）らせているロゴ、さらに独自のウェブサイトまで作られた。[101] ハートブリードという名前は、プログラムのハートビート（ネットワークに接続した機器が、正常に動作していることを示すために定期的に送信する信号）を扱うソフトウェアの一部に脆弱性があったことから付けられた。ハートブリードを旗印としたマーケティング活動は、その名前に「深刻」で「致命的」な響きがあることから感情に訴えるものがある、として評価された。[102] しかし、ハートブリードの存在が明かされその啓発活動が始まると、今度はハッカーたちがその脆弱性を利用し始めた。ハートブリードの脆弱性は、カナダ政府が保管する個人情報のハッキングに利用され、それによって政府は数日間にわたりウェブサイトを閉鎖することとなる。[103] ２０１４年8月には、ハッカーが同じ脆弱性を使い、米国第2位の規模を誇る病院チェーンから患者の記録を４５０万件盗み出した。[104]

それからは他の企業も、自社が発見した脆弱性をハートブリードと同様の形で知らしめる活動を行っており、「ランペイジ（暴力）」「シェルショック（砲弾ショック）」「スカイフォール（天変地異）」などの刺激的な名前を付けている。[105]

ハートブリードは、ＮＳＡに大きな問題をもたらした。ＮＳＡは、この脆弱性のことを公開の少なくとも2年前から知っており、ゼロデイ脆弱性としてコンピュータのハッキングに利用していたと非難されたのである。[106] ＮＳＡは、ゼロデイ脆弱性に対して特別な立場にあった。というのも、彼らにはいわゆる「デュアル・マンデート（2つの使命）」が与えられており、米国の敵国やライバル国から情報を摑むという使命だけでなく、国内のコンピュータのセキュリティを守るという義務も抱えていたのだ。[107] この2つの使命は、NSAがゼロデイ脆弱性を発見した場合、ジレンマに直面することを意味する。NSAは、発見したゼロデイ脆弱性を諜報活動のために利用することもできるが、その場合は脆弱性の情報が秘密にされることを意味し、国内のコンピュータを危険にさらすことになる。一方でNSAには、ソフトウェアベンダーに脆弱性の詳細を明らかにするという選択肢もある。この場合、ベンダーがパッチを発行するため米国のコンピュータは守られることになるが、NSAは諜報活動のためにゼロデイ脆弱性を利用することができなくなる。[108]

このジレンマは、ハッカーや他国家などの他者が、同じゼロデイ脆弱性を発見する可能性がどれだけあるかにかかっている。可能性が低いのであれば、デュアル・マンデートの観点からはベンダーに脆弱性の詳細を明かさない方が合理的であり、その逆もまた然りである。このように、同じゼロデイ脆弱性を他者に発見されるという考え方を「再発見」と呼ぶ。[109] もし再発見率が高ければ、そのゼロデイ脆弱性は他の誰かに発見される可能性が高いため、価値は低い。米国の政府機関は、他国の政府と同じゼロデイ脆弱性を溜めこんでいる可能性が高く、こうした場合、開示しない理由はあまりない。[110] しかし再発見率が低ければ、他人からも発見される可能性が低くなるため、ゼロデイ脆弱性の価値は高くなる。米国の政府機関は、自分たちが集めたゼロデイ脆弱性は唯一無二のものであると考え、それゆえ開示を行わない方向に傾く。[111] しかし、再発見率の計算は簡単ではない。ある研究の推定によれば、ゼロデイ脆弱性の平均有効期間は7年とかなり長く、あるゼロデイ脆弱性のセットが1年後に外部から発見されている可能性はわずか6パーセントしかない[112]。しかし別の研究の推定では、再発見率は13パーセントと大幅に高くなる[113]。

再発見や、デュアル・マンデートへの最適解に関する議論は、NSAにとって目新しいものではなかった。NSAには、通信の安全確保のための暗号化方式を解読し、外国政府の電話やその他の通信を傍受しようとしてきた長い歴史がある。通信セキュリティ(COMSEC)と呼ばれるこの研究分野は、現在のゼロデイ脆弱性と同じジレンマの多くに直面してきた。NSAは、特定の通信システムのセキュリティを破る方法を発見したとき、その知識を使って盗聴することも、通信システムをより安全にするための解決策を提案することもできたからである[114]。

公表される前からハートブリードを知っていたという非難に対応するため、NSAはツイッターの公式アカウントから、「NSAは最近確認されたハートブリードの脆弱性について、公表されるまで知らなかった」というツイートを投稿した[115]。その数週間後、ホワイトハウスのサイバーセキュリティコーディネーター兼大統領特別補佐官もブログ記事を投稿し、「ほとんどの場合、新たに発見された脆弱性を責任を持って開示することは、明らかに国益にかなうものである」としながらも、「開示するかどうかの判断には賛否両論がある」と述べた[116]。また同記事は、米国政府が「脆弱性の公開について、規律があり、厳格で、ハイレベルな意思決定プロセスを確立した」と主張している[117]。

このプロセスには、「脆弱性公平性プロセス(VEP)」という名前が付けられた[118]。VEPは、米国家情報局が2008年から2009年にかけて策定したもので、連邦政府がゼロデイ脆弱性を扱う際のプロセスを定めている——つまり、ベンダーに脆弱性を知らせてパッチの作成を促すか、NSAやその他の米諜報機関が使えるように情報を秘密にしておくかを選択するのだ。[119] またこのプロセスでは、ゼロデイ脆弱性を発見または認識した政府機関は、ＶＥＰの運営事務局であるＮＳＡの情報保証局に報告することが義務付けられている。[120] その後、ＣＩＡ、ＮＳＡ、国防総省などの機関の代表者で構成されるＶＥＰ委員会が定期的に開催され、提出された脆弱性のリストを審査する。委員会は、影響を受けるベンダーに通知するかどうかの判断を下すが、その際には脆弱性に「運用上の価値」があり、「情報収集、サイバー作戦、または法執行機関の証拠収集」に役立つかどうか、またその脆弱性を利用することで「サイバー攻撃者に対抗する際の専門的な運用上の価値」が得られるかどうか、要は脆弱性がハッキングに役立つかどうかが考慮される。[121]

ＮＳＡは２０１５年に声明を発表し、これまで同局が、「米国で作成・使用され、かつわれわれの内部レビュープロセスを経た脆弱性の91パーセント以上を公表してきた」と述べた。[122] しかし電子フロンティア財団などの団体は、この声明には多くの議論の余地があると指摘している。そこには、米国政府によって発見されたものの、ＶＥＰに諮（はか）られなかったり、「米国で作成・使用された」とは言えない脆弱性も含まれていた可能性があるというのだ。またＮＳＡの声明では、彼らがゼロデイ脆弱性をＶＥＰプロセスにかける前に、それをコンピュータのハッキングに利用したかどうかについては言及していない。[123] こうした曖昧な点があることから、ＶＥＰはトリアージのための仕組みではなく、むしろ広報目的で作られたのではないかと指摘する識者もいる。[124]

脆弱性の売買

ゼロデイ脆弱性はＮＳＡを始めとするさまざまな組織にとって価値があった。というのも、それを利用することで得られるものは大きく、その価値は次第に金銭的に表されるようになっていった。フルディスクロージャの時代には、脆弱性の発見に対して金銭的な報酬を与えることは避けられていた。レインフォレスト・パピーが作成したフルディスクロージャ・ポリシーには、「金銭的な報酬は……まったくお勧めできない」と書かれていた。[125] しかし、ゼロデイ脆弱性を売買するというアイデアは２０００年にあるサイトで書かれており、２００２年には、企業はゼロデイ脆弱性に関する情報やゼロデイ脆弱性を利用したエクスプロイトに対して対価を払うようになっていた。[126]

２００５年、フィアーウォール（fearwall）と名乗るハッカーが、オークションサイトのイーベイに、マイクロソフトの表計算ソフトのExcelのゼロデイ脆弱性に関する情報を出品した。[127] そして入札額がおよそ１２００ドルに達したとき、この出品は削除された。[128] また同年末には、ロシアのハッカーによって、ウィンドウズの脆弱性を利用したエクスプロイトが４０００ドルで販売された。[129] 脆弱性が発見されたソフトウェアの重要性が高ければ高いほど、エクスプロイトの価格も高くなった。マイクロソフトが２００７年1月にＯＳのウィンドウズＶｉｓｔａをリリースした際、アイディフェンス社は、最初に発見された6つのゼロデイ脆弱性の情報に対して８０００ドル、さらにそれぞれの脆弱性に対して有効なエクスプロイト１つにつき追加で４０００ドルを支払った。[130] ウィンドウズＶｉｓｔａの脆弱性を利用したあるエクスプロイトは、その後、５万ドルという価格で売りに出されている。[131]

価格はどんどん上がっていったが、一部のセキュリティ研究者はまだ十分な報酬が得られていないと思っていたようだ。２００９年、ＮＳＡ職員から営利目的の脆弱性研究者に転身した人物が、「ノーモア・フリーバグ」というキャンペーンを開始した。[132] 彼と彼の同僚は、研究者がゼロデイ脆弱性を見つけるために費やす時間を考えると、市場は脆弱性研究者を公平に扱っていないと主張した。[133] これは奇妙な訴えだった。研究者たちは、ゼロデイ脆弱性を探すことを強いられていたわけではないからである。[134] 仮に彼らが優秀なプログラマーであるなら、間違いなく高収入の仕事に就くことができただろう。しかしそのような仕事では、脆弱性の発見によって「スーパーギークの名声」を得ることはできなかったはずだ。[135]

ゼロデイ脆弱性の市場に参入する企業が増えるにつれ、企業はゼロデイ脆弱性の情報を売買するようになった。そうした企業の中には、レイセオンやノースロップ・グラマンなどの防衛関連企業や、ネトラガードやエンドゲームなどのセキュリティ企業が含まれていた。こうした企業の幹部には、政府と産業界の双方から雇われている者もいた。エンドゲームの会長は、ＣＩＡの要請で設立されたベンチャーキャピタルのインキューテルの最高経営責任者である。ＣＩＡは、諜報機関に利益をもたらすであろう民間企業に資金を提供する目的で、インキューテルを設立させたのだ。[136]

ゼロデイ脆弱性を購入、仲介、転売するために設立された企業は、レスポンシブル・ディスクロージャはせっかくの儲け話を無駄にしてしまうので合理的ではないが、最高値で入札した相手にゼロデイ脆弱性を売るのは合理的だと考えていた。[137] こうした姿勢は反発を招き、脆弱性情報を売買する企業は、「倫理観に問題のある日和見主義者」や「現代版の死の商人」が経営し、「サイバー戦争のための弾丸」を売っていると言われた。[138] こうした批判を行った人々は、ゼロデイ脆弱性を売買する営利企業は、実質的に民間の武器製造業者であると見なしていた。彼らが売買する武器はゼロデイ脆弱性を利用したエクスプロイトであり、他国や民間人へのハッキング、あるいは電子犯罪に利用される可能性がある。一部の企業はこうした懸念を払拭しようと、ゼロデイ脆弱性を利用したエクスプロイトをNATO加盟国政府に対してのみ販売することを約束した。[139] しかしこうした制約を設けても、脆弱性情報を購入した企業がハッキングされるなど、それが悪人の手に渡る可能性は残っていた。[140] 2015年、「攻撃的なセキュリティ技術」を販売していたハッキング・チームという名のイタリアの会社がハッキングされ、数百ギガバイトのソースコード、社内メール、法務資料、請求書などがインターネット上に流出した。[141] 流出したファイルの中には、ウィンドウズやインターネットエクスプローラーなど、アドビやマイクロソフトが開発したソフトウェアのゼロデイ脆弱性を突くエクスプロイトが含まれていた。[142]

ゼロデイ脆弱性市場は、レスポンシブル・ディスクロージャの規範を覆した。脆弱性を見つけたホワイトハット・ハッカーやセキュリティ研究者は、これまではその影響を受けるソフトウェアベンダーに報告してきたが、いまや彼らは、その情報を売るという選択肢も手にしたのである。それが情報セキュリティ全体にとって、純粋にプラスになるのかマイナスになるのかはわからない。[143] 市場でお金が動くことによって逆インセンティブを生み出す可能性もある。たとえばソフトウェア開発者が自社製品に脆弱性を仕込んでおき、その情報を販売する、といった具合だ。そうしたソフトウェア開発者は、もっともらしく否定できる形で、脆弱性をコードに挿入することができる。そのようなコードを書けることは、「アンダーハンデッド・C・コンテスト」と呼ばれるコンテストですでに証明されていた。このコンテストでは参加者たちはC言語を使って、安全なようで実は悪意があり、発見されてもプログラミングエラーやただのミスのように見えるコードの作成を競い合う。[144] しかしこうした懸念は、当時起こっていたバーチャル・ゴールドラッシュによって一蹴（いっしゅう）された。ゼロデイ脆弱性の市場では、企業はより大きな財力を持つ政府機関に競り負けることが多かったのである。[145] ゼロデイ脆弱性の購入に多額の資金を投入していた国家として、イスラエル、英国、ロシア、インド、ブラジルが挙げられる。[146] 2012年には、NSAはフランスのセキュリティ企業のヴュパンによる「ゼロデイサービス」というサブスクリプション型サービスを契約し、脆弱性情報の購入を開始したことが知られている。[147] 翌年、NSAはゼロデイ脆弱性の購入額で世界一になったと言われ、彼らはそれを防御のためではなく、ハッキング目的で購入していた。[148] 米国の他の政府機関もゼロデイ脆弱性の購入に関心を持っていた。米海軍は、ゼロデイ脆弱性を利用したエクスプロイトの入手を求める提言を公表する。彼らが探していたのは、マイクロソフト、IBM、アップルなどのベンダーが提供する商用ソフトウェアに対するゼロデイ脆弱性のエクスプロイトだ。[149] 2016年、FBIはアップルのアイフォーンに存在するゼロデイ脆弱性のエクスプロイトに130万ドル以上を支払った。[150] アイフォーンは高度なセキュリティ機能を搭載しており、その脆弱性情報は最高額で取引されるターゲットになっていたのである。ゼロディウムという企業は、アイフォーンに使われているOSであるiOSのゼロデイ脆弱性に対して、100万ドルを支払うと発表した。[151] 後に彼らは、その脆弱性に対して実際にその金額を支払ったと主張したが、その情報の売り先は、政府機関や「巨大企業」など、「米国内の顧客に限定する」と述べている[152]。

脆弱性の市場が拡大するにつれ、テクノロジー企業も参入するようになる。彼らは通常、自社製品に発見された脆弱性に対して、固定費や報奨金を用意していた。この場合、脆弱性の定義は通常かなり広く、ゼロデイよりも重要度の低い問題を含むことが多い。たとえば、ある企業のインターネットにつながったコンピュータに、セキュリティトラブルを引き起こしうる設定ミスを見つけた人に報酬を支払うケースなどだ。

1996年、ネットスケープ・コミュニケーションズは、自社のソフトウェアに発見された脆弱性に対して1000ドルの謝礼とTシャツを提供していた。しかし、多くの組織がバグに対する報奨金制度を設けるようになるのは、2010年代半ばになってからである[153]。こうした制度では、当該企業の製品やウェブサイトのセキュリティ脆弱性を報告した人は、報酬（通常は金銭的な見返り）を受け取ることができる。アップルやグーグル、マイクロソフト、フェイスブック（2021年、社名を「メタ」に変更）といった大手企業や、国防総省などの米政府機関もバグ報奨金制度を設置している[154]。バグ報奨金制度を設置した組織は、バグ報奨会社といった形で仲介業者を用いることが多い。バグ報奨会社は、バグの報告をした人々と直接やり取りする一方で、報奨金の支払いも管理する。このモデルはスケールメリットをもたらした。バグ報奨会社は、さまざまな組織に対してバグの報告をする多くの人々の扱いに習熟することができたのだ。ある大手のバグ報奨会社は、2017年までに、ベンチャーキャピタルから7400万ドルの資金を調達した[155]。同社のCEOは、バグ報奨金制度を通じて「より安全なインターネットの構築に向けて世界を後押しする」と述べたが、現実はそれほど単純ではなかった[156]。

バグ報奨金制度では、一般的に、重要度の高い脆弱性に対しては高い報酬が与えられ、重要度の低い脆弱性に対しては低い報酬が与えられる。しかし、研究者は脆弱性を発見した場合にのみバグ報奨金制度から報酬を得られるため、脆弱性発見の難易度と報酬の可能性という点で、研究者にとって望ましいトレードオフとなる脆弱性のみを探すインセンティブが働く。その結果、バグに対して報奨金を提供する組織は、比較的見つけやすい脆弱性を探す人は多く得られるが、見つけるのが難しい脆弱性を探す人はあまり得られない[157]。他にも脆弱性の研究者に働くインセンティブとしては、新しく始まったバグ報奨金制度に時間と労力を集中させたり、既存の制度からそうした新しい制度に乗り換えたりする、というものがある[158]。新しい報奨金制度は手つかずで、報酬を得られるような脆弱性を発見できる可能性が高いからだ[159]。こうして、バグ報奨会社とその顧客の目標が一致しない状況が生まれる。バグ報奨会社は新しい顧客との契約を望んでいるが、そうすることで、既存の顧客のために脆弱性の発見に勤しむ研究者を奪ってしまうのである[160]。またバグ報奨金制度では、その性質上、後手の対応にならざるを得ない。コードに存在している脆弱性には対処しようとするが、そもそもなぜそうした脆弱性がコードに存在するようになったのかという、より根本的な問題には対処しないのだ。したがってバグ報奨金制度は、脆弱性が存在する原因となっているシステム上の問題に対しては、解決策を与えられない。ホワイトハット・ハッカーが、あるソフトウェアのセキュリティ脆弱性を発見して報告したところで、それが将来そのソフトウェアに見つかるであろう同じタイプの他の脆弱性に対しての解決策になることなどないのである。

バグ報奨金制度は当初、「ノーモア・フリーバグ」キャンペーンの目標を達成しうる仕組みかと思われた。しかし、この制度によるセキュリティ研究者への金銭的な見返りは、彼らが期待していたほどではなかった。2012年の時点で最大のバグ報奨金制度は、HPティッピングポイントという会社が運営する「ゼロデイ・イニシアチブ」だった。この制度は2005年から2012年の間に560万ドルの報奨金を支払っており、報奨金を受け取ったすべての研究者に対して年間で1人あたり8万ドルを支払ったことになる。[161] 2016年の時点でフェイスブックのバグ報奨金制度は、開始以来800人のバグハンターに430万ドルを支払っていたが、平均すると研究者1人あたりでわずか5000ドル程度に過ぎない。[162] 一般の研究者が受け取る金額は、実際にはこの金額よりもはるかに少ないだろう。バグハンターの中でも少数のエリートが報奨金の大半を手にしているからだ。[163] ある大手バグ報奨会社が多額の報奨金を支払わない理由として挙げたのは、多額の報酬を払えばソフトウェア開発者は仕事を辞めてバグハンターとして働き始め、「バグを修正する人がいなくなってしまう」というものだった。[164] これは馬鹿げた主張だ。というのも、新しいコードを書くソフトウェア開発者がいなければ、脆弱性の調査が必要な新しいコードもなくなるからである。しかしこの主張は、営利目的のバグ報奨会社の嗜好を見分けるのに役立った。そうした主張をする会社が法人顧客のために用意したバグ報奨金制度は、意図的にバグハンターたちの利益に逆行するものになっていた——それは「多国籍企業が何百人ものセキュリティ研究者に無料で仕事をさせる」方法と説明されるような仕組みだったのである。[165]

バグ報奨金制度から報酬を得る目的で脆弱性を発見しても、情報セキュリティ分野におけるフルタイムの仕事に匹敵する給料は得られないことが、すぐに明らかになった。[166] 脆弱性の研究者の中には、バグ報奨金制度で支払われる報酬の額が、「住宅ローンや家族を抱える」研究者にとっては不十分だ、と不満を漏らす者もいた。[167] 限られた脆弱性研究者以外はバグ報奨金制度で生計を立てることができないため、制度に参加する人々の構成にも影響が出始めた。次第に開発途上国の人々が多く参加するようになったのは、バグ報奨金制度によって支払われる報酬が、途上国ではより購買力を持っていたからである。[168] 開発途上国の人々が、米国企業によって作られたウェブサイトやソフトウェアの脆弱性を発見することで報酬を得る、という状況にジャーナリストたちは関心を抱く。そして、そうした人々のプロフィールが数多く報じられた。[169] 記事に取り上げられたのは20代の若者が多く、バグ報奨金制度を企業に就職するまでの間の生活の糧にするか、バグ報奨金制度で稼いだお金で自分の会社を立ち上げようと計画している、と彼らは記事の中で語った。[170]

バグハンターが考慮しなければならなかったもう1つの点は、バグ報奨金制度への参加は必ずしも安全なものではないということだ。２０１５年に起きた事件では、あるバグハンターがインスタグラム（フェイスブックが所有する写真や動画の共有サービス）に脆弱性を発見した。彼がフェイスブックのバグ報奨金制度を利用して脆弱性を報告すると、フェイスブックの最高セキュリティ責任者であるアレックス・ステイモスは、そのバグハンターを雇っている企業のＣＥＯに電話をかけ、法的措置を取ると脅した。[171] フェイスブックは、バグハンターのテストが行きすぎていると感じたのである。[172] このバグハンターは、ステイモスが自分の雇用主に連絡したのは脅しの手段だと受け取った。[173]

バグ報奨金制度が金融市場に影響を与えたケースもある。２０１６年、ライドシェアサービスのウーバーがセキュリティ侵害に遭い、世界中のウーバーユーザー5700万人の個人情報が流出した。[174]個人情報には氏名、電子メールアドレス、電話番号などが含まれていた。しかしウーバーは、規制当局に事件を報告する代わりに、バグ報奨金制度を利用して情報漏洩の事実を隠蔽した。[175]同社はバグ報奨金制度を通じてハッカーに10万ドルを支払い、入手した情報を破棄させ、情報漏洩の事実を秘密にしてもらったのである。[176]ウーバーの取締役会は調査を委託し、初めて情報漏洩が起きていたことを知った。その後、最高セキュリティ責任者とその代理人の1人である弁護士は、この事件を理由に解雇される。[177]

ゼロデイ脆弱性の売買やバグ報奨金制度によって生み出された市場は、開示の問題に対する資本主義の最終手段だった。買い手と売り手の間に割って入った中間業者のバグブローカーたちにとっては、他のアプローチなど考えられなかった。彼らは、自分たちの存在に代わるものはすべて「共産主義的」だと考えていたのである。[178]バグ報奨金制度は、ある意味ではハッカー側の勝利だった。それによって、ハッキングは社会にとって良いものであるという考え方が広く認められることを意味していたからである。ハッカーたちにとっては、一流の大企業から、自社のソフトウェアをハックすれば報酬を出すという招待状が届いたのに等しい。しかし、これはハッカーとその脆弱性発見能力の商業化でもあり、商業化は私的支配を意味する。

いまやハッキングにロマンはなく、商業的関心から解放された知的快楽もない。ホワイトハット・ハッカーは、セキュリティ研究者やバグハンターとその呼び名を変えたが、1人の人間よりも大きな、企業が動かす機械の歯車の1つに過ぎなくなった。彼らの周りでは現金がすべてを支配しており、その現金には秘密が求められた。ゼロデイ脆弱性を売った人は、その脆弱性を公にすることはできない。脆弱性を公表すると、脆弱性の購入者からその効力を奪うことになるからである。また購入者側も、情報の価値をできるだけ長く保ちたいと考えているため、脆弱性を公表しない。こうした構図によって、ホワイトハット・ハッカーやセキュリティ研究者、セキュリティ企業は、情報の開示によって自らをアピールし、ステータスを得ることができなくなってしまった。彼らは上からも下からも追い詰められた。上を見れば、そこにはゼロデイ脆弱性の発見に莫大なリソースを投入できる国家がいて、彼らにはもはや太刀打ちできない。下を見れば、それほど深刻ではない脆弱性は、企業内のソフトウェアセキュリティの取り組みやバグ報奨金制度によって対処されている。彼らは地位を取り戻すための新たな方法を必要としていた。

アピールのためのハッキング

そこで彼らが発明したのが、「スタントハッキング」だ。[179] これは自動車や航空機、医療機器など、日常的に使われている技術にセキュリティ上の脆弱性を発見し、公表する行為である。[180] スタントハッキングでは、世界を暴力的なまでに単純化していた。それはセキュリティの失敗に経済や心理がどう関わっているかということは一切考慮せず、ハッカーが得意とする、ハッキングと脆弱性の技術的な側面にのみ焦点を当てている。彼らがスタントハッキングで追求した脆弱性は、その対象がどんなに専門的なものであっても、最も世間の注目を集めるだろうと彼らが考えたタイプの脆弱性だった。彼らは貨物用コンテナ船、数百万ドルもするスーパーヨット、家庭用サーモスタット、緊急用サイレン、風力発電所、温度計、さらには電子トイレまでもハッキングした[181]。このようにセキュリティ研究の焦点が移ったことによって、セキュリティの脆弱性を利用した一種の「災害ツーリズム」（何らかの災害が発生した場所を観光目的で訪れる行為。災害への意識向上や地元経済への貢献といった点で肯定される一方で、倫理的な観点から否定する意見もある）が生まれた。２０１１年、あるセキュリティ研究者は、糖尿病患者の生命維持用医療機器のインスリンポンプを無線でハッキングする研究成果を発表した[182]。翌年、別のセキュリティ研究者は、人の体内にあるペースメーカーを遠隔操作でハッキングし、機能を停止させてその人を死亡させることができると主張した[183]。

見えてきたのは、暗く悲観的なビジョンだった。あらゆるものが脆弱であり、それはセキュリティには希望がないことを意味した。そして多くのジャーナリストは、このメッセージを進んで額面どおりに受け入れた。あるニューヨークタイムズ紙の記事は、自動車のスタントハッキングについて息を呑むような記事を書き、読者にこう語りかけた。「想像してほしい。高速道路を時速60マイル（約97キロメートル）で運転しているときに、あなたの車が何の前触れもなく急停止して、数十人もの負傷者を出す玉突き事故を起こす場面を。想像してほしい。車はハッカーに乗っ取られていて、あなたはこの事故とはまったく無関係なのである[184]」。別のニューヨークタイムズ紙の記事は、「ハッキングする悪人を止められるのは、ハッキングする善人だけである」と書いている[185]。スタントハッキングがジャーナリストや読者に歓迎されたのは、おそらくそれが人間の根源的な欲求を満たしていたからだろう。つまり、「未来はひどいものになる」とはっきり言われる方が、おそらくそうなるのではないかと疑っているよりも、いくらか苦痛は少ないのだ。

スタントハッキングは、危険な脆弱性に注意を向ける、無私無欲の行為として描かれた。触れられることがなかったのは、スタントハッキングはハッカーやセキュリティ企業が自らの技術力をアピールするための、1つの手段であるという点だ。[186] セキュリティ業界全体もスタントハッキングから恩恵を受けた。脆弱性やセキュリティ問題が一般紙に取り上げられることで、セキュリティ関連の製品やサービスの市場が拡大したのだ。ブラックハットやデフコンなどのセキュリティカンファレンスでは、最も脚光を浴びたスタントハッキングを行ったハッカーが講演に招かれた。[187] これはハッカーたちにとって、自分たちが脚光を浴びるようになったことを示す勝利だった。しかし、自分たちの存在をアピールするために始めたことが、次第に真実だと思われるようになっていった。そして彼らにとっては驚くべきことに、スタントハッキングを行った人々は、期待していたような敬意や感謝を受けられないこともあったのだ。

2015年、あるセキュリティコンサルタントが、デンバーからシカゴへ向かうボーイング737型機に乗っていた。フライト中、彼は機体のコンピュータの1つをハッキングしたという内容のツイートを、機内の無線LANを使って発信した。そして彼は、コンピュータに信号を送って機内の酸素マスクを作動させるべきかどうか尋ねた[188]（おそらく本当にそうする意図はなかっただろう）。このツイートを送信したことにより、彼はFBIに逮捕された。[189] 彼は取材に対し、ネットワークケーブルを使って航空機の座席の下にある電子機器に接続し、それを「おそらく15回から20回」フライト中に行ったと語った。[190] また、航空機に指示を出してエンジンの1つの出力を上昇させ、その結果、「機体を水平方向に移動させた」とも主張した[191]。しかしこれは明らかに自己欺瞞（ぎまん）であり、妄想に過ぎない。彼がボーイング737型機を水平方向に移動させた可能性は、航空専門家によると、まったく考えられないというのだ[192]。またボーイング側も、座席からアクセス可能なエンターテインメントシステムは、航空機の飛行を制御するシステムから完全に分離されているという声明を発表した[193]。

ボーイング737型機のスタントハッキング事件は、スタントハッキングにおける2つの危険性を示している。つまり、宣伝効果を狙ったハッキングは、リスクはまやかしであるという考えを生み出してしまうこと、そして、それによってまっとうな研究を台無しにしてしまうことだ[194]。自動車のセキュリティといったテーマに関する研究は、査読が行われる学術会議で発表され、論文審査を経た上で学術誌に掲載される[195]。しかし、スタントハッキングが存在することで、次のような識者のコメントを大衆紙が記事にしてしまう状況が生み出された。「ガレージのドアの開閉装置とプリングルスの缶を使ってペースメーカーを遠隔操作できるといった前衛的な恐怖[196]」。こうした報道は、日常生活に存在するリスクのレベルについて、誤った理解を一般の人々にもたらしうる[197]。

スタントハッキングが主要な報道機関の注目を集めることに成功したことで、その考えはさらに肥大化していく。ハッキングは純粋に善であると考えていた人々にとって、ハッキングという行為そのものを促進することは理に適っていたのである[198]。この信念は、子供を含むすべての人々が「ハッカーのように考える」ことを学び、ハッカーがするように脆弱性を見つけるべきだという考えにつながった[199]。２０１８年に開催されたデフコンのあるワークショップでは、5歳から16歳までの子供たちに、「大統領選挙の激戦州13州における、州務長官選挙結果サイトの正確なレプリカをハッキングして、得票数、ひいては選挙結果を変える機会」が与えられた。[200] ある米国の全国紙はこのことを報じる記事の中で、国土安全保障省の元ホワイトハウス担当者の、「これらの（選挙結果の）ウェブサイトは非常に簡単にハッキングできるので、大人のハッカーの課題にすることはできません。ステージの下から笑われてしまうでしょう」という発言を引用した。[201] しかし一般の人々にとって、「ハッカーのように考えろ」と言われるのは、「プロのシェフのように考えろ」と言われるのと同じだ。[202] ハッキングの方法を学ぶことは可能だが、その技術をキャッチフレーズで伝えることはできない。実際、デフコンのワークショップは欺瞞であることが明らかになった。子供たちは正確なレプリカではなく、イベントのために作られた、見た目がよく似たウェブサイトの脆弱性を見つけるように指導されていたのである。[203]

スタントハッキングは、セキュリティの脆弱性は一般の人々にとって恐ろしい脅威をもたらすという考えを広めた。そしてスタントハッキングによって、最も邪悪な恐れを秘めた者が最も大きな力を手にする。しかしそうした話の多くは、ハッカーたちが自分たちの利益のために誇張し、歪曲（わいきょく）した幻想だ。それはまさに多くの人々に利益をもたらすがゆえに、疑われることなく広まった幻想なのである。

8 データ漏洩、国家によるハッキング、認知的閉鎖

個人情報の流出

今日、情報セキュリティの分野には3つの汚名がある。これらの汚名は、歴史が目に見える形で現れたものだ――過去の判断の積み重ねによって、情報セキュリティの現在が形成されたのである。

第一の汚名は、データ漏洩だ。それは何億人もの人々に影響を与えている。[1] データ漏洩によって流出した金融取引や既往歴などの個人情報は、ブラックマーケットに売りに出される。[2] 犯罪者はその情報を購入し、「なりすまし犯罪」や詐欺などの犯罪に利用する。[3] このように個人情報を売買されたり悪用されたりしている人たちは、企業や組織に自分の情報を預けている。そうしなければ、現代生活におけるオンライン上での活動ができなくなってしまうのだ。[4]

また、法律によって情報公開が義務づけられていなければ、一般の人々がデータ漏洩について知る

ことはなかなかない。2003年7月1日、カリフォルニア州上院法案1386（SB1386）が可決された。[5] SB1386は、カリフォルニア州で事業を行うすべての企業に対し、「暗号化されていない個人情報が不正に取得された、または取得されたと合理的に考えられるカリフォルニア州の住民」に通知を送ることを義務づけている。この法律により、データ漏洩の報告件数は増加した。[6] カリフォルニア州に続いて、他の州も独自のデータ漏洩通知法を制定した。2016年までに、米国の47の州とコロンビア特別区、グアム、プエルトリコ、米領ヴァージン諸島がデータ漏洩法を設けている。[7] またデータ漏洩法について議論するために、米連邦議会で4回の公聴会が開かれた。[8]

漏洩の開示を求める法律には、2つの目的がある。1つは、情報が漏洩した人々に対して、その事実を認識できるようにすること。そしてもう1つは、情報漏洩を起こした組織に対して、一種の公的な恥をかかせることである。[9] 後者の狙いは、そうした組織の姿を見た別の組織に、今度は自分たちが恥をかかないようにと、行動を促すことにある。[10] これは古くからある考え方だ。1914年、米国のルイス・D・ブランダイス判事は、「世に知らしめることは、社会的・産業的疾患の治療薬として正当に評価されている。日光は最良の消毒剤と言われている」と書いた。[11] また、データ漏洩の原因となったセキュリティ上の欠陥を明らかにすることで、他の組織にとっても問題のあるセキュリティ慣行に消毒をするインセンティブとなる。[12] データ漏洩法は、セキュリティに関するインシデントの情報を明るみに出すことには有効だが、データ漏洩によって発生するなりすましの被害を減らす効果は比較的小さいと考えられている。[13] これはデータ漏洩による個人情報の流出に比べて、財布の盗難などの日常的な犯罪による個人情報の流出の方がはるかに多いためだ。[14]

2005年、米国の百貨店のTJマックスで深刻な情報漏洩が発生した。[15] ハッカーはセキュリティが保護されていなかった無線アクセスポイントを使って同社の社内ネットワークにアクセスし、1億人以上の顧客のデビットカードおよびクレジットカード情報を手に入れた。[16] 盗まれたデビットカードおよびクレジットカード情報の量から、TJマックスの情報漏洩は「史上最大のカード強盗」と呼ばれている。[17] 情報を入手したハッカーは、世界中の犯罪者と協力して金持ちになろうとした。[18] 盗んだ情報をブラックマーケットで売買する者もいれば、クレジットカード詐欺を働く者、得た利益をマネーロンダリングしてその資金を米国に送金する者もいた。[19] このハッキング事件を調査した米連邦検察当局は、米国人3名、エストニア人1名、ウクライナ人3名、中国人2名、ベラルーシ人1名、国籍不明者1名の計11名を起訴した。[20]

TJマックスに対する最初のハッキング事件で起訴されたのは、マイアミ出身のアルバート・ゴンザレスという米国人だった。[21] ゴンザレスは犯行によって手にした大金で、贅沢な暮らしを送っていた。BMWの新車を所有し、豪華なホテルのスイートルームに泊まり、自分の誕生日パーティーに7万5000ドルを投じたと報じられている。[22] また、ハッキングによってあまりにも多くの金を手にしたゴンザレスは、あるとき友人に対し、お札を数える機械が壊れて20ドル札を手で数えなければならなくなったと愚痴っている。[23] 2008年5月7日に連邦捜査官がゴンザレスを逮捕したとき、彼は2万2000ドルの現金と2台のノートパソコンを持っていた。[24] 後に彼は、両親の家の裏庭に120万ドルの現金が入った樽(たる)が埋められていることを連邦捜査官に伝えた。[25]

ゴンザレスが情報セキュリティに興味を持ったのは、12歳のときに自分のコンピュータがウイルスに感染したことがきっかけだった。[26]報道によれば、彼は14歳のときにＮＡＳＡをハッキングし、そのことでＦＢＩ捜査官が彼の学校を訪れている。[27]その後はブラックハット・ハッカーのグループを結成し、ウェブサイトを改竄したり、ハッキングで奪ったクレジットカード番号を使って服やＣＤを購入したりしていた。[28]ＴＪマックスなどの企業からクレジットカード情報を盗んだことを白状したのち、彼は懲役20年の判決を言い渡される。[29]動機については、反省した素振りも見せずに、自分の忠誠心が「常にブラックハットのコミュニティにあったから」と語っている。[30]

ＴＪマックスの情報漏洩事件では、クレジットカードの番号が盗まれ、その後の不正行為に使用された。しかしクレジットカードには有効期限があり、解約することもできる。また、クレジットカード会社が不正行為を検知する能力は時間とともに向上しており、引き出し制限も導入されている。[31]こうした理由から、犯罪者たちはハッキングによって得られる別のタイプのデータに目を向けるようになった。

２０１５年2月4日、米国最大級の医療保険会社であるアンセムは、ハッカーが同社のコンピュータから８０００万件の記録を盗んだことを公表した。これらの記録には、アンセムの顧客の個人的な医療情報が含まれていた。[32]アンセムの情報漏洩は、その後に続く多くの医療機関でのデータ漏洩事件における、初めての大規模な事例となった。[33]医療情報の漏洩がなぜ大ごとかというと、クレジットカードの場合と異なり、医療記録ではキャンセルができず、さらに有効期限もないからだ。盗まれた医療情報は、その後何年にもわたり繰り返し使用される可能性がある。医療記録はまた非常にプライベートなものでもある。２０１７年に起きたリトアニアの美容整形クリニックにおける医療記録流出事件では、60か国の患者の2万5000枚以上のプライベート写真がネット上に流出し、その中には裸体を写した写真も含まれていた。[34]

2015年7月8日、オバマ政権は、米連邦人事管理局（OPM）でデータ漏洩が発生したことを発表した。[35]OPMは、米連邦政府に勤務する民間労働者の管理を行う政府機関である。[36]業務内容はそうした民間人について、医療費や退職金を管理し、政策を策定すること、さらにセキュリティ・クリアランス（18ページ参照）が適用されるすべての民間人の身元確認を行う責任も負う。このセキュリティ・クリアランスの一環として、個々人に対しては、社会保障番号、指紋、健康記録、財務履歴の提出が求められた。[37]身元確認を行うために、セキュリティ・クリアランスが適用される人は、配偶者や「自分をよく知る人」に関する情報も提出しなければならない。[38]この「自分をよく知る人」については127ページに及ぶ「標準フォーム86」において、「友人、仲間、同僚、大学のルームメイト、同伴者などであること」と指定されている。[39]さらに、その人のフルネーム、電子メールアドレス、電話番号、自宅住所を記載することが求められている。[40]OPMがこうした情報の収集を担当していたということは、言い換えればOPMのコンピュータにその情報が保存されていたということだ。ハッカーがアクセスした情報には、OPMの職員の個人情報だけでなく、セキュリティ・クリアランスの申請書に記入された情報もあり、つまり表向きはOPMとは無関係の人々の情報も含まれていた。[41]このOPMの情報漏洩事件では、政府による身元確認を受けた2000万人の個人情報に加え、フォームに記載されていた200万人の個人情報が流出した。[42]ほとんどの組織では従業員の指紋は保存しないが、セキュリティ・クリアランス・プロセスの厳格な性質上OPMでは保存していた、つまり50

0万件以上の指紋がセキュリティ侵害によって流出したのだ。[43]

大規模なデータ漏洩を何度も経験している企業もある。ポータルサイトや電子メールサービスの運営で有名なヤフーでは、２０１３年に30億人のユーザーアカウントに関する情報が流出した[44]（当時の世界人口は約70億人）。翌年ヤフーは、少なくとも5億人のユーザーアカウントに関する情報が漏洩する、新たなハッキング被害にあった。[45] ハッカーが入手した情報には、パスワードリセット用の質問に対する回答が含まれていた。[46] ヤフーのユーザーが同じパスワードリセット用の質問と回答を他のウェブサイトで使い回していた場合、それらのウェブサイトのアカウントも侵害される恐れがあったのだ。

ＴＪマックス、アンセム、ＯＰＭで起きたそれぞれのインシデントは、時間軸におけるその位置づけと、漏洩した情報のタイプから注目に値するが、情報漏洩自体は他にも多く起きており、世界中でさまざまな規模の組織に影響を与えている。大規模なデータ漏洩事件があまりにも頻繁に発生するので、ある調査によると、２０１６年には米国の全成人の4分の1以上（約６４００万人）が、データ漏洩によって個人情報が流出したという通知を受け取ったと推定されている。[47]

組織は、自分たちが情報漏洩の被害にあったことを、さまざまな手段を用いて知ることができる。ハッカーが侵入した痕跡を、ハッキング行為の最中、もしくはその完了後に組織が発見することもある。企業の顧客が、請求書や資産報告書に異常を見つけ、自分の個人情報が何らかの形で悪用されていることに気付き、企業に連絡する場合もある。また法執行機関が、捜査の過程あるいは通報によって漏洩を発見し、被害にあった組織に知らせることもある。[48] 漏洩が公になるのは、組織が発表したときや被害にあった顧客に通知されたときで、顧客はその情報を公開することができる。このようなケースはデータ漏洩という氷山の一角に過ぎず、水面上に見えている部分だ。氷山の大部分は隠れており、その隠れた部分は組織が漏洩を検知したにもかかわらず通知しなかったり、漏洩がまったく検知されなかったりしたケースでできている。(49)

情報漏洩によって損害を受けるのは、被害にあった組織と自分の情報が流出した人々の両方だ。一般の人々は、データ漏洩によって有形無形のコストを負担することになる。それには金銭的なコストだけでなく、情報漏洩の通知に対応するために費やした時間や、個人情報が漏洩したことによる心理的な負担など、機会費用も含まれる。(50) 2016年の調査によると、データ漏洩に関するアンケートの回答者の6パーセントが、データ漏洩による被害から立ち直るのに1万ドル以上を費やしたと答えている。(51) 最も費用がかかったケースでは、クレジットカード情報や健康記録の漏洩を伴っていた。(52) このようなタイプの情報が漏洩した結果として生じるなりすまし犯罪は、特に大きな被害をもたらす。なりすまし犯罪の被害者はさらなる被害を防ぐために、クレジットカードを止めたり、不正な取引をキャンセルしたりするなどの措置を講じなければならない。(53) 同じ調査では、アンケート回答者の32パーセントが金銭的な損失はなかったと答えているが、損失を被った場合の中央値は500ドルと推定されている。(54) 1年後に発表された2つ目の調査では、データ漏洩にあった病院においては、データ漏洩後の患者の死亡率は1パーセントの10分の3とわずかながらも検出可能な増加を示していることが明らかになった。2011年以降、病院の死亡率の中央値はこれと同じ割合で減少している。したがってこの調査による発見が正しいとすれば、セキュリティ侵害を受けた病院は、死亡率の減少において1年分の進歩を失っていることになる。[55]

情報が漏洩した企業は、顧客にクレジット・モニタリング・サービスを提供することがある。クレジット・モニタリングとは、漏洩した情報が犯罪者に利用された際に顧客に通知を送ることで、被害の発生を阻止しようとするものだ。無料のクレジット・モニタリングは、企業による顧客に対するお詫びのようなものだが、情報漏洩が顧客にもたらす問題のすべてに対処できるわけではない。[56]というのも、クレジット・モニタリング・サービスを利用すること自体が、新たなリスクを生み出す可能性があるからだ。OPMの情報漏洩では、被害者に無料のクレジット・モニタリングが提供された。しかしその後、フィッシングサイトやソーシャルエンジニアリングによる電話を利用して、無料のクレジット・モニタリングを「有効化」するためと偽り個人情報を要求する詐欺が多発する。[57]無料のクレジット・モニタリング・サービスが、漏洩の被害者に直接販売されるのではなく情報漏洩にあった組織に販売されているという事実は、このサービスがエンドユーザーよりも購入者である組織により多くの利益をもたらしていることを示している。[58]

社会保障番号やいま住んでいる家の住所など、データ漏洩で流出した情報は変更することが困難だ。しかし、生年月日や既往歴などの医療情報にいたっては、変更することはそもそも不可能である。もしOPMの情報漏洩によって米国の諜報員の指紋データが流出していたとしたら、その人物を特定する情報を完全に変えたところで、指紋によって特定されてしまう。[59]企業はよく、流出した情報が詐欺などの犯罪に使用されたと「信じるに足る理由がない」と言う。しかし、生年月日や出生地などの変更できない情報の場合、企業にはその情報が将来的に使用されるかどうかを知る術はない。情報漏洩の発生から数十年後に使用される可能性さえあるのだ。[60]

公表される情報漏洩の件数が非常に多いことから、一般の人々は、自分の個人情報が保護されているという確信が持てないでいる。２０１５年に行われた調査では、クレジットカード会社が自分のカード情報のセキュリティを守れると「強く確信している」成人の割合は、たったの６パーセントだった。[61] これは驚くべきことかもしれないが、データ漏洩が発生した企業の顧客減少率の平均は、わずか11パーセントということがわかっている。[62] この数字には、ある企業から競合他社に乗り換える際のコストが高いこともある程度織り込まれているに違いない。さらに、データ漏洩を起こしたのが政府機関、あるいは競合他社を持たない組織だった場合、乗り換えることは不可能になる。

このように、セキュリティ侵害に関しての一般の人々の状況は、かなり厳しいものとなっている。それは組織にしても同様だ。セキュリティ侵害にあった組織には、直接と間接の2種類のコストが発生する。[63] 情報漏洩の後始末をしたり、ハッカーがコンピュータから排除されたことを確認したりすることは、直接的なコストの一例だ。[64] 間接的なコストは、顧客や、将来の潜在的な顧客からの信用や好感を失うことによって生じる。[65] どちらのタイプのコストも、大きな金額になるうる。２０１２年にサウスカロライナ州歳入局で発生したフィッシングメールによる情報漏洩事件では、サウスカロライナ州政府は、被害者にクレジット・モニタリング・サービスを提供するのに１２００万ドル、サウスカロライナ州に納税申告していた州外の住民に情報漏洩を通知するのに70万ドル、情報漏洩を調査するコンサルティング会社に50万ドル、セキュリティの監視に50万ドル、広報会社に16万ドル、特殊なセキュリティソフトウェアのインストールにさらに16万ドル、そして法律相談のために法律事務所に10

万ドルを支払う羽目になった。[66]

株式を公開している企業は、情報漏洩によって株価にダメージを受ける可能性がある。その影響の大きさは定かではないが、2017年の調査では、情報漏洩が発生したことを開示した翌日の株価下落は、平均で1パーセント以下と比較的小さな減少にとどまっている。[67]それ以前に行われた2006年の調査では、情報漏洩の直後には株価にマイナスの影響が確認されたが、それは短期間であったという。[68]株価への短期的な影響は、企業スキャンダルの影響に比べれば確実に小さい。[69]これは、企業が漏洩をポジティブなニュースと一緒に発表することで、情報漏洩という悪いニュースとのバランスを取ったり、それをかき消したりしていることが一因と考えられる。[70]また企業は、漏洩の発表を自らに関するネガティブなニュース報道が普段よりも少ない時期に行うことも知られている。[71]漏洩通知法では通常、漏洩を被害者に報告しなければならない期間（2か月以内など）を定めているため、この種のテクニックを使う余地が発生する。[72]こうした柔軟性により、組織は都合の良い時期に漏洩を発表することができるのである。

米軍はこれまでに、数多くの大規模なデータ漏洩を経験してきた。その中でも特に注目すべきは、内部の人間によるデータ漏洩、つまりインサイダーの脅威である。従業員が業務を遂行するためには情報へのアクセスが必要であるため、悪意のある内部関係者によるデータ漏洩を防ぐことは困難だ。[73]もし悪意のある内部関係者が電子メールを送信できるなら、電子メールを外部に送ることで情報を流出させることができる。同様に、もし悪意のある内部関係者が文書を印刷できるなら、流出させたい情報をプリントして、建物の外に持ち出せばいい。悪意のある内部関係者がデータを流出させる方法は、少なくとも情報の伝達手段と同じだけ存在する。[74] そして現代の接続された社会では、その数は非常に多い。インスタントメッセージ、ソーシャルメディア、ウェブサイト、そしてその他の形態の電子通信手段はすべて、悪意のある内部関係者にデータの流出を許すチャネルとなる。

流出する情報の性質上、軍のデータ漏洩事件は広く報道される。２０１０年、チェルシー・マニングという米軍兵士が、米国政府の文書約70万件をウィキリークスに流出させた。[75] その中には２５０件の外交公電や、イラクやアフガニスタンでの戦争に関する情報が含まれていた。[76] マニングは取り外し可能なメモリカードに文書をコピーして持ち出し、そのファイルをスウェーデンにあるウィキリークスのコンピュータに転送した。[77] マニングは２０１０年に逮捕され、２０１３年に懲役35年の判決を受けた。[78] その後、バラク・オバマ大統領によって減刑され、２０１７年に釈放される。[79] ２０１３年、エドワード・スノーデンというＣＩＡの元職員が、香港に渡航後、多数のジャーナリストにＮＳＡの情報をリークした。[80] 流出した記録の正確な数は不明だが、20万件以上と推定されている。[81] スノーデンがどのような手段を用いて情報にアクセスし、流出させたのかは明らかになっていないが、同僚からパスワードを入手することで、許可されていた以上のアクセス権を得た可能性がある。[82] 極めて皮肉なことに、スノーデンは２０１０年に認定ホワイトハッカーとして認定されていた。[83]

セキュリティ侵害の責任を、ヤフーなどその事態に直面した組織に帰するのは簡単だ。結局のところ、ヤフーのような情報漏洩を起こした組織には、そうした事態を防ぐために、情報セキュリティ対策を実施する責任があったのではないか——そのような考え方から、風刺サイト「ジ・オニオン」はヤフーの歴史を茶化して描き、その節目は「１９９４年：ジェリー・ヤンとデビッド・ファイロが、簡単にハッキングできるアカウントを持つ多目的ウェブポータルを作るという彼らの夢を追求することに決める」や「2017年：2013年に発生したデータ漏洩により、同社の30億のユーザーアカウントすべてと、それ以降のユーザーアカウントのすべてが影響を受けたことが確認される」などと揶揄されている。[84]

非難の矛先は、セキュリティ侵害にあった組織に向けられがちだ。よく言われるのが、使用された攻撃手段を阻止できるような技術的制御が導入されていなかった、ということだ。[85] そうした技術的制御が行われていないことが、侵害の決定的な要因であると考えられることが多いのである。[86] TJマックスは無線の暗号化を行っていなかったことを、OPMは二要素認証と暗号化を行っていなかったことを、それぞれ批判された。[87] セキュリティ侵害がたった1つの原因によって引き起こされると考えるのは魅力的だ。なぜなら侵害を受けた組織は、その穴さえ塞いでしまえば、リスクは取り除かれたと顧客に伝えることができるからである。[88] OPMの情報漏洩後、OPMの長官だったキャサリン・アーチュレッタは、米連邦下院に喚問された。彼女は自らの取り組みに対する評価を求められるとともに、情報セキュリティの観点から、彼女はOPMを率いることに「成功してきたか、失敗してきたか」と問われた。彼女の答えは、「サイバーセキュリティの問題は、何十年も前から起きています。政府全体に責任があるのです。問題の解決に継続して取り組むためには、私たち全員の力が必要です」というものだった。[89] この回答は、自らの責任を政府に転嫁しようとしたものと解釈されており、確かにそうした側面はあるかもしれない。[90] しかし、OPMのデータ漏洩やその他のデータ漏洩の根本的な原因は、表面的な分析からは想像できないほど深いところにあるという点では、彼女の言うことは正し

かった。(91)

ハッカーが無線ネットワークの脆弱性を利用してTJマックスに侵入したことは、OPMに侵入したハッカーが二要素認証の脆弱性を利用したことと同様に、さほど重要な話ではなかった。ハッカーは別の脆弱性を使ったり、フィッシングやゼロデイ脆弱性を利用したり、その他多くのハッキング手法を用いて侵入したかもしれない。(92) 実際のところ、データ漏洩の根本的な原因は多岐にわたっており、企業も個人も同じ構造的な課題に直面している。つまり、どちらも脆弱性を含むソフトウェアを使用しなければならない。どちらも電子メールやウェブなどのテクノロジーの基礎であり、セキュリティを考慮して作られていないインターネット・プロトコルを使用しなければならない。そしてどちらも多くの場合、完全な関連情報がないままセキュリティに関する意思決定をしなければならない。セキュリティ侵害は、その原因があまりにも多様化しているため、今後も組織と個人の双方に影響を与え続けるだろう。

米・中・露のハッキング戦争

第二の汚名は、国家によるハッキングがもたらす害である。2009年、ある組織化されたグループが米国企業をハッキングしていることが発覚した。彼らの目的は、知的財産を盗み出すことと、中国の人権活動家の米国での電子メールアカウントへアクセスすることだったと考えられている。(93) この攻撃は、グーグルが2010年1月12日に投稿したブログ記事で初めて公表された。(94) グーグルは金融、メディア、防衛、海運、航空宇宙、製造、電子機器、ソフトウェアなど、幅広い業界の企業が攻撃を受けたことを伝えた。(95) ハッカーが盗んだ情報には、医療分野での臨床試験結果、製品や製造工程の設計図、その他の機密情報が含まれていた。(96) ハッカーたちは主に、フィッシングとウェブブラウザのゼロデイ脆弱性を組み合わせて攻撃を行っていた。(97) このハッキング活動は、グループが使用していたハッキングツールの1つに含まれていた言葉にちなんで、「オーロラ攻撃」と名付けられている。(98)

その後の数か月にわたる調査によって、ハッカーが上海の浦東新区にある12階建てのビルで活動していたことが突き止められた。ビルの周囲には、レストラン、マッサージ店、ワイン輸入業者などの商業施設があったが、その建物自体には中国人民解放軍61398部隊のオフィスが入居していた。(99) 61398部隊は、少なくとも2006年から活動しているハッキンググループである。(100) 彼らは数百人のハッカーや、その他の技術専門家（英語を理解する人々も含む）を雇用していると推定されている。(101) このグループは、中国のコンピュータ・スパイ活動の中心的存在であり、何千もの攻撃を行ってきたと考えられている。(102) そのハッキング行為の規模の大きさから、彼らは「エルダーウッド」や「ビザンチン・キャンダー」、「コメント・クルー」などさまざまな名前で呼ばれてきた。(103) 最後の名前は、彼らがハッキング活動の一環として、ウェブページ内のコメント（注釈）を使用することに由来する。(104)

61398部隊に関するこれらの発見は、米国の情報セキュリティ企業であるマンディアントによるものである。(105) マンディアントがオーロラ攻撃を61398部隊と紐づけたことは、ニューヨークタイムズ紙によって報じられる。これに対して中国政府は、マンディアントの報告は「専門家によるものとは思えない」「迷惑で滑稽」と否定的な見解を示した。(106) これに対してマンディアントの担当者は、

「(攻撃が)61398部隊の内部から来ているか、あるいは世界で最高レベルの管理・監視が行われているインターネット・ネットワークの運営者たちが、この一帯から攻撃を仕掛けている何千人もの人々の存在に気付いていないかのどちらかだ」と答えた[107]。さらにマンディアントの広報担当者は、もし攻撃を行っているのが61398部隊でないとすれば、「上海の通信インフラに直接アクセスでき、中国本土の出身者で構成され、61398部隊のオフィスのすぐ近くで複数年にわたる企業規模のコンピュータ・スパイ活動を行っている、資源の豊富な秘密組織」であるに違いないと述べている。

マンディアントはオーロラ攻撃を「高度で持続的な脅威(Advanced Persistent Threat)」と表現した。「高度」なのは攻撃者がゼロデイ脆弱性を利用していたため、そして「持続的」なのは、攻撃者がターゲット企業へのハッキングという目的を達成するために十分な資金と意志を持っており、また一度アクセスに成功すると、長期にわたって侵入したコンピュータに留まるためである[108]。平均すると、61398部隊は丸1年間、ハッキングした企業のコンピュータにアクセスしていた。またあるケースでは、5年近くにわたりアクセスを維持している[109]。オーロラ攻撃をきっかけに「高度で持続的な脅威(APT)」という言葉が生まれたことから、61398部隊には「APT1」という名称が与えられた[110]。

2014年5月、米連邦大陪審は、米国内の組織から知的財産を窃盗した容疑で、61398部隊のメンバー5名を起訴した[111]。これは主に、米国政府による象徴的なジェスチャーに過ぎない。起訴されたメンバーが中国本土を離れて米国の法執行機関の手の届くところまで来ない限り、彼らが逮捕される可能性はほとんどないからだ。米国政府が61398部隊のメンバーを起訴したのは、彼らが米国企業への攻撃を行ったためである。しかし、中国は米軍からも情報を盗んでいたと言われている。盗まれた情報には、弾道ミサイルを撃墜するためのシステムの設計図や、軍用機（V22オスプレイ、F35統合打撃戦闘機、ヘリコプターのブラックホークなど）の設計図が含まれていたと報告されている。[112] ２０１８年には、中国政府のハッカーが米国政府の契約企業のコンピュータをハッキングし、「シードラゴン」のコードネームで知られる超音速対艦ミサイルの計画に関する、６００ギガバイト以上の情報をコピーしたとされている。[113] ２０１６年に起きたＯＰＭのデータ漏洩も、その後、中国の仕業であるとされた。これは、連邦政府職員の身元確認の一環として提出された機密情報が、中国のハッカーの手に、つまり中国政府の手に渡ったことを意味する。[114] 中国によるハッキングは非常に効果的で、風刺サイトのジ・オニオンは、ヤフーのデータ漏洩の際と同様に、「米国のセキュリティシステムには脆弱性があまりにも多いため、中国はハッカーの募集が間に合わない」という見出しをつけて米国のセキュリティの失敗を風刺した。[115]

中国と同様に、ロシアもハッキング能力の向上に多大な資源を投入している国家である。「ファンシーベア」は、ロシアの軍事諜報機関のＧＲＵと関係があるとされる一大ハッキンググループに与えられた名前だ。[116] このように考えられているのは、このグループに関連するハッキングツールの一部にロシア語が使用されていたり、彼らによるハッキングがおおむねモスクワの就労時間中に行われているのが確認されているからだ。またファンシーベアは、ロシア政府が関心を持つテーマを中心にハッキングを行っている。[117] このグループは、ロシアが２００８年に侵攻したジョージア、そして東欧全般に関心を示しているのだ。[118] ファンシーベアは、ロシア政府の政治的利益を追求するために、北大西洋条約機構（NATO）の加盟国を標的にしてきた[119]。彼らが標的としてきた具体的な人物としては、コリン・パウエル元米国務長官やウェズリー・クラーク米陸軍大将といったNATOの高官が挙げられ、他にもボーイング、ロッキード・マーティン、レイセオンなどの米国の防衛関連企業が標的となってきた[120]。ファンシーベアの標的であったことが判明した約5000の電子メールアカウントを分析した結果、彼らは米国やウクライナ、ジョージア、シリアなど、ロシア政府と対立する100以上の国の個人や組織をハッキングしようとしていたことが明らかになる[121]。

ファンシーベアのハッキング能力は非常に高く、彼らは「高度で持続的な脅威」に分類されている。またAPT1と同様、ゼロデイ脆弱性のエクスプロイトとスピアフィッシングを主なハッキング手法として使用している[122]。しかし、APT1がハッキングを秘密裏に行うことを望んでいるような印象を与えるのに対し、ファンシーベアにはそのような姿勢は見られない。

2015年、ファンシーベアは自らが作り上げた「サイバーカリフ国」というハッキンググループになりすます[123]。彼らはサイバーカリフ国を装って、5人の米軍関係者の妻に殺害予告を送ったのだ[124]。同年4月、ファンシーベアはフランスのあるテレビ局をハッキングし、11のチャンネルで放送されていた番組を中断させた[125]。中断は3時間以上続き、同局のディレクターは、この攻撃によってシステムが「深刻なダメージを受けた」と述べた[126]。フランス政府は、この事件を「情報と表現の自由に対する許されざる攻撃」と表現した[127]。この攻撃の最中、予定されていた番組の代わりに、ハッカーによって「イラクとレバントのイスラム国（ISIL）」のロゴとスローガンが英語、アラビア語、フランス語で流された[128]。ファンシーベアはそれと同時に、テレビ局のフェイスブックページに「フランスの兵士たちよ、イスラム国に干渉するな！　家族を救うチャンスがあるのだから、それを使え」「Je suis IS（私はＩＳだ）」というメッセージを掲載した。[129] フランスのテレビ局をファンシーベアが狙うというのは奇妙にも思えるが、将来的により大規模なテレビ局の放送を妨害する際、どれだけ容易に実行できるかを見定める実験として、同局が選ばれたのかもしれない。

ファンシーベアは２０１６年から、フィッシングを用いて世界ドーピング防止機構に侵入し、多数のオリンピック選手の薬物検査結果をコピーして、「fancybear.net」という大胆なアドレスのウェブサイトで公開してきた。[130] このサイトは盗んだファイルを掲載し、「数十人の米国人選手が能力強化薬物（ドーピング薬）の陽性反応を示した」と主張していたが、これらの選手は、国際オリンピック委員会からこうした薬物の使用が特別に承認されていたのである。[131]

ファンシーベアはこれまで多数のハッキング事件を起こしており、その中で最も注目すべき悪質な事例の１つが、２０１６年の米大統領選挙への干渉である。[132] 彼らの目的はヒラリー・クリントンの選挙戦にダメージを与えることで、ドナルド・トランプが当選する確率を高めることだった。[133] 彼らは２０１６年３月に、クリントン陣営や民主党の関係者にフィッシングメールを送信することから始めた。[134] こうしてコンピュータのセキュリティを侵害し、数万件の電子メールやその他のファイルをコピーした。[135] また２０１６年４月頃には、民主党全国委員会（ＤＮＣ）と民主党下院議員選挙運動委員会が所有するコンピュータをハッキングした。[136] セキュリティ関連会社による調査の結果、これらのハッキングはファンシーベアだけでなく、コージーベアと名付けられた別のロシアのハッキンググループによっても行われていたことが明らかになる。[137] ＤＮＣのハッキングでは、ファンシーベアとコージーベアは互いの存在にほとんど気づいていなかったようで、このことから、2つのグループは異なるロシアの諜報機関によって運営されていたことが示唆される。[138] その後、ヒラリー・クリントンの大統領選挙対策委員会の委員長を務めたジョン・ポデスタが、セキュリティ問題の警告を偽るフィッシングメールによってハッキングされる。[139] このメールは彼に、ウェブのリンクをクリックしてメールのパスワードを変更するよう指示していた。しかしリンク先はロシアが管理するウェブサイトであり、結果、彼のアカウントは乗っ取られてしまう。[140] こうしてハッカーは、彼の約6万通の電子メールにアクセスすることができたのである。[141]

ロシアのハッキンググループが盗み出した資料は、大統領選前の3か月間に戦略的に公開された。[142] 情報はウィキリークス、ハッカーたちが立ち上げた「DCリークス」というウェブサイト、そして彼らがでっち上げた架空のハッカー「グシファー2・0」を通じて公にされた。[143] 情報公開のタイミングからして、彼らの動機には疑う余地がない。たとえばある情報が公開されたのは、テレビ番組「アクセス・ハリウッド」にドナルド・トランプが出演した際、女性に関する不適切な発言をした場面を記録したビデオテープがワシントンポスト紙によって報道されてから、わずか数時間以内だった。[144] 別のケースでは、2万通以上の電子メールやその他の文書が、民主党全国大会が始まる3日前に公開された。[145] またグシファー2・0が公開した情報は、米下院の最激戦区の選挙戦に関連していたことが判明しているが、そこにはトランプ陣営や共和党員を標的にした情報は見当たらなかった。[146]

ロシアは堂々とハッキングの力を行使している。一方、米国はハッキングを秘密裏に行おうとしているが、必ずしも成功しているわけではない。スノーデンのリークは、ファイブアイズ（米国、英国、オーストラリア、カナダ、ニュージーランドの5か国で構成される合同諜報機関）が構築した、世界規模の監視体制を暴露した。リークは同時に、米国政府が持つ、並外れたハッキング能力についても明らかにした。その能力は、熟練の情報セキュリティ専門家すら「驚愕（きょうがく）」させるほどのものだったのである。[147]

さらにスノーデンのリークによって、NSA内の組織であるTAO（211ページ参照）が、「クオンタム（QUANTUM）」と名付けられたハッキングツールを開発していたことも明らかになっている。[148] クオンタムは、インターネット上のネットワークトラフィックを傍受することで、攻撃対象者のウェブブラウザがウェブページを読み込もうとするのを検知する。[149] するとクオンタムは、そのウェブページのコピーを素早く作成し、そこに悪意のあるコードを挿入して、本物のウェブサーバーが応答する前にターゲットのウェブブラウザに配信する。そしてこの悪意のあるコードがウェブブラウザを攻撃し、コンピュータの制御を奪うのである。[150] クオンタムがインターネット上で本物のウェブサーバーとの競争に勝てるのは、NSAが戦略的にサーバーを世界中に配置し、一種のシャドーネットワークを構築しているからだ。[151] こうした構造的特徴から、単独のハッカーや、国家レベルに満たないグループがクオンタムを実装することは非常に困難だ。[152] クオンタムがNSAにとって有用なのは、フィッシングメールのリンクをクリックするなど、ターゲットに誤った判断をさせる必要がないからである。NSAの言葉を借りれば、「何らかのウェブブラウザを通じてターゲットをおびき寄せることができれば、彼らを所有できるだろう」[153]。（「誰かを所有する」という表現はハッカーのスラングで、その人物のコンピュータのセキュリティを侵害することを意味する。）

スノーデンのリークによると、ＮＳＡはクオンタムを使い、ヤフーやリンクトイン、フェイスブック、ツイッター、ユーチューブなどの人気サイトを閲覧した人々のコンピュータを攻撃することができた。[154] ＮＳＡの文書により、クオンタムがベルギーの通信会社ベルガコムや石油輸出国機構（ＯＰＥＣ）へのハッキングに使われたことも明らかになった。[155] 英国でＮＳＡに相当する組織であるＧＣＨＱ（政府通信本部）は、クオンタムを「クール」と表現し、またＮＳＡは、クオンタムを「新しいホットなエクスプロイト」と表現している。[156]

クオンタムはＮＳＡによる、広範囲に使えるハッキング技術の開発例である。これによって、ウェブブラウザを通じてさまざまな人気サイトにアクセスする人々をハッキングできるのだ。しかしＮＳＡは、彼らのハッキングスキルを狭い範囲で特定のターゲットを攻撃するのにも用いている。２０００年代には、スラマーやブラスターなどのワームが数十万台のコンピュータを感染させ、インターネットを踏み荒らした。大量のコンピュータを無差別に感染させるこうしたワームは、すぐに発見されてしまうため、標的型攻撃を行うのには適していない。しかし、少数の特定のコンピュータだけを感染させるワームを作ることができれば、レーダーをかいくぐって見つからずに済む。ＮＳＡはＣＩＡやイスラエルと協力して、まさにそうしたインターネットワームを開発した。[157]

それがスタックスネットである。このプロジェクトの目的はイランの核開発プログラムにダメージを与えることで、ワームはイランのある核施設を標的にしていた。[158] スタックスネットは、特定のコンピュータだけを感染させるように極めて慎重にプログラミングされており、その精度は「射撃の名手のなせる業（わざ）」と表現されるほどだった。[159] そのためにスタックスネットは、特定の周波数で動くモーターを操作する産業用制御システムだけを感染させるようになっていた。こうして、スタックスネットはイランの施設のコンピュータは感染させても、たとえばとある工場のベルトコンベアを操作する産業用制御システムを感染させることはなかったのである。[160] しかし、スタックスネットは単に感染したシステムを破壊するのではなく、微細なエラーを引き起こすように設計されていた。[161] こうしたエラーによって、イランの核開発プログラムに参加していた機械オペレーターや科学者たちは、自分たちのテクノロジーですら理解できていないと感じるようになってしまったのだ。[162] その方法とは、核物質を製造するための装置である遠心分離機の速度を変えて、それに有害な振動を与えると同時に、すべてが正常であることを示す偽の情報を制御室に伝えるものだった。[163] このように、スタックスネットはイランの核開発プログラムの進行を遅らせるとともに、それに携わる人々の士気を下げるよう設計されていた。

スタックスネットが発見されたのは２０１０年6月だが、主な攻撃はその1年前から始まっていたようだ。[164] スタックスネットの試みは成功を収め、イランの核遠心分離機の5分の1にダメージを与えたと伝えられている。[165] ２００９年の前半、イランのナタンツにあるウラン濃縮施設で「深刻な核事故」が発生し、２０１０年に入ってからも重大な技術的問題が相次いだため、何度も稼働停止を余儀なくされた。[166] イランが稼働させていた遠心分離機の数は、２００９年5月の時点で約５０００台とピークに達したが、その後、8月の時点では23パーセント減少している。[167]

スタックスネットの開発には、多大なリソースが費やされた可能性が高い。[168] イランの施設で使用されている特定のタイプの機器を感染させるためには、その機器に対するワームのテストが必要であり、それはイスラエルのディモナ核施設で行われたと伝えられている。[169] ワームにはいくつもの技術革新が実装されているため、そのコーディングには仕事量にして数人年分の労力が必要だったと推定されている。[170] イランの施設では、エアギャップ〔コンピュータのセキュリティを確保するために、対象となるコンピュータを別のコンピュータやインターネットから物理的に切り離しておく処置〕を実施し、産業機器を制御しているコンピュータを他のコンピュータネットワークから隔離していた。[171] つまり、攻撃対象の機器は完全に別のネットワーク上にあり、必要なファイルやデータはUSBメモリなどのリムーバブルメディアを使って、エアギャップを越えて移される。理論的には、ハッカーやワームはエアギャップを越えられないため、この方法でハッキングを阻止することができる。しかしスタックスネットは、まずエアギャップのインターネット側にあるコンピュータを感染させ、それからコンピュータに挿入されたUSBフラッシュドライブに自らコピーするように設計されていた。そして、そのドライブがエアギャップの反対側にあるコンピュータに挿入されると、スタックスネットはそのコンピュータに自分自身をコピーすることで、物理的なギャップを飛び越えるのだ。[172] 標的となるネットワークに侵入すると、スタックスネットは4つのゼロデイ脆弱性を利用したかつてない攻撃を行い、遠心分離機を制御するコンピュータに最高レベルの特権を与えた。[173] このワームの作者は、そのコンピュータで使用されているウィンドウズのバージョンを知らなかったようだ。そのためスタックスネットは、過去10年間にリリースされたすべてのバージョンのウィンドウズで動作するようにプログラムされていた。[174] コンピュータを乗っ取ると、スタックスネットは2つの暗号化証明書を使って自らを隠した。その証明書は、以前に2つの異なる台湾の企業から盗まれたものだった。[175] この2つの企業が同じ産業地区内にあったことから、NSAの工作員は情報を盗むために、物理的に2つの施設に侵入した可能性が考えられる。[176]

スタックスネットにNSA、CIA、イスラエルが関与していることは比較的明白だと考えられているが、特定のハッキング事件が特定の国家によって実行されたことを割り出すのは、困難な作業だ。[177]以前よりハッカーは、さまざまな国のセキュリティ侵害を受けたコンピュータを通じて活動をロンダリングし、その正体を隠そうとしてきた。APT1の場合、比較的小さな実行上のミスが重なったことで、それが人民解放軍の61398部隊によるものであることが明らかになった。国家もまた難題に直面しており、そのハッキング活動には明確な目標が定められているため、その目標をたどるだけで特定されてしまう恐れがあるのだ。[178]中国からの要請を受けて活動するハッカーは、中国国内の企業を攻撃する可能性は極めて低く、米国の企業を攻撃すると考えるのが自然だ。また、ハッキングの結果漏洩した情報が後にロシア政府によって使用された場合、情報を盗んだのが中国のハッカーである可能性は低い。[179]

電力網やダム、交通システムなどを制御するコンピュータといった重要なインフラがハッキングされる可能性については、これまでにも多くの議論が交わされ、仮説が立てられてきた。このテーマに関する文章では、時に一線を越えた表現が用いられる。ある記事では、スタックスネットを「サイバー戦争におけるヒロシマ」と表現しており、また「サイバー9・11」という表現も、残念ながら何度も使われている。[180]もし、ある国が重要なインフラに対してハッキング攻撃を受けたとしたら、その攻撃に打ち勝つのは難しいだろう。しかし現実的に考えるなら、銃弾や爆弾の餌食になるよりはまだましなはずだ。[181] その意味で、国家がハッキングを利用することは、従来の戦争よりも破壊的ではない。国家がハッキングによって標的を無力化できるのであれば、高火力の爆弾を投下してその標的を破壊するのに比べ、失う人命は少なくなる。国家はスパイを外国に送り込んで逮捕されたり殺されたりする代わりに、スパイが盗み出そうとしたのと同じ情報を、ハッキングによって入手できる。戦争は本質的に暴力的なものであり、ハッキングはむしろ暴力を減らすことになるのかもしれない。[182]

中国、ロシア、米国が到達したレベルの能力を得るには、現実的には国家によってのみ行えるレベルの投資が求められた。ゼロデイ脆弱性を利用したエクスプロイトの開発、大規模なフィッシング活動の設計・遂行、侵入した組織から大量のデータを流出させるためのツールや技術インフラの構築、そして流出したデータの処理には、膨大なリソースが必要となる。ファンシーベア、TAO、その他の国家によるハッキンググループは、ハッカーに加えて、分析者や翻訳者などの大規模なチームを編成しなければならない。[183] 特定の目的を持つ他の大規模な組織と同様に、彼らは分業制を採用し、専門的なスキルを有する個人を雇っている。[184] TAOの場合、2013年には600人以上のハッカーが24時間365日体制で働いていたと言われている。[185] 国家によるハッキンググループのプログラマーやハッカーたちは、熟練しており体系的に行動する。彼らのハッキングツールは入念にアップデートされている。[186] 彼らがハッキングツールを作成する際には、検知を避けたり、また検知された場合にも使用者の正体が容易にばれないようにしたりしている。[187]

国家によるハッキングがあまりにも高いレベルに達したため、情報セキュリティの分野全体の再構築が余儀なくされた。以前より情報セキュリティでは、ハッカーからコンピュータを保護し、セキュリティ対策を破ったハッカーを検知し、システムからハッカーを排除するという、保護・検知・対応の3つの異なる側面からのバランスのとれた取り組みが必要だと言われてきた。しかし、一般的な組織の自衛能力を国家が完全に凌駕してしまったため、現在では検知と対応に焦点が当てられている。合理的に考えれば、すでに国家のハッカーは組織のセキュリティを突破しているはずで、喫緊の課題は侵入者を見つけ出して排除することだ[188]。こうして、以前より使われてきた現代のセキュリティ技術の弱点が明らかになった。パッチのインストール、ウイルス対策プログラムや侵入検知システムの活用、さらにはエアギャップの導入などはすべて、組織が国家から狙われたときには効果が期待できない。

国家によるハッキングに対応するために、かつてNSAなどの政府関連組織で働いていたハッカーを防衛目的で雇う組織もある。これは古代エジプトのシンボルの1つである「ウロボロス（自分の尾を食べる蛇）」のようなものだ。どれだけ元ハッカーを雇おうとも、国家が開発して組織化した能力にはかなわない。国家は神のような存在になったのである。

国家は、目的を遂行するためにコンピュータハッキングを利用することをやめないだろう。スパイ活動は国際法に違反しておらず、当面は、国家によるハッキングの利用に大きな変化をもたらすような国際法や国家間の厳格な決まりが打ち立てられることはなさそうだ[189]。APT1に関するマンディアントの報告書が発表された後、中国のハッキング活動はしばらく収まったが、その後、以前と同じレベルの活動に戻った。マンディアントの関係者は、中国のハッキング活動を「ニューノーマル」と表現している[190]。国家は自分たちが開発したハッキング能力を、スパイ活動や知的財産の窃盗、選挙への干渉といった目的で利用することができ、今後も利用し続けるだろう。

偽りの現実

第三の汚名は、情報セキュリティの分野における「認知的閉鎖」によって生じる機会費用だ。この「認知的閉鎖」という用語は、米国政治における保守運動の中で生まれた、「オルタナティブ・リアリティ（もう1つの現実）」を明らかにした政治評論家たちによって作られた。[191] 認知的閉鎖は、テレビ、書籍、ラジオ、雑誌、ブログなど、さまざまなメディアが相互につながりあった結果生まれたものである。そのエコーチェンバー（本来は「共鳴室」を意味する言葉だが、閉鎖的なコミュニティの中で、特定の主張が繰り返されることでその主張が先鋭化する現象を表すのにも使われている）の中では多数派の見解が形成され、それに反する情報はすべて本能的に排除される。「多数派の見解と矛盾する情報なら信じるに値しない」というわけだ。[192] これは非常に危険な状態である。というのも、このようなコミュニティの中で構築された偽りの現実は、現実世界の要求とは相容れない可能性が高いからだ。

スタントハッキングは、情報セキュリティの分野における認知的閉鎖が顕著な形で現れたものだ。というのも、スタントハッキングはセキュリティ障害の根本的な原因を無視し、代わりにそうした根本原因の表面的な発現に焦点を当てるからだ。スタントハッキングは、複雑な現実世界を捨てて、より単純な偽の世界を構築し、そうすることで幻の敵をつくり出す。そうした幻の敵に勝ったとしても、それは偽物であり、幻想に過ぎない。しかし認知的閉鎖が報いを与えるのだ。その証拠に、最も見事なスタントハッキングを実行できるハッカーが大規模なセキュリティカンファレンスに招待されたり、また大手メディアによって取り上げられたりしている。[193]

この有害な傾向が生まれた背景は、現代の始まりにまで遡ることができる。1974年、マルティックスOSのセキュリティ評価では、コンパイラに対して行われる新しいタイプのハッキングが解説された。[194] すべてのプログラムは、ソースコードからバイナリに変換するためにコンパイルされなければならない――このようにしてプログラムはコンピュータ上で実行可能になるのだ。そしてこの変換を行うのが、コンパイラと呼ばれる特殊なプログラムである。マルティックスのセキュリティ評価を行ったチームは、コンパイラにコードを埋め込んで改造することで、プログラムをコンパイルする際に、出来上がったバイナリにバックドア（彼らは「トラップドア」と呼んでいた）を挿入できるのではないかという仮説を立てた。[195] たとえばパスワードプログラムのバイナリを作成する際に、そのパスワードプログラムが常に秘密のパスワードを受け入れるようにするバックドアを挿入する、といった具合である。しかしコンパイラのコードを見れば、バックドアが挿入されることは明確なため、比較的簡単に発見されてしまうだろう。見つかったバックドアは削除され、2つ目のコンパイラを使って再コンパイルされてしまう。この対策として、チームはもう一歩踏み込んだ提案をする。つまり、2つ目のコンパイラにも手を加え、1つ目のコンパイラを再コンパイルするのに使われたことを認識し、1つ目のコンパイラにバックドアのコードを再び挿入するのだ。これにより、あるコンパイラがバックドアを持っていないかどうかを判断するには、そのコンパイラを作ったコンパイラのソースコードを探し、さらにそのコンパイラを作ったコンパイラのソースコードを探す、というような状況が生まれた。こうなってしまうと、どこまで行ってもきりがない。米空軍はマルティックスを購入する際、開発者に全ソースコードの提供を要求し、修正したいバグやセキュリティ上の脆弱性があった場合には、このOSを再コンパイルできるようにした。[196] しかし実際には、空軍は自分たちでコンパイラを一から作らなければ、特定の脆弱性を取り除けたかどうか確証を得ることはできなかったのだ。[197]

1983年、UNIXの共同開発者であるケン・トンプソンは、コンピュータ界のノーベル賞といわれるチューリング賞を受賞した。[198] トンプソンはその授賞式の記念講演において、「トラスティング・トラスト」という独自の表現を使い、マルティックスのセキュリティ評価で明らかになったハッキング手法を解説した。[199] トンプソンはこの手法について、彼が携わったUNIXの開発の文脈で語った。[200] また彼は同じ講演の中で、「マスコミやテレビ、映画が、破壊者たちのことを『天才的な若者たち』と呼んでヒーローにする」という「極めて危険な状況が生まれつつある」と述べ、警告を発した。[201] トンプソンは次のように述べている。「コンピュータシステムに侵入する行為には、隣人の家に侵入するのと同じ社会的汚名を着せなければならない。報道機関は、コンピュータを誤って使用することは、自動車の飲酒運転と同じくらい褒められたものではないことを学ばなければならない」[202]

マルティックスコンパイラのハッキングは、ハッキングのイデア（理想形）なのかもしれない。それは特定のプログラムの特定の脆弱性を利用したものでもなければ、バッファオーバーフローの例でもない。それは陰湿で、人々が気づかぬうちに蔓延する類（たぐい）のものだ。コンピュータのユーザーは、コンピュータ上のすべてのもの、自分の手で開発したコンピュータプログラムさえも疑うようになる。

トンプソン自身も講演を終えたあと、自分が共同開発したＵＮＩＸに、バックドアが設けられていないことを明確にしなければならなかった[203]。

情報セキュリティの分野では、コンピュータシステムのセキュリティ対策を設計する際には、攻撃者が取りうる行動を設計に考慮すべきだという考え方が広く浸透している。このように脅威をモデル化するのは、攻撃に対処するために、どのような防御策をシステム内に実装すべきかを探るためだ。こうした考え方をする人は、「セキュリティのマインドセット」を持っていると言われる[204]。２００４年、ある著名な情報セキュリティ専門誌は、その論説で「システムを攻撃するのは良いアイデアだ」と書いた[205]。編集部の目的は、ハッキング技術をオープンに議論することで、より理解を深めてもらうことにあった。論説は、他の分野のエンジニアがミスや失敗から学ぶことに倣(なら)って、セキュリティ専門家も同じ方法を取り入れるべきだと提言している[206]。このように、攻撃と防御をバランスよく理解することは実際的なアプローチだ。しかし情報セキュリティの分野では、マルティックスのハッキングに始まり、現実離れして問題解決につながらないハッキング手法を発見した人が称賛され、報いを受ける文化ができており、その傾向が奇妙で非生産的な状況を招いている。

２０１３年、ある著名なセキュリティ研究者は、自分のコンピュータがマルウェア、つまりハッカーが作成した悪意のあるプログラムに感染していると確信した[207]。彼は、コンピュータのワイヤレスネットワークをオフにして、コンピュータをあらゆるネットワークから物理的に遮断しているときでさえ、コンピュータ上のマルウェアは通信状態にあると主張した[208]。さらに彼が主張するところによると、このマルウェアは3種類の異なるＯＳを感染させることができ、コンピュータにＯＳを再インストールしても、未知のメカニズムによってすぐさま再び感染させるというのだ。[209] このマルウェアはコンピュータのＢＩＯＳ（コンピュータソフトウェアの最下層に位置するプログラム）を感染させる、というのが彼の考えだった。また彼は、このマルウェアに感染したコンピュータは、高周波の音波を使ってコンピュータ間で通信すると考えた。[210] 彼は、何か深遠なものを発見したと信じた――それは日常生活の水面下に潜む隠された脅威であり、彼個人を標的にしたものであった。

ソーシャルメディア上では当初、セキュリティコミュニティの多くのメンバーが、彼の主張を支持した。[211] 後にヤフーとフェイスブックの最高セキュリティ責任者（ＣＳＯ）を務めたアレックス・ステイモスは、「セキュリティ業界の誰もが、彼の分析を見るべきだ」とツイートした。[212] ブラックハット・ブリーフィングスとデフコンの創設者であるジェフ・モスは、「冗談抜きで、これは深刻な問題だ」とツイートしている。[213] しかしこの研究者が言うところのマルウェアの機能は――高周波の音波など――、精神病を発症した人物が語るような話であり、そのマルウェアの存在を示す証拠も独立に検証されていない。[214] 他の人々がマルウェアの証拠を見つけることができなかったことについて、この研究者が言うには、マルウェアは、コピーが作られて誰かの手に渡りそうになると、それを察知して自ら消去できるそうだ。[215]

ドットコム・ブームの頃のセキュリティ業界では、セキュリティ研究者やハッカーは、カール・マルクスが言うところの「生産性を向上させる刺激」としての役割を果たしていた。しかし、破壊や犯罪を創造的な力として捉えるマルクスの考え方は間違っていた。フランスの経済学者フレデリック・バスティアは、１８５０年に発表したエッセイ「見える物と見えない物」において、破壊に使われたお金は、実際には社会に純利益を生み出さないと主張している。[216] 彼はこのエッセイの中で、ある店主の息子が誤って窓ガラスを割ってしまうという例を挙げている。この窓を直すために、店主は6フランを払わなければならない。窓ガラス職人は6フランを稼げるので、不注意な息子に感謝する。だからといって、窓ガラスが割れたことでお金が循環し、経済を活性化させた、という結論には至らないはずだ。それは単に目に見える部分の話であり、見えない部分は考慮されていない。もし店主がガラスを交換するのに6フランを使わなかったら、そのお金を他の場所で使うことができただろう。言い換えれば、ある場所で使われたお金は、他の場所では使われなかったということであり、もっと役に立つ使われ方をしたかもしれないのだ。同じように、情報セキュリティの分野では、スタントハッキングのような活動に報酬を与えたり、センセーショナルなハッキング手法の研究に報酬を与えたりする認知的閉鎖が、膨大な機会費用の発生につながっている。

今日、情報セキュリティの分野に初めて足を踏み入れる人は、最新の脆弱性やハッキングの手法に惹かれる傾向があるが、それは情報セキュリティの分野や一般の報道機関が注目するのがまさにそこだからである。ゼロデイ脆弱性やハッキングが刺激的なのは、その時々の関心事を表しているからだ。しかしこの分野で何十年も働いてきた人々は、新たな脆弱性が延々と続くこの状況が一種の地獄のような単調さをもたらすのを見てきた――ちょうどドットコム・ブームの際に生み出された「苦痛なハムスターホイール」が、延々と回転し続けるようなものだ。最近では、バグ報奨金制度のような取り組みが、この状況をさらに悪化させている。バグ報奨金制度は、ウェブサイトやコンピュータソフトウェアのセキュリティ脆弱性など、狭い範囲の問題に取り組む孤独なセキュリティ専門家に報いるためのものである。しかし、そうした脆弱性の根本原因の解決に取り組んでも、報奨金は出ない。また、セキュリティに関する経済学や心理学など、情報セキュリティを向上させるために重要であると言われている分野の問題を研究する人々に報いる報奨金もない。

これは、「関連性のパラドックス」——自分に関わりがありそうな情報だけを求める人間の性質——で説明できるだろう。スタントハッキングや脆弱性の研究に報酬が与えられる環境では、人は自然とハッキングや脆弱性の研究に引き寄せられる。そうした人々は、たとえば情報セキュリティの経済学が自分たちの目的につながりがあることを知らず、そのことについて考えないかもしれない。しかし、いくつかの最も無駄な結果が経験豊富なセキュリティ専門家の手によって生まれていることを考えると、あらゆる場面で関連性のパラドックスを言い訳に使うことはできないだろう。

2016年、メドセックという企業が、さまざまなメーカーのインプラント（埋め込み型）医療機器をイーベイを通じて購入した。[217] 彼らはセキュリティ上の脆弱性を見つけるために、手に入れた機器を分解し、リバースエンジニアリングした。すると彼らは、セント・ジュード・メディカルが製造したペースメーカーに、多くの脆弱性が含まれていることを発見した。セント・ジュード・メディカルは当時、ペースメーカーなどの医療機器を提供する米国で最大手の1社だった。[218] しかしメドセックは、セント・ジュード・メディカルに対して発見した脆弱性を開示する代わりに、ウォール街の投資会社に儲け話を持ちかけた。[219] 投資会社に対して、セント・ジュード・メディカルの株式を空売りすることを提案したのである。つまり、セント・ジュード・メディカルが市場に公開している株式の価格が下落した際に、そこから利益が得られるポジションを取るよう伝えたのだ。[220] その後、医療機器がハッキングされる可能性があることを示す情報を公開し、セント・ジュード・メディカルの株価が下がれば、メドセックと投資会社の両方がショートポジションから利益を得ることができる。[221] 投資会社はこの話に乗り、メドセックが発見したという脆弱性を解説したレポートを発行した。[222] そのレポートが発行されたのと同じ日に、メドセックのCEOは、経済専門の放送局であるブルームバーグテレビジョンの番組に出演した。その中でCEOは、「セント・ジュード・メディカルの機器には、あらゆるセキュリティ保護が完全に欠如している」と主張した。[223] また別のテレビ番組では、「私たちは遠隔操作でインプラントの機能を停止させることができる」と主張し、機器を埋め込まれた人はハッカーによって殺害されうることをほのめかした。[224]

彼らの企みは成功した。セント・ジュード・メディカルの株価は約5パーセント下落し、1日の下落幅としては過去7か月間で最大となった。[225] 下落があまりにも急激だったため、同社の株式の取引は停止された。[226] しかしその数日後、ミシガン大学の研究者チームが、メドセックの研究内容を分析し始めた。[227] このチームには、医療機器の研究者と心臓専門医が含まれており、分析の結果、メドセックの主張の信憑性が疑われることとなった。[228] メドセックは、セント・ジュード・メディカル製の家庭用モニタ付き植込み型除細動器に対してクラッシュ攻撃が可能である証拠として、いくつかのエラーメッセージを挙げていた。[229] しかし、それらのエラーメッセージは、デバイスが正しくプラグインされていない場合にも表示された。[230] ミシガン大学の研究者たちは、プレスリリースの中で次のように述べている。「実務に疎いエンジニアにとっては驚くべきことかもしれないが、臨床医からしてみれば、これは単にプラグインされていないだけのことである。平たく言えば、ハッカーにコンピュータを乗っ取られたと主張していた人が、後になって、単にキーボードを接続し忘れていたことに気づくようなものだ」。メドセックのレポートは必ずしも間違っているわけではないが、その結論を裏付ける証拠がないように見えることを彼らは丁寧に説明した[231]。セント・ジュード・メディカルは、メドセックと投資会社に対して名誉毀損の訴えを起こし、彼らが「虚偽や誤解を招く主張に基づく非倫理的かつ非合法なスキームによって、自らの金銭的利益のために証券市場を操作しようとする悪意のある計画」を立てていたと主張した[232]。さらに、彼らは「患者と医師を怖がらせ、混乱させようとした」と訴えている[233]。その後、他社に買収されたセント・ジュード・メディカルは、ペースメーカーの脆弱性を修正するソフトウェアをリリースしたが、その脆弱性がメドセックが発見したと主張したものであるかどうかは定かではない[234]。

メドセックとセント・ジュード・メディカルの間で起きた出来事は、最も難解で危険なタイプのスタントハッキング、利益を目的とした脆弱性調査、そしてプロモーテッド・ディスクロージャ（宣伝された開示）という有害な組み合わせによって、膨大な機会費用が生み出されることを示している。

認知的閉鎖は、コミュニティが自分たちの中に閉じこもり、守られたバブルの中で作り上げた世界と外の世界の現実との差異に、無関心になったときに起こる。個人や集団が、バブルによって生じる単純化と自分たちを正しいと感じる気持ちから恩恵を受けていないと信じるのは、甘い考えだ。しかし、教条主義もまた罠を生み出し、その考えに陥った者は皆その罠にかかって囚われてしまう。すると、より良い未来へ進むことができなくなるのだ。

9 情報セキュリティの厄介な本質

結局、どのセキュリティ対策が必要なのか？

　これまで説明してきた「3つの汚名」が存在する理由は、経路依存性にある。つまり、ある瞬間に取りうる一連の選択肢は、過去に行われた選択によって制限されているのだ。ランド研究所をはじめとする初期の研究者たちは、現在へとつながる情報セキュリティの研究を開始したが、技術の優位性による情報の保護という彼らの目標を達成することはできなかった。彼らは、マルチレベル・セキュリティや形式的検証といったアプローチに焦点を当てていたため、情報セキュリティ分野は枝分かれした未来へと進むことになった。新しい市場が出現すると、情報セキュリティ分野は常に新しいテクノロジーに対応しなければならないというパラダイムが生まれた。彼らは奇妙なやり方で情報セキュリティの未来を創造した。しかし、その未来は当初の目標とは大きく異なり、彼らの願いとは似ても似つかないものになってしまった。

コンピュータの近代化に立ち会ったことは、ランドをはじめとする初期の研究者たちに特別な機会をもたらした。しかし情報セキュリティの実現という課題を、当時の研究者たちがすぐに解決する可能性があったかというと、そうとも言えない。それはいまでも未解決であり、同時に「厄介な問題[1]（wicked problem）」でもあるのだ。これは社会計画の分野で使われていた言葉で、"wicked"（「邪悪な」を意味する形容詞）は道徳的な意味ではなく、問題が困難であることや悪性であることを示している[2]。厄介な問題は、複数の領域にまたがる。情報セキュリティの研究は、経済学や心理学などの分野と交差している[3]。厄介な問題は、時間とともに変化する。情報セキュリティの分野では、変化は新しい技術やユーザーのモチベーションの移り変わりによってもたらされる[4]。厄介な問題は、本質的にトレードオフを伴う。情報セキュリティの分野では、この特性はセキュリティとユーザビリティの間の見かけ上のトレードオフなどの重要な側面に見られる[5]。厄介な問題は、順を追ってアプローチするやり方では解決できないと言われている[6]。しかし情報セキュリティの分野では、まさにこうした方法を採用する傾向にあり、その時々の新しいテクノロジーや新しいシグネチャ、その他の新しい成果物を用いて、最新のセキュリティ脆弱性に対処しようとしている。

情報セキュリティが抱える厄介な性質は、「『何かが安全である』とはどういうことなのか」といった基本的な定義の欠如によって、さらに深刻なものになっている。合意された定義がないことは長い間問題視されてきたが、何をもって「安全」と言えるかは状況次第で変わるため、定義を決める作業は困難だ[7]。ある状況では安全だと考えられるものが、別の状況ではそうではないかもしれない。したがってセキュリティは、「これこれは『安全』である」と断言できるような、形而上学的な特性は持たない。「高セキュリティ」のような表現をする方が望ましいかもしれないが、そのように単純化しても複雑な問題が残る。現代におけるコンピュータの環境は、さまざまな技術的要素の層で構成されており、それらの層が膨大な抽象化をもたらしている。単一のコンピュータ上で実行される単一のプログラムという比較的単純なシナリオとは対照的に、現代のコンピュータシステムは、クラウドコンピューティング環境内の複数の物理的コンピュータによって実現された仮想マシン上で実行される、調和のとれた一連のマイクロサービスによって構築されている場合もある。クラウドコンピューティング環境自体、複数の大陸にまたがる複数のデータセンター上に構築されるものである。明らかでないのは、高いセキュリティレベルを持たない要素で構成されたものが、高いセキュリティレベルを持つと言えるかどうかだ[8]。組織のレベルでも同じ構図の問題が存在する。セキュリティに関して適切な判断を下す能力が、組織の構成員の間に正規分布している場合、統計的に有意な割合の従業員が、組織全体のセキュリティを危険にさらす判断を下してしまうことになるのだ[9]。

しかし「セキュリティ」や「高セキュリティ」が意味のある有用な形で定義されうるという前提に立ったとしても、さらに根本的な問題が存在する。情報セキュリティの分野では、個人や組織がセキュリティを向上させるために何をすべきかを主張する。「ハッキングされないためには、組織はファイアウォールを使用しなければならない」といった具合だ。しかしこうした主張には反証可能性がない[10]。「反証可能性」とは、ある主張が、経験的観察によって何らかの形で反論される可能性があることを意味する[11]。科学的手法では、主張の立証よりも主張に対する反論を重視するため、反証可能性という考え方は現代科学の基礎となっている。

セキュリティに関する主張には反証可能性がない。というのも、脆弱性が発見されていないコンピュータシステムは安全かもしれないが、未知の脆弱性が存在する可能性が残されているからだ。[12] セキュリティ障害の発生を観察することで、あるコンピュータシステムが安全でないと宣言することはできても、あるシステムが安全であることを証明する観察可能な結果は存在しない。[13] そのため、「ハッキングされないためには、組織はファイアウォールを使用しなければならない」という主張に反証することはできない。[14] ファイアウォールを使用していない組織がハッキングされた場合、この事実は主張の裏付けとはなるが、決定的に証明するものではない。しかし、たとえファイアウォールを使用していない組織が1週間ハッキングされなかったとしても、この事実は主張に反証するものではない。その組織が1か月後や1年後にハッキングされる可能性があるからだ。これはコイン投げをして「表が出た、オレが正しいことが証明された」、もしくは、「裏だ、いまのところキミはついてるね」と言うようなものだ。[15] セキュリティに関する実証的なテストがないのであれば、セキュリティを実現するためには特定の条件が必要であるという主張には、反証可能性がない。[16] また、特定のセキュリティ技術、製品、または方法を採ることがセキュリティに求められるというセキュリティ製品のベンダーやセキュリティ専門家のアドバイスにも、反証可能性は存在しない。[17]

これは情報セキュリティ分野の中心で待ち構える、実存的な危機だ。人々が意識するかしないかにかかわらず、その実際的な影響は、何十年にもわたって蓄積されてきた山のようなセキュリティアドバイスに現れている。[18] どのアドバイスに効果があるかを判断する方法がないため、効果のないアドバイスを破棄することができず、すべて山の中に加えられてしまう。[19] 政府機関や企業で広く使われているセキュリティ基準に、NISTの「組織と情報システムのためのセキュリティおよびプライバシー管理策」がある。この文書だけで500ページ近くあり、何百ものセキュリティコントロールが載っている。[20] 情報セキュリティの分野が組織や個人に与えるアドバイスの中には、間違いなく役立つものもあるが、ではいったいどれがそれに当たるのだろうか？ 1880年代に百貨店チェーンのワナメイカーズを創業したジョン・ワナメイカーは、「広告費の半分は無駄だが、問題はその半分がどれかわからないことだ」と言ったことで有名だ。これは、現在の情報セキュリティ分野が置かれている状況と同じである。

その結果、混乱と非効率が生じ、情報セキュリティを専門とする企業ですら、自社のセキュリティを維持することが難しくなっている。2011年、ハッキンググループのアノニマスは、セキュリティ企業のHBゲーリーをハッキングした。[21] アノニマスは同社の6万8000通もの社内メールやメモを誰でも見られる形で公開しただけでなく、ウェブサイトを改竄し、「お前たちにはセキュリティの知識がほとんどない……お前たちはメディアの注目を集め金儲けしようとしているおべっか使いの哀れな集団だ。同じように哀れな会社を相手に商売しようとしているんだ」というメッセージを載せた。[22] 2018年、セキュリティ企業のRSAは、4万2000人以上が参加した情報セキュリティカンファレンス「RSAカンファレンス」の参加者に、モバイルアプリケーションを提供した。[23] 残念なことに、このモバイルアプリケーションにはセキュリティホールがあり、参加者の名前がすべて閲覧可能な状態になっていた。[24] しかも、RSAカンファレンスのモバイルアプリケーションにセキュリティの欠陥が見つかったのは、これで2回目だった。[25] 2014年には、別のセキュリティのバグにより、その年のカンファレンス参加者全員の名前、姓、肩書き、雇用主、国籍が流出していたのである。[26] セキュリティ企業の中には、「全米サイバーセキュリティ月間」中にセキュリティ侵害が発生したところも少なくない。[27]

自社のセキュリティすら守れないセキュリティ企業があるというのは、大きな根本的課題が存在していることを示している。そう考えると、スラマーやブラスター、ウェルチア、ソービッグ、サッサーなどのインターネットワームが猛威を振るった時期に恐れられていたような、破壊的な最悪のワームがいまだにインターネットに発生していないのはなぜか、という疑問が湧くのも当然だろう。ゼロデイ脆弱性を利用して大量のコンピュータを感染させ、極めて速いスピードで拡散し、破壊的なペイロードを持つワームは、特にパケットを目的地に導くルーターなどインターネットのインフラに影響を与えることができれば、非常に大きな被害をもたらすだろう。

同じような質問が、コンピュータ業界のパイオニアであり、アップルのCEOを務めたスティーブ・ジョブズに投げかけられたことがある。[28] モリスワームの一件から6年後の1994年、ジョブズはオフィスでインタビューを受け、インターネット上に強い破壊力を持つワームが発生する可能性はあるかと尋ねられた。その質問を受けたジョブズは、手で顔を覆って沈黙した。そしてそのまましばらく黙り込んだ。数分後、同じ部屋にいた人たちが「具合が悪いのか」「医者を呼んだ方がよいのではないか」と小声で話し始めた。誰かが彼の腕に触れても、反応はなかった。人々が助けを呼ぶために部屋を出ようとした瞬間、ジョブズは突然、瞑想状態から目覚めて、一言「いや」と答えた。その答えについて詳しく聞かれたジョブズは、こう説明した。「彼らの仕事に欠かせないからだよ。彼らが最もやりそうにないのは、自分が仕事をする手段を遮断することだ」[29]

最悪のワームを防ぐのは、現在のセキュリティ対策ではない。いまだにそうしたワームが発生していないのは、それが誰の利益にもならないからだというジョブズの答えは、恐らく正解だろう。このケースでは、他の多くの場合と同様に、情報セキュリティの経済学と心理学の観点から問題を検討することで重要な洞察が得られる。このような場合には問題を広くとらえることが有効だが、逆のやり方が求められることもある――つまり、問いの範囲を狭めるのだ。

セキュリティに対するコンプライアンスアプローチでは、外部の権威が、さまざまなセキュリティ対策を定めたチェックリストを用いて、文書によるフレームワークを作成する。フレームワークが求めるコンプライアンスを達成するには、組織はチェックリストに記載された項目を実施しなければならない。チェックリストと外部機関は、安全であると見なされるためにやるべきことを定義する役割を果たし、参加する組織にとってはその責任を肩代わりしてくれる存在だ[30]。仮に組織が顧客や規制当局からセキュリティへの取り組みについて質問された場合も、フレームワークに準拠している証拠を示すことができる。これまで情報セキュリティを無視してきた組織がセキュリティ対策を始める際に、コンプライアンスアプローチはその取り組みを構造化するのを助け、有用な目的を果たしている[31]。また組織は、ある活動を実施するのに、特定のフレームワークに準拠することでそれを行う許可を得たいと望むこともある。たとえばＰＣＩデータセキュリティ基準（ＰＣＩ ＤＳＳ）に準拠することで、組織はペイメントカードデータ（支払い機能のついたカード）の処理、保存、送信が可能になる[32]。

コンプライアンスアプローチの問題点は、地図と土地を混同してしまうことだ。チェックリストに記載されている項目がセキュリティを提供するかどうかなど、それを実施する組織には知る由もない。コンプライアンスを達成することで組織はセキュリティを得られるわけではなく、セキュリティを得たからといってコンプライアンスを達成していることにもならない。セキュリティとコンプライアンスは別ものなのだ。[33] この違いを気にしない組織もある。実際、これはコンプライアンスのバグではなく特徴と考えられるかもしれない。組織のセキュリティ対策に効果がなくても、コンプライアンスに関する書類の作成では最高の評価を受けることができるのだ。

セキュリティに対するコンプライアンスアプローチが抱えるもう1つの問題は、コンプライアンスのフレームワークが、タイプの異なるさまざまな組織に適用できるよう設計されていることである。[34] これは、フレームワークの制作者が意図的に行ったことで、潜在的なユーザーの裾野を可能な限り広げるためのものだ。しかしながら、ある組織が、フレームワークの制作者が想定していた理想的な組織形態と異なる組織形態をもつことも少なくない。組織は、極めて集権化されていることもあれば、分権化されていることもあり、また規模が非常に小さいこともあれば、非常に大きいこともある。特定の規制要件が存在する国でフレームワークが使われるかもしれないし、差し迫った規制要件がまったく存在しない国で使われることもある。このため、自らが一般的なケースとは大きく異なると考える組織は、セキュリティコンプライアンスのチェックリストに記載されているガイダンスに注意しなければならない。[35] フレームワークの制作者が想定する一般的なケースから離れるほど、ガイダンスに従うことで組織が得られる価値は、ゼロに近づくか、さらにはゼロを通り越してマイナスになる可能性が高くなる。[36] これは経済学で「限界効用逓減の法則」と呼ばれるものだ。たとえば、組織の従業員に対して「オフィス内で不審者を見かけたら対応する」よう訓練すべきだというガイダンスは、中小企業では有用かもしれないが、マンハッタンのダウンタウンにあるオフィスを拠点とし、人どおりが多く、さまざまなフロアに何千人もの従業員を抱える組織ではまったく実用的ではない。[37]

とはいえ、こうした懸念はさほど強いものではなく、コンプライアンスフレームワークはいまでは普通に使われている。また、「セキュリティ標準」（セキュリティに関して取るべき対策を網羅・整理した文書）も組織や業界内で広く使われるようになった。コンプライアンスフレームワークと同様に、あるセキュリティ標準に対する人気は、時間の経過とともに上下する傾向にある。一般に普及したセキュリティ標準は、最初に人気が急上昇した後、関心がピークに達し、その後、長い間使われなくなるというパターンを取ることが多い。[38]

セキュリティ標準の共通目標は、情報セキュリティのある側面において、複雑さを軽減してより管理しやすくすることだ。「共通脆弱性タイプ一覧（CWE）」プロジェクトでは、セキュリティの脆弱性をさまざまな方法で分類するカテゴリーを提供している。[39] また「共通脆弱性評価システム（CVSS）」では、セキュリティ脆弱性に0から10までのスコアを付けることで、優先順位を判断しやすくしている。[40] これらは確かに便利だが、そうした単純化を行うプロセスは、通常、少なくともある程度は主観的なものになる。そのため、この主観的な側面が見落とされ、セキュリティ標準で得られた結果が真実を客観的に表していると解釈されてしまう危険性がある。CWEやCVSSなどのセキュリティ標準は、脆弱性のような悪いものをリストアップする「悪さの列挙」に陥ると批判されてきた。[41]

問題は、悪いものには終わりがなく、それを数えたり分類したりする行為にも終わりがないということだ[42]。脆弱性の数を数えて分類することは、脆弱性の根本的な原因に対して、間接的な形で対処することにしかならない。

情報セキュリティの分野では、セキュリティの実現というタスクをより扱いやすくするために、2つ目の方法としてリスクマネジメントの適用が試みられてきた[43]。リスクマネジメントの中心にあるのは魅力的な計算式だ。任意の状況に存在するリスクは、脅威と脆弱性の積で求められる、というのである[44]。こうした計算を行うことで、客観的かつ数字に基づいたアプローチでセキュリティにおける意思決定が可能になる。リスクを測定し、得られた値に基づいて意思決定を行うというアイデアは、合理的なアプローチに感じられ直感に訴えるものでもある。情報セキュリティの分野では、リスクは優れた指標であると考えられており、NISTはリスクマネジメントに基づいた「サイバーセキュリティフレームワーク」を開発し、推進している[45]。

保険などの分野では、リスクマネジメントはすでに確立された実績のあるアプローチだ。保険会社が顧客に住宅の損害保険を提供できるのは、保険会社が保険数理データを用いて、家が焼失したりハリケーンで破壊されたりするリスクを計算し、保険料を適切に設定できるからである。しかしこの例は、現時点でリスクマネジメントを情報セキュリティの分野に適用した際の限界を示している。火災やハリケーンには質の高い保険数理データが存在するが、セキュリティインシデントには存在しないのだ[46]。2000年代には、カリフォルニア州上院法案1386などのデータ漏洩法が制定されたことで、データ漏洩に関する詳細な情報が公開されるようになることが期待されていた[47]。それによって得られたデータが情報セキュリティの「新しいスタイル」を確立し、データに基づく運用が可能になるはずだった。[48] しかし残念なことに、成立したデータ漏洩法は、こうした分析をするのに十分なレベルの詳細さで漏洩を開示することを、組織に要求していなかった。[49]

コンプライアンスフレームワーク、セキュリティ標準、およびリスクマネジメントは妙薬である。これにより組織は、この問題空間が抱える厄介な性質や、セキュリティに関する主張が抱える反証可能性の欠如を考えることで生じる実存的恐怖を経験することなく、情報セキュリティに取り組むことができるのだ。これらの処方箋が穏やかな気持ちを生み出そうとしているのに対し、反対の意図を持つアプローチもある。FUD（恐怖、不確実性、疑念）は、ドットコム・ブームの時代に強力な力を発揮した。セキュリティベンダーは、セキュリティ製品やサービスを販売するためにFUDを目に余るほど利用してきたが、セキュリティ侵害を経験する組織が増えるにつれてその威力は幾分弱まってきている。スタントハッキングは、現代におけるFUDの最もひどい例だ。というのも、スタントハッキングは、誤解を招く情報をヒステリックに発するからである。[50] FUDはまた、情報セキュリティ界の詐欺師たちによっても利用される。彼らは最新技術によく見られるセキュリティ障害に飛びついて、まるで窮地を救うために現れた丘の上の騎士であるかのように、自分たちをアピールするのだ。

FUDは感情的な反応を引き起こすために意図的に誇張されたものだが、より陰湿なFUDは、悪質な統計を利用している。情報セキュリティにおけるこうした統計は、表面的にはよく調べられているように見えるかもしれないが、実際には、多くの方法論的な誤りを含んでいたり、もしくは単に間違っていたりする。2009年、AT&TのCSO（最高セキュリティ責任者）は米国議会において、サイバー犯罪者が手にする利益は年間で1兆ドルを超えると証言した。これはあり得ない数字だ。1兆ドルは、当時の米国のGDP（国内総生産）の7パーセント以上であり、IT産業全体の生産額よりも大きいからである。[51]

情報セキュリティ分野における統計の乱用は、長年にわたって問題となっている。というのも、そこには物事を実際よりも悪く見せることに報酬をもたらす、システムによる逆インセンティブが働くからだ。[52] 組織の情報セキュリティに関して得られる統計の多くは調査によるものだが、こうした調査にはさまざまな問題があることが研究によって明らかになっている。2003年の研究では、情報セキュリティの実践と経験に関する14の調査によって得られた広く報じられている統計には、「全体に根本的な欠陥がある」ことが判明した。[53] 2011年の「セックスと嘘とサイバー犯罪調査」という魅力的なタイトルの研究では、セキュリティ上の損失をテーマにした研究の大半が、バイアスの影響を受けていることがわかった。[54] 1つ、または2つといった少数の回答が、調査結果全体に多大な影響を及ぼしていたのだ。これは、ジェフ・ベゾスがバーに入ることにより、バーにいる常連客の平均純資産が10億ドルになると考えるのと同じような、誤った推論である。この研究を行った研究者たちは、この種の誤りを防ぐために取れたはずの統計的対策が「いたるところで無視されてきた」ことも明らかにした。[55] 彼らは論文の最後でこう問いかける。「私たちが手にする調査には、果たして信頼のおけるものがあるのだろうか？」。そして自らこう答える。「どうやらなさそうだ」[56]

セキュリティ専門家には、もともと自分の仕事を失いたくないというバイアスがあるのだから、セキュリティリスクを誇張しても仕方がないという考えの人もいるかもしれない。[57] しかし、ある職業が間違った情報に基づいて成熟していくことなど、想像するのも難しい。質の良い統計や調査があれば、客観的な判断を下す能力が高められる。しかし、そうした情報がない場合、人間はどうしても価値を見定めようとして、この世界で情報セキュリティが置かれている状況に対して、主観的な評価をすることになってしまう。１９７２年、アンダーソン・レポートは、コンピュータが外部からの侵入に抵抗する能力に乏しいことを嘆いた。[58] １９８４年、政府や企業における情報セキュリティの状況は「ひどい有様」と評された。[59] ＮＳＡのある職員は、「問題の原因は、責任が分散されていること、権限が大幅に制限されていること、コミットメントが中途半端であること、ビジョンがしばしば近視眼的であること、支援技術が容易に利用できないことだ」と書いている。[60] １９９４年には、「ほとんどすべてのコンピュータシステムが、侵入や操作に対して脆弱であることが何度も指摘されているにもかかわらず、被害の大きさを認識している人は非常に少なく、問題を解決するために適切な手段を講じている人はさらに少ない」と言及されている。[61] １９９６年には、セキュリティの状況は「悲惨」であり、「同じような事件が繰り返され、困難な問題に対して実質的な進歩はなく……新しい技術が生まれても、そのモデルを適応させることができなくなっている」と言及されている。[62] ２００４年には、コンピュータセキュリティの状況は、「現在稼働しているほとんどすべてのシステムが、攻撃に対して極めて脆弱である」と言及されている。[63] ２００５年、ベル－ラパドゥーラ・モデルの共同開発者であるデビッド・ベルは、「一般的な感覚として……コンピュータとネットワークのセキュリティは後退している」と書いている。[64] 同年、マーカス・レイナムは、「かなり長い間、進歩がない」と書いている。[65]

２００９年には、コンピュータセキュリティは「悪い状態」にあるとされ、「人々は大きな不安を抱き、対策にかなりの費用をかけているが、ほとんどのシステムは安全ではない」と言及されている。[66]２０１７年には、コンピュータセキュリティは「上から下まで壊れている」、２０１８年には「トレンドは間違った方向に進んでいる」とそれぞれ言及されている。[67]

もしかしたら、これらのコメントはジョージ・バーナード・ショーが言うところの「ある職業を極めた人なら誰でも、その職業に対して懐疑的になる」という現象の良い例と言えるかもしれない。しかし情報セキュリティの専門家は、自らの功績を過小評価したり、矮小化したりすべきではない。彼らの努力がなければ、世界はより悪く、より危険なものになっていただろう。また情報セキュリティは、まだ非常に若い分野であることを覚えておくべきだ。[68]アリストテレスが「物理学」という言葉を初めて使ったのは紀元前4世紀のことである。その後、アイザック・ニュートンの研究まで２０００年以上、マクスウェルの方程式までさらに１７５年の歳月が流れた。アインシュタインの一般相対性理論が完成するのはそのさらに50年後であり、いまから１００年以上も前の出来事である。物理学、化学、天文学はいずれも数百年の歴史を有する。それとは対照的に、デジタルコンピュータの登場によって幕を開けた情報セキュリティの近代化は、１９７０年代に入ってようやく始まった。その意味で、成功と失敗が不規則に現れるこの生まれたばかりの分野は、単に成長に伴う痛みを経験しているだけなのかもしれない。実際、１９８５年には、「情報セキュリティの課題は、今後長期にわたって存在し続けるかもしれない」と言われていたのである。[69]

「賢者の石」は存在しない

これまでの歴史の中で、情報セキュリティを向上させるために何をすべきか、多くのアイデアや提案が生まれてきた。そうした提案は、ソフトウェアセキュリティやネットワークセキュリティ、暗号技術など、特定の領域に関連したものになりがちだ。これは、情報セキュリティの分野が非常に広く、また非常に深いことを考えれば当然と言えるだろう。さまざまな研究領域があり、それぞれの領域が複雑に絡み合っているのである。１９７０年代、またおそらく１９８０年代には、一般のセキュリティ実務者は、その年に発表された研究をすべて読むことができただろう。しかしそれ以降は、そんなことをできるのは極めて熱心な人だけになった。しかし実際には、専門性を高めることは有益で、それによって分業が可能になり、すべてのセキュリティ実務者が万能になるのに比べ、はるかに効率的なアプローチなのだ。とはいえ、専門性の高さゆえに、それぞれのセキュリティ担当者は問題を比較的狭い範囲でしか捉えることができない。問題の全体像を把握する力がないと、特定の領域から生まれた新しいセキュリティ技術やアプローチが、セキュリティ問題全体に対する万能薬であるという誤った考えが生まれる場合がある。そうした考えは、時間とともに幻滅へと変わる。かつて錬金術師たちは、鉛を金に変える伝説の物質「賢者の石」を見つけられると、何世紀にもわたって信じていた。しかし化学の基本原則を曲げることは不可能であり、彼らの努力は無意味なものだった。情報セキュリティの分野全体に存在するあらゆる問題を一度に解決できる、特定の領域でのブレイクスルーなど、見込めたことすらなかった。どんなに新しいセキュリティ技術でも、ユーザーが作り出すセキュリティリスクを完全に取り除くことなどできそうにない。同様に、どんなに新しいプロセスやユーザー向けの教育トレーニングでも、新しい技術によって引き起こされるセキュリティリスクを完全に防ぐことは難しいだろう。

もう1つのアプローチは、情報セキュリティの分野から飛び出して、他の分野の視点から情報セキュリティ問題を検討することである。[70]経済学の分野からは、外部性の重要性、逆インセンティブを考慮する必要性、そして公共財としてのセキュリティという考え方、農業の分野からはモノカルチャーの概念、保険の分野からはリスクマネジメントの概念と保険数理データの価値など、全体として多くの有益なアイデアが生み出されてきた。一方で、学際的なアプローチが有益であることは証明済みだが、他のどの分野からも、情報セキュリティに抜本的な改善をもたらすような新しい知見はまだ得られていない。

もしかしたら、中から見るのでも外から見るのでもなく、一歩下がって一からやり直すのがベストなアプローチなのかもしれない。丘の上に立っている人は、それ以上高くは登れない。最も高い山に登るには、まずその丘から降りなければならず、そうすることで初めて山のふもとを登り始めることができるのだ。これは、業界内にいる人間にとっては困難な作業になるだろう。オランダの歴史家ヤン・ロメインは、彼が提唱した「先行者のハンディキャップの法則」を次のように説明している。つまり、初期の成功をもたらした集団内の文化は、将来の成功に対してマイナスの働きをする。なぜなら、将来の成功には異なる文化が求められるからだ。[71]さらなる進歩のためには文化を変える必要があるが、それは簡単な話ではない。それはまた、事態を好転させるには、まずは悪化することが避けられない、ということである。使える資源に限りがある以上、時間を費やすべきは根本的な問題の原因を調べることで、症状に対処することではない。その結果、短期的にはセキュリティが低下する可能性があるのだ。

あらゆるコンピュータシステムのセキュリティは、採用されている技術、ユーザーのインセンティブ、そうした技術やユーザーが置かれた環境など、無数の要素に依存している。つまり、情報セキュリティ分野の各領域が、あらゆるシステムのセキュリティ向上に対してできる貢献には限りがあり、それは、ソフトウェアセキュリティ、ネットワークセキュリティ、ユーザー教育、パスワード、暗号など、どれをとっても例外ではない。ある領域におけるセキュリティが強くても、他の領域のセキュリティが弱いコンピュータシステムは簡単に破られてしまう。スティーブン・ベロビンが言ったように、「強いセキュリティを突破しようとするのではなく、それを回避すればよい」からだ[72]。

情報セキュリティの分野は、それ自体が1つのシステムと考えることができ、それぞれの特性、強み、弱みがある。ある部分はより強くより発展しているが、別の部分はそうではない。ある部分は研究者の目を引き注目を集めているが、別の部分は衰退している。研究者や実務者には、システムの個々の部分に焦点を当てようとする強いインセンティブが働くが、「厄介な問題」は断片的な方法では対処できない。コンピュータシステムのセキュリティと同じように、システムを全体的に考える必要があるのだ[73]。

1940年代、ランド研究所は、まさにこの目的のためにシステム分析を考案した[74]。ランドのアナリストたちは、システム分析は「問題を体系的に検討する」手段であり、「問いを提起し、合理的な答えを見つける」プロセスを実現するものと説明した。[75] システム分析は、技術が「無分別な形ではなく、律則された形で」使われるために採用され、ランドはこの手法を、米軍内のボスにアドバイスする際に効果的に使用していた。[76] 情報セキュリティの歴史も、同じように大局的に見てみると、いくつかのテーマが浮かび上がってくる。そうしたテーマはこの分野の基礎となるものであり、長期的に情報セキュリティをより良いものにする端緒を開くのだ。

本質的複雑性と偶有的複雑性

まず見えてくるテーマは、情報セキュリティの実現という課題はある意味、複雑性との戦い、というものだ。コンピュータは複雑で、人間も複雑であり、そしてその複雑性が情報セキュリティの根底にある。早くも1985年には、情報セキュリティは「複雑性の問題に対処するための方法の1つに過ぎない」と言われていた。[77] 専門家の間では、コンピュータシステムは複雑であればあるほどセキュリティを確保するのが難しい、という考えが広く浸透している。[78]

ランド研究所をはじめとする初期の研究者たちは、タイムシェアリングの発明によってコンピューティングにもたらされた複雑性に対応しなければならなかった。[79] ウェア・レポートが予測したのは、コンピュータが複雑化すると、それを使うユーザーの能力も高まり、セキュリティ対策によってユーザーをコントロールするのはますます困難になる、ということだ。[80] アンダーソン・レポートも同様に、システムが複雑になるとセキュリティリスクが増大すると予測していた。[81] ベル－ラパドゥーラ・モデルの開発や、証明可能な安全性のアイデアなど、ウェア・レポート、アンダーソン・レポートに続く取り組みは、複雑化するコンピュータ・オペレーティングシステムに秩序をもたらそうとするものだった。[82] ドットコム・ブームの中で登場したセキュリティ技術も同様に、複雑性を管理しようとする試みと見ることができる。ファイアウォールは、個々に分かれた多数のコンピュータのセキュリティ管理に伴う複雑性や、それらのコンピュータ間で起こりうる相互作用に伴う複雑性を軽減する。[83] マーカス・レイナムは、ファイアウォールを「理解できないほど複雑な2つの領域の間に意図的に配置されたもの」と表現している。[84]

より複雑なソフトウェアにはバグが含まれる可能性が高く、そのバグの一部がセキュリティの脆弱性を生み出すことになる。[85] 一般的に、ソフトウェアに関する問題の「大部分」には、根本原因に複雑性があると言われている。[86] 大規模で複雑なシステムは理解するのが難しく、何らかの故障が発生したときにセキュリティ上の問題が起きないよう設計するのはさらに困難だ。[87] ソフトウェアは時間とともに複雑になる傾向がある。というのも、新しい機能を提供するにはコードを追加する必要があるからだ。また1つのソフトウェアには、モジュールやライブラリと呼ばれる他のソフトウェアがいくつか組み込まれていることがあり、それら自体が複雑になることもある。

あらゆるプログラムは原則として、受け取る入力によってプログラミングされている。それがソフトウェアに、ある種類の脆弱性をもたらすのだ。[88] 入力が複雑になればなるほど、プログラムに与える影響を知ることは難しくなる。入力されたものが脆弱性エクスプロイトであれば、その入力を処理した結果、システムのセキュリティが損なわれる可能性がある。冗談半分で言われてきたのは、安全なプログラムを開発しようとするのとは対照的に、「他のすべての種類のコンピューティングでは、通常の入力に対して正しい処理ができれば十分である」ということだ。[89]したがって、マイクロソフトの「信頼できるコンピューティング・イニシアチブ」や、彼らが考案した「セキュリティ開発ライフサイクル」のようなソフトウェアセキュリティの取り組みは、ソフトウェアが複雑であることで、ソフトウェア内にセキュリティ脆弱性が現れるという問題に挑む、体系的なアプローチと捉えることができる。[90]

複雑性は、組織という単位で考えた場合にも課題となる。[91]組織が直面する複雑性の管理という課題は、組織の規模が大きくなるにつれて直線的ではなく指数関数的に増加するように見える。大企業のコンピューティング環境の特徴は、新しい従業員、コンピュータ、ソフトウェア、ネットワーク機器が次々とやってきて、さらにパートナーや顧客、子会社、規制当局とのやり取りが絶え間なく続くことである。これらはすべて複雑性を生み出し、セキュリティの実現という課題をより困難なものにする。[92]

複雑性がセキュリティ問題の根本原因の1つであるならば、それを理解するには特別な努力をしなければならない。しかし、複雑性をすべて排除することを目的としてはいけない。アントワーヌ・ド・サン＝テグジュペリは、「完璧さとは、これ以上加えるものがないときではなく、これ以上取り除くものがないときに達成される」と書いている。これは、過度にシンプルにすると、目的に合わなくなることがある、という警告だ。人間関係、インターネット、金融市場など、日常生活で重要なものは、ある程度はその複雑な性質が価値を生み出している。[93]では、セキュリティを向上させるために複雑性を減らしはするが、システムの価値がなくなるほどには複雑性を取り除かないためには、どうすればよいのだろうか？

コンピュータ科学者のフレデリック・ブルックスは、「本質的複雑性」と「偶有的複雑性」という2つのタイプに複雑性を区別した。[94] 本質的複雑性とは、逃れることのできない「本物の」複雑性であり、目の前の問題を解決するために必要なものだ。[95] しかし偶有的複雑性は「人工的な」複雑性であり、問題へのアプローチの仕方を改善することで減らせる。[96] したがって目標は、偶有的複雑性を可能な限り減らすことである。[97] 情報セキュリティにおける偶有的複雑性を減らす方法の良い例として、あらゆるセキュリティ脆弱性を排除するよう設計されたプログラミング言語を使うことが挙げられる。C言語を使うプログラマーは、バッファオーバーフローなどのセキュリティ脆弱性をコードに持ち込まないように注意しなければならないが、Rustや、マイクロソフトのC#などの言語で書かれたコードには、バッファオーバーフローが含まれる可能性は低い。[98]

情報セキュリティ分野の歴史を調べてみると、偶有的複雑性を上手く排除する最も強力な方法の1つが、「判断」を取り除くことだったのが明らかになる。「なぜジョニーは暗号化できないのか」論文から本格的に始まったユーザブルセキュリティの研究は、正しいセキュリティ判断を下せるようユーザーを助けることに焦点を当てていた。[99] この研究では、適切な判断を下すための十分な知識をユーザーが身につけることは可能である、と仮定する傾向があった。[100] しかし時が経つにつれ、これは不確かな仮定であることが明らかになる。[101] 人々の意思決定能力をわずかに改善することで情報セキュリティを向上させる、という考え方自体に欠陥があったのだろう。なぜなら人々は、長期間にわたって多くのセキュリティ上の決断に迫られ、そのすべてにおいてに正しい判断を下すことなどできないからだ。ハッカーにとっては、人々がたった一度でも間違った判断を下せばよいのだ。これは一般的に、攻撃者の非対称的な優位性と呼ばれるものである。この問題は、常に正しい判断を下すことが求められる従業員を数多く抱える組織では、さらに深刻になる。[102]従業員は、セキュリティを彼らの本業とは関係のない副次的な業務と考えているため、セキュリティについて学ぶことにあまり意欲的ではない。[103]また、脅威ではないものを脅威と誤認させてしまうことなく、セキュリティ上の脅威を見分ける方法を従業員に教えることも困難だ。[104]

ユーザーがセキュリティ上の判断を適切に下せると信じることで、最悪の結果を招く場合もある。ウェブブラウザは、たとえばユーザーが接続しようとするウェブサイトのセキュリティ証明書に問題があると判断した場合、セキュリティ警告を表示することでユーザーのセキュリティ向上に努めている。しかし、こうした証明書エラーのほぼ100パーセントが誤報（偽陽性）であるため、ユーザーは警告を役立つものではなく、むしろ邪魔なものと考えるようになってしまった。[105]またユーザーは、この警告が現れたら反射的に解除をクリックするようにもなってしまったのだった。[106]反対に、ユーザーがフィッシングサイトにアクセスした場合、証明書エラーの警告を目にする可能性は低い。フィッシングサイトを設置したハッカーが、先手を打って正規の証明書を取得していたり、証明書を置いていなかったりするからだ[107]（証明書がない場合には、一般的に警告は表示されない）。

コンピュータセキュリティの根本的なジレンマとは、セキュリティを望む人々が、セキュリティを評価・改善するための判断能力に欠けていることを言う。[108]このジレンマをユーザーの教育によって解決しようとする試みは、ほとんど成功していない[109]。したがって、ユーザーがより良い選択をできるように手助けするのではなく、単にユーザーの選択肢を減らす方がよいのだ。エレベーターに乗るとき、間違ったボタンを押したら落下して死んでしまうのではないかと心配する人はいないだろう。テクノロジーは、ユーザーで制御できる部分のみを公開するべきで、自分や他人を危険にさらすような判断をユーザーに求めてはならない。マイクロソフトはこの哲学を、「設計段階からセキュアであり、デフォルトでセキュアであること」という戦略に効果的に取り入れた。最近では、マイクロソフトは自社のＯＳ製品にセキュリティパッチを自動的にインストールすることで、業界をリードし続けている。そうしたコンピュータを使う人は、セキュリティパッチをインストールするかどうかを迫られることもないのだ。

エンドユーザーに判断をさせないことに加えて、情報セキュリティの専門家といった技術者にも判断をさせない方法は数多く存在する。２００４年のある論文では、公開鍵基盤（ＰＫＩ）の導入作業について調査している。これは、情報セキュリティの専門家が業務の一環として実施する作業の一例だ。その結果、調査対象者が情報セキュリティに関する十分な知識を持ち、さらにＰＫＩ技術は確立したものと考えられていたにもかかわらず、ＰＫＩの導入作業を成し遂げるのは非常に困難であることがわかった。その理由は、作業は38のステップに分けられており、その一つひとつで判断を下すことが求められていたからである[110]。別の研究では、ＴＬＳ（81ページ参照）を使用したＨＴＴＰの暗号化バージョンであるＨＴＴＰＳ（Hypertext Transfer Protocol Secure）を導入する作業について調査しており、同様の結果が得られた[111]。

ユーザーによるすべての意思決定を単純化したり排除したりすることは、明らかに不可能である。そのような場合、ユーザーのミスを最小限に抑えるために、他の手法を取り入れるのが有効だろう。その1つがツーマンルールだ。これは、2人1組で作業にあたることで、どちらかが損害をもたらす選択をする可能性を減らすやり方である。ツーマンルールが採用されている典型的な例として、核ミサイルのサイロや原子力潜水艦で使用されているような、パーミッシブ・アクション・リンク（PAL）〔武器等を使用するのに特定のコードの入力を求める装置。コードを複数にして別々の人物が管理することにより、誤射等のリスクを軽減する〕がある。[112] こうしたシステムでは、2人の人間が、たとえばそれぞれが暗証番号を知っている別々の金庫を開けるなど、特定のアクションを同時に行う必要がある。[113] 組織内のすべてのセキュリティ判断にツーマンルールを導入することは現実的ではないが、扱う情報の機密性が非常に高い政府機関などの組織において重要なセキュリティ判断を下すうえで有益となりうる。[114]

アカデミア・コミュニティ・産業界

複雑性に続く2つ目のテーマは、集団的な取り組みの重要性だ。アカデミア、情報セキュリティ実務者のコミュニティ、情報セキュリティ産業のすべてが、情報セキュリティの向上に重要な役割を担っており、どのグループも単独で成功を収めることはできない。アカデミアの研究者たちは、新しい働き方や新しい技術のアイデアを生み出す。また、既存のアイデアを評価し、進歩するための強固な知的枠組みを構築する。セキュリティ実務者は情報セキュリティの現実に日々直面しているため、セキュリティに求められる要件や、どのアプローチが効果的でどれが無意味、といった情報を持っている。セキュリティ産業は、セキュリティ機能を搭載した製品を開発することで、購入した人や組織にセキュリティをもたらす。それぞれのグループが、他のグループが必要とする知識を持っているため、グループ間で効率的かつ効果的に情報が行き交うことが重要になる。情報共有が役に立つことは広く信じられており、情報共有は何十年も前から繰り返し奨励されてきた。[115]

企業やその他の組織は、情報共有フォーラムへの参加などを通じて、組織間の情報共有能力を徐々に向上させてきた。金融業界では、FS－ISAC（Financial Services Information Sharing and Analysis Center）が、金融機関どうしの情報共有を促進している。[116] この種のフォーラムでは、ハッカーが使用する戦術、技術、手順など、セキュリティに関連する特定の情報を、参加組織で共有することができる。[117] しかし、こうした情報共有がますます強固になったにもかかわらず、セキュリティが失敗する理由についての情報は、いまだに広く共有されていない。他の分野ではこれが実現している。民間航空産業や原子力産業などでは、何十年にもわたって事故に関する情報を共有・研究してきたため、こうした業界は今日では全般的にとても安全である。[118] セキュリティの失敗に関する詳細な情報を共有することは非常に有益であり、その中には、セキュリティ対策が失敗していたにもかかわらずセキュリティ侵害が発生しなかった「ニアミス」に関する情報も含まれる。[119] こうした情報を共有することで、事案の詳細を記録したデータセットを作成し、それを分析することが可能になるのだ。[120]

歴史を振り返ればわかるように、アカデミアと、実務者および産業界との間の情報共有には、とりわけ弱点が存在してきた。このギャップは大きな機会費用をもたらす。というのも、実務者と産業界は、最も実践的で有益と思われる分野にアカデミアの研究リソースを向けることができるからだ。オレンジブックは、市場で起きている変化を考慮に入れなかったために失敗した取り組みの1つの例だ[121]。逆もまた然りで、アカデミアで行われる研究は、実務者や産業界が開発中のセキュリティ技術における根本的な問題を特定するのに役立つ。また実務者は、産業界で開発された製品の使用方法を、研究成果に基づき調整することができる。ステファン・アクセルソンは、侵入検知システムにおける基準率の誤謬と誤報の問題を指摘していたが、それは侵入検知製品に何十億ドルもの資金が投入されるよりずっと前のことだった[122]。もしアクセルソンの発見がもっと広く知られていれば、実務者は、誤検知率が運用上の問題にならない範囲で侵入検知システムを使うことができただろう。情報セキュリティをより理解するためには経済学と心理学が極めて重要であることを明らかにしたのはアカデミアであったが、情報セキュリティの経済学と心理学は、技術に焦点を当てているこの分野の主流派には、まだ効果的に浸透していない。同様の状況は政府で働く政策立案者にも見られ、彼らは意思決定にあたって、該当する学術研究からではなく、一般紙から得られた情報を用いていると考えられている[123]。

アカデミアは、情報セキュリティの分野がこれまで苦労してきた、そしていまも苦労し続ける課題の多くをすでに克服している。脆弱性の開示に関する問題は、まだ満足のいく形では解決されていない。しかしアカデミアは、ゼロデイ脆弱性よりも文字どおりはるかに爆発力のある研究、すなわち1930年代に始まった核分裂の研究を安全に共有する方法を学んできた。情報連携が上手くいっていない理由の1つは、実務者がセキュリティインシデントの管理、脆弱性の調査、延々と続くパッチのインストールなどの前線に立たされることが多いからである。学術論文を読むには、そのための時間が必要だ。また、学術論文を理解するには、一般の実務者が持ち合わせていない数学や学術用語の知識も必要かもしれない。したがって、情報セキュリティに関する学術論文を、ネットワークセキュリティやソフトウェアセキュリティといったカテゴリー別にまとめ、さらに非専門家でも理解できるような形で書かれた要約を作成すれば、大きな価値を提供するサービスになるだろう。

情報セキュリティ実務者向けのカンファレンスでは、アカデミアから講演者が呼ばれることはあまりなく、また学会でも、現役の情報セキュリティ実務者が講演することは一般的ではない[124]。これは、学術関係者が自分の研究を学会で発表したいと考えていることを考慮すれば、ある程度は説明がつく。学会での発表内容は、会議記録として学術誌に掲載されるからだ。それによって自分の研究が他の学術関係者から引用される可能性が高くなり、さらに発表した論文の数やその論文が引用された数によって、より良いポジションやテニュア（終身在職権）を得られる可能性が高まるのである。実務者にとっては、学会で採用されている査読プロセスは威圧的に感じられたり、訓練を受けた学者ではない者がクリアするにはハードルが高すぎると感じられたりするかもしれない。したがって、ここにはこの2つのグループ間での情報連携の妨げとなる、一連のインセンティブが組み込まれているのだ。

この問題は、多くの学者が実務者になり、その逆のことも起これば、多少は解消するだろう。しかし、情報セキュリティの博士号を取得できる大学の数自体が少ないことを考えると、実務者になる学者の数は、おそらくかなり少ないのではないだろうか。また、学者になる実務者の数もおそらく少ないだろう。平均的な実務者は、学術界に入るために収入が大幅に減ることを受け入れなければならないだろうし、それが学者になることに興味を持つ人の数を減らしていると考えられる。アカデミアと、情報セキュリティ実務者および情報セキュリティ産業との間で効果的な情報共有をできていないことが、情報セキュリティの向上を阻んでいる。このギャップを埋めない限り、実用的な価値のない学術研究が増え続け、根本的に欠陥のあるセキュリティ技術や製品が増え続ける危険性がある。

いかに守るか

3つ目の重要なテーマは、攻撃と防御のバランスだ。今日では、システムを防御するよりも攻撃する方が簡単になっている。コンピュータシステムのセキュリティを侵害するにはゼロデイ脆弱性ひとつで事足りる場合が多いが、ゼロデイ脆弱性を見つけるのは難しいし、コストもかかる。しかし、テクノロジーを上手く攻撃できない場合には、攻撃者は単にフィッシングやソーシャルエンジニアリングなどの手法を用いてシステムを使用する人間をターゲットにすればよい。組織は常にあらゆるところを防御しなければならないが、国家のハッカーは基本的に無限のリソースを持っているため、ほとんどすべての組織に勝つことができる。

防御側がハッカーに対して間違いなく優位に立っているであろう領域は、ごく一部に限られている。その1つが暗号化で、防御側がメッセージを暗号化すれば、ハッカーは暗号鍵を手に入れない限りそれを解読できない。しかし、それを保証するのは暗号化アルゴリズムの基となっている数学であり、要は理論的な意味でしか存在しないのだ。暗号鍵を知る人物は、それを明かすまで鞭打ち（むちう）ちにされることだってあるだろう。また、コンピュータシステムの別の部分に弱点がある場合にも、暗号化は無意味なものになってしまう。

防御の弱さは、一種の学習性無力感〔何らかの困難な状況に置かれ、それを回避できない状態が続いたとき、問題を解決しようという努力すら行わなくなる心理現象〕を生み出す効果がある。すると新しいセキュリティ製品やサービスは、コンピュータシステムの保護をあきらめ、代わりに攻撃の検知と対応に重点を置くようになる。しかし、検知と対応によってセキュリティを改善しようとするのは、決して安全なシステムを構築することができない漸進(ぜんしん)主義である。ドットコム・ブームが始まって以来、情報セキュリティ分野には漸進的な改善を試みるという甘い誘惑があり、セキュリティパッチ、侵入検知シグネチャ、ウイルス対策ソフトのアップデートといった形で大量の応急処置が施されてきた。これらはすべて、保護を提供する能力の欠如というつまでも癒えることのない傷に当てられた、その場しのぎの包帯に過ぎない[125]。

現代に入ってから最初の数十年間、情報セキュリティの分野では、防御に焦点が当てられていた。ウィリス・ウェア、ジェームズ・P・アンダーソン、ジェリー・サルツァー、マイケル・シュローダー、デビッド・ベル、レン・ラパドゥーラなどが行った研究はすべて、主に防御に重点を置いたものだが、その後、人々の関心は攻撃に向かうようになった。これは主に、スタントハッキングの流行とハッカーの偶像化、そして比喩的な意味でも文字どおりの意味でも、彼らのエクスプロイト（功績）が理由だ。しかし、攻撃を研究することで利益が得られるかどうかは疑わしい。既知のタイプの脆弱性で新たな事例が発見されたとしても、防御側がどのように行動を変えるべきかについての新たな知見が得られるわけではない[126]。1974年にタイガーチームが行ったマルティックスのセキュリティ評価ではこの結論に達していたが、その後、この発見はほとんど忘れ去られてしまった[127]。他の分野では、あるソフトウェアに脆弱性が含まれているなど、ただの観察結果だけでは、公表するに値するほどの重要性があるとは見なされない[128]。科学的な研究では、観察結果から理論や一般論を導き出して提案することが求められるが、脆弱性の研究がそのハードルをクリアすることは稀だ[129]。脆弱性の研究はまた、ハッカーとの徹底的な競争も生みだす。新たなハッキング手法が生まれることで新たな防御手段が必要となるが、それがまた新たなハッキング手法の開発に拍車をかけるのだ。時とともにセキュリティが改善されていくのだから、これを好循環と捉える人もいるかもしれない。しかし同時に、これはまぎれもなく攻撃手法をその完成形へと導くもので、ハッカーに対してシステムを攻撃する方法を示すロードマップとなる[130]。これまでのところ、新しい脆弱性の発見を促し報酬を与える数々の逆インセンティブが生み出されてきたが、脆弱性の再発見率が低いと仮定した場合、そうしたインセンティブは全体として脆弱性の供給量を増加させることとなった[131]。

謳い文句に反して、コンピュータをハッキングする方法を学んでも、安全なコンピュータシステムを構築する能力は得られない。情報セキュリティの分野では、セキュリティ実務者は「ハッカーのように考える」べきであるという考え方が浸透しているが、これは防御側の思考が攻撃側の思考と似るのは当然という仮定に基づくもので、それが本当かどうかは疑わしい[132]。脆弱性を発見する方法しか知らない人は、情報セキュリティに対する理解が非常に狭い[133]。ジーン・スパフォードはこの状況を指して、「自動車整備士に求められる最も重要な素質は、ガスタンクに砂糖を入れるのに優れていることだと主張するに等しい」と言ったことで知られている。[134]

攻めと守りに資源を配分する際には、より適切なバランスが必要となるが、防御に対して闇雲に資金を費やせばよいというわけではない。2013年、情報セキュリティ分野で働く人々が、情報セキュリティに関する教育コンテンツを作成する取り組みを立ち上げた。その一環として提案されたのが、「スウェーデンのモーツァルト」の異名をとるヨーゼフ・マルティン・クラウスのオペラを上演することであった。それにより「なりすましという現代の犯罪とその影響」を教えることができると、どうやら冗談抜きで考えていたようだ。[135] また一部の研究者は、事実上達成不可能であることが証明されたプロジェクトや技術に必死で取り組み続けている。[136]

再び防御に重点を置くことで、一般に理解されている情報セキュリティ分野の基本的目標を再検討する機会が得られるだろう。ランド研究所をはじめとする初期の研究者たちにとっての一番の目標は、機密性だった。彼らは、米軍が機密情報をマルチユーザーのタイムシェアリング型コンピュータに保存できるようにしたいと考えていた。時が経つにつれ、新たなセキュリティ要件が追加されてゆく。サルツァーとシュローダーは、その古典的論文「コンピュータシステムにおける情報の保護」の中で、機密性（confidentiality）、完全性（integrity）、可用性（availability）を組み合わせた情報セキュリティの目標を提案し、ＣＩＡの3要素が生まれたのである。[137] 新米のセキュリティ実務者を対象とした情報セキュリティ関連の書籍では、ＣＩＡの3要素の学習と活用が重視されており、セキュリティ実務者を対象とした専門資格のシラバスにもＣＩＡの3要素が組み込まれている。[138] その結果、ＣＩＡの3要素は一種の常識となり、セキュリティの目標には何を設定すべきかという問いに対する決まりきった答えとなったのだ。しかし、機密性が保たれ、完全性が維持され、入手可能な情報でも、完全に間違っている場合がある。[139] CIAの3要素は、情報汚染〔不正確な情報や、意図的な虚偽が拡散されることにより、大量の情報の中から正しいものを把握しづらくなっている状態〕や偽情報の危険性に対処するための適切な枠組みを提供していない。[140] これらの脅威は、誤った情報が、通常は信頼できると考えられている情報源からもたらされた場合に特に問題となる。

セキュリティにとって重要でありながら、機密性、完全性、可用性の観点から容易には定義できない活動を、CIAの3要素を用いて説明することは難しい。たとえば、新入社員が企業に入社すると、仕事を行うために、さまざまなコンピュータシステムへのアクセス権が必要となる。その社員の職務が組織の中で変わっても、新しい職務に移る際に以前のアクセス権が奪われるようなことはなく、こうした「権限」は蓄積される傾向にある。つまり社員の権限は時とともに増えていき、そうすることでセキュリティ上のリスクが生じる。また、退職する社員が不要になった権限を持ち続けてしまうこともある。権限に関してはこうした難題があり、これは情報セキュリティにおける問題ではないと主張するのはさすがに無理があるだろうし、かといってCIAの3要素を使って簡単に説明することもできない。

ジェリー・サルツァー自身、CIAの3要素を「セキュリティに関する問題を恣意的に定義したもの」と表現していた。そのため学者たちは定期的にCIAの3要素を見直し、新しい用語を追加するなどして、その改善を提案してきた。[141] しかし情報セキュリティという分野全体で見ると、こうした理論的な土台に対して、同じように関心が寄せられたりイニシアチブが取られたりすることはなかった。

情報セキュリティの分野でよく知られた格言に、「隠蔽によるセキュリティは存在しない」がある。この言葉は、コンピュータシステムのセキュリティは、セキュリティ対策の詳細を攻撃者にばれないようにしておく必要がある防衛策に頼るべきではない、という考え方を表すのに広く使われている。言い換えれば、たとえシステムのセキュリティ設計が攻撃者の手に渡ったとしても、システムのセキュリティが直ちに損なわれることがない状態だ。しかし「隠蔽によるセキュリティは存在しない」は、情報セキュリティの専門家たちから、すべてをさらけ出すことが望ましいという意味に曲解されてきた。[142] こうした見方は、この言葉が最初に生み出された歴史的背景を無視している。これは１８８３年、オランダの暗号学者で言語学者のアウグスト・ケルクホフスが、暗号システムの設計について議論した際に初めて発せられた言葉である。[143] 暗号システムでは、暗号化アルゴリズムの設計を公開できる。なぜなら、パスワードに相当する秘密鍵をアルゴリズムと組み合わせることで、セキュリティを確保できるからだ。このような暗号システムの設計以外では、「隠蔽によるセキュリティは存在しない」は必ずしも当てはまらない。[144] 確かにコンピュータシステムは、攻撃者がシステムの技術的な詳細を知っていることを前提に設計されるべきだが、そのような詳細を秘密にするよう努力することには、何の害もない。[145] これは、セキュリティ対策の詳細を自ら進んでウェブサイトに公開して世界に発信する組織がないことからも明らかだ。たとえば攻撃者に対し、彼らがまだ持っていない情報を探すための労力をかけさせるなど、秘匿（ひとく）することには一定の価値がある。[146]

「多層防御」とは、ハッカーが乗り越えなければならない障壁を複数設けることで、セキュリティを向上させるという考え方だ。[147] たとえばファイアウォールを利用するとともに、ネットワーク内の個々のコンピュータのセキュリティにも配慮しているような組織は、多層防御戦略を採用していると言えるだろう。もし論理を突き詰めれば、多層防御は「多ければ多いほどよい」というメンタリティを生み、かえってセキュリティに悪影響を及ぼすこともある。ある環境に対してより多くのセキュリティ対策を実施すると、その環境の複雑性が増すからだ[148]。ある時点で、過多な防御はそれが過少なときと同じくらい危険になる。その原因は、追加で生じる複雑性とリスクホメオスタシスにある[149]。スリーマイル島の原子炉で発生した部分的なメルトダウンは、安全対策とセキュリティ対策によって生まれた複雑性が一因だった[150]。

情報セキュリティの分野では、ＣＩＡの3要素の使用、「隠蔽によるセキュリティは存在しない」、そして多層防御を、書籍やトレーニング教材、認定資格などを通じて体系化することで、制度化している。これは有害な取り組みだ。なぜなら情報セキュリティに初めて触れる人たちは、その分野の知識体系とされるものを学ぼうと、必然的にそうした資料に目を向けると考えられるからだ。しかし、新しくやってきた人たちが、前からそこにいる人たちと同じ枠組みの中で物事を考えるように訓練されると、彼らはその枠組みから外れて考えることがなくなってしまう。ＣＩＡの3要素、「隠蔽によるセキュリティは存在しない」、多層防御は第一原理から導かれた科学的・数学的な法則ではなく、間違っていないとも言い切れない。これらは単なるマントラであり、したがって作り変えることだってできるのだ。

合理的な行動とは?

情報セキュリティの歴史の中で、重要だが微妙な役割しか果たしてこなかった最後のテーマは、合理性だ。ランド研究所に合理性を叩きこんだのは、カーチス・ルメイ大将だった。[151] 彼の感情を排した分析的なアプローチが組織に浸透し、最終的にケネス・アローによる合理性の研究につながった。[152] アローをはじめとするランドの研究者たちは、合理性は数学的に評価できる、つまり、各行動が生じる確率を調べることで、人の行動を予測できるという信念を持っていた。[153] しかし、ある人にとっては合理的な行動が、他の人にとっては全く非合理的であることが次第にわかってきた。人や組織が何かしらの選択をしても、その理由は後になって周囲の事象がよく理解されたときに初めて明らかになることが多い。マイクロソフトが企業としてセキュリティを放棄したのは合理的な行動であったし、後になってセキュリティを重視するようになったことも、合理的な行動と言える。[154] チョコレートバーと引き換えにパスワードを明かしたユーザーや、セキュリティ警告を無視したユーザーは、セキュリティ専門家の目には非合理的な行動をとっているように映った。だが、後にコーマック・ハーレーが明らかにしたのは、こうしたユーザーがセキュリティガイダンスを無視したのは実際には合理的であり、非現実的なセキュリティガイダンスにユーザーが従うことを期待して非合理的な行動を取っていたのは情報セキュリティ分野の方である、ということだ。[155]

合理性に関しては、経済学者や心理学者、哲学者、人類学者など、さまざまな分野の専門家が参加して、膨大な研究が行われてきた。[156] 合理性を理解する能力は大幅に向上したが、依然として、合理性は捉えどころがない。情報セキュリティの歴史を通じて、この分野に携わる人々は、合理的な行動とは何かを見定め予測する自分たちの能力を常に過大評価してきた。その結果、一連のエラーが次々と発生したが、その影響は発生の瞬間ではなく、数年後、数十年後に現れ、雪だるま式に増えていった。

英国の哲学者であるアンソニー・ケニーは、合理性とは、過度に信じることと、過度に疑うことの間にある中庸だと述べている。[157] 何かを完全に信じきってしまう者は騙されやすくなり、その考えは多くの誤りを含むようになる。しかしあまりに信じようとしない者は、貴重な情報を得る機会を自ら失うことになる。歴史を理解することは、信じる心と疑う心の間で適度なバランスを取るための必須条件だが、情報セキュリティの歴史を長い目で見ると、今日の考えの多くが、深刻な歴史の軽視による空白から生まれていることがわかる。現代において、歴史に関する知識を持たないことは大きな損失である。歴史はサンクコストではないのだ。南北戦争の退役軍人で作家のアンブローズ・ビアスは、歴史とは「過去に犯した過ちの記録であり、われわれが再び過ちを犯したときに知ることになるものだ」と表現した。[158] 過去を知ることで現在に対する理解が深まり、未来に向けてより良いプランが描けるようになる。

情報セキュリティの歴史は、空間と時間を曲がりくねって進み、ある種の隠れた地形を作り出している。1970年代にサンタモニカで始まった情報セキュリティの歴史は、1988年にコーネル大学に移り、ドットコム・ブームの時代にはシリコンバレー、21世紀初頭にはワシントン州レドモンドへと、まだ見ぬ遠い頂(いただき)を目指して進んできた。未来は必ず訪れるだろう、そして未来が私たちの抱える問題を解決してくれると期待するのは容易(たやす)い。しかし未来を創造するためには、まずは過去に目を向けなければならない。学ぶべきことはたくさんあり、それを得られるのは過去しかないのである。[159]

過去、現在、あり得る未来

現在は過去の産物であり、今日の情報セキュリティ分野が直面している問題は、過去をよりよく理解しない限り乗り越えられないだろう。実際、「3つの汚名」がここまで蔓延しているのは、まさに過去が見過ごされているからだ。

第一の汚名であるデータ漏洩は、いまや毎年数十億人もの人々に影響を及ぼすようになっている。[1] マリオットホテルグループが、最大で3億8300万人分の宿泊客の記録にハッカーがアクセスした可能性があると発表したとき、2019年が明けてからまだ4日しか経っていなかった。[2] 同じ年の2月には、16のウェブサイトからハッカーによって盗まれた6億1700万ものアカウントが、2万ドルで売りに出された。[3] 3月、ロシア語を使うFxmspというハッキンググループが、ウイルス対策ソフトを開発する企業3社に侵入したと発表した。彼らはこれらの企業のコンピュータにアクセスする権限と、30テラバイト分のウイルス対策製品のソースコードを30万ドルで売りに出した。[4] Fxmspは以前にも、ハッキングした組織のコンピュータへのアクセス権を売って、１００万ドル以上を稼いだことがある。[5] こうした報道を受けて、ウイルス対策企業3社のうち1社は、自社のコンピュータに「不正なアクセス」があったことを認め、2社目のベンダーは侵入されたことを否定しない声明を発表した。[6] ２０１９年5月には、インスタグラムのユーザー４９００万人の個人情報が流出したと報じられている。[7] 同月、米国の銀行キャピタル・ワンは、米国とカナダの1億人以上の機密情報が流出したとの声明を発表した。[8]

データ漏洩によってハッカーが手に入れた情報の量はますます増加し、信じられないほどのレベルに達している。２０１９年9月、エクアドルの全国民に関する情報がインターネット上に流出し、その中には氏名、出生地、生年月日、自宅住所、電子メールアドレス、国民識別番号、その他の個人情報が含まれていた。[9] ２０２０年1月、米国在住者５６００万人の個人情報を含むデータベースのコピーが、中国・杭州の、オープンネットワーク上にあるコンピュータから発見された。[10]

データ漏洩を防ぐのを難しくしているのは、構造上の問題がその根底にあるからだ。インターネット、ワールド・ワイド・ウェブ、ＵＮＩＸオペレーティングシステム、ＴＣＰ／ＩＰプロトコルスイートは、セキュリティを考慮に入れて設計されたわけではない。また、C言語のようなプログラミング言語で、バグを含まない、つまりセキュリティ上の脆弱性を含まないコンピュータソフトウェアを書くことは難しい。グーグルは自社製品のセキュリティ対策に巨額の費用を投じているが、２０１9年3月、自社のウェブブラウザ「グーグル・クローム」が、広く知られたゼロデイ脆弱性の問題に直面することとなった。[11] クロームはＣ＋＋というプログラミング言語で書かれており、グーグルのリソースをもってしても、C＋＋を使用することでセキュリティ上の脆弱性が生じる恐れが出てくるのである。[12]

こうした構造上の問題が脆弱なコンピュータを生み出しており、ゼロデイ脆弱性や、単にパッチが適用されていない既知の脆弱性を利用することで、脆弱性のあるコンピュータをハッキングできてしまうのだ。またハッカーは、フィッシングやソーシャルエンジニアリングなど、コンピュータを使う人間の弱点や傾向を利用することで、人間をターゲットにすることもある。情報セキュリティの分野では、こうした2つの側面——コンピュータとユーザー——は、ヤヌスの2つの顔、つまり同じコインの表と裏のようなものだ。

第二の汚名である国家によるコンピュータのハッキングは、いまでは見境なく行われるようになってしまった。国家はハッキングを使って、知的財産を盗み、スパイ活動を行い、選挙の結果を歪めようとしている。

2019年5月、8000万人の個人医療情報が流出した2015年のアンセムハッキング事件に関連して、中国国籍を有する2人の人物が米司法省に起訴された。[13]そのわずか1か月後、「大規模なスパイ活動」と言われた事件では、中国に拠点を置くとみられるAPTグループが、世界の10の携帯電話ネットワークにハッキングしていたことが発覚した。[14]この攻撃によって流出した通話記録を使って、ハッキンググループは個人の物理的な位置を正確に特定することができた。[15]

2016年の米大統領選に対するロシアの妨害工作をまとめた報告書を米上院が発表した際には、ロシアのハッカーがSQLインジェクション攻撃を用いて、米国の50州すべての選挙コンピュータシステムを標的にしていたことが明らかになった[16]。その結果、ロシアのハッカーは少なくともフロリダ州の2つの郡で、有権者のファイルにアクセスすることができた[17]。

それぞれの国家は留まることを知らない軍拡競争に陥っている。NSAは他国のコンピュータに侵入するため、ゼロデイ脆弱性のエクスプロイトを開発した[18]。しかしそうしたエクスプロイトは、2016年にシャドウ・ブローカーズによって発見され、インターネットワーム「ワナクライ」を生むことになる[19]。一部のNSAのエクスプロイトは、公表される前に中国のハッカーにも利用されていたことが、その後、報じられた[20]。どうやらNSAが中国のコンピュータに対してこのエクスプロイトを使用していたため、中国のハッカーはリバースエンジニアリングをして自分たちの目的のためにそれを利用できたようだ[21]。

このような相互作用が意図しない結果をもたらす可能性は、無限に広がっている。ロシア、中国、米国といった国家がこうした強力なハッキング能力を開発したという事実だけで、イランや北朝鮮をはじめとする他の国々に、同じことをしようとする動機を与える[22]。

第三の汚名、情報セキュリティ分野における認知的閉鎖は、自ら招いた、気力を奪う傷だ。スタントハッキングやプロモーテッド・ディスクロージャ、FUDを使って、マスコミにアピールする突拍子もないハッキングストーリーが喧伝(けんでん)されている。その結果、ハッカーやセキュリティ研究者、セキュリティ企業が自分たちの専門知識を収益化するのに適した状況が生まれている。

2019年5月、あるセキュリティ企業のCEOが、インターネットにつながったコーヒーマシンを通じて、銀行情報などの個人情報がハッカーに盗まれる可能性があると主張した[23]。2019年12月には別のセキュリティ企業が、子供のスマートウォッチに関する研究を進め、ハッカーがそれをハッキングして子供の会話を盗聴できると主張した。[24] 他にもエレベーターに設置されている緊急電話やスマート電球、建設用クレーン、さらには遠隔操作可能なカーテンまでも標的として、そうした主張が繰り広げられている。[25]

しかし歴史を振り返れば、こうしたセキュリティの失敗は痛々しいほど簡単に予測できるものだ。セキュリティを重視して設計されていない新しい技術にセキュリティ上の脆弱性が存在するのは、驚くべきことではない。それでもマスコミは、プロモーテッド・ディスクロージャのエコシステムに喜んで参加している。2019年3月、IT系ニュースサイトが、ミシガン大学で行われた学術研究に関する記事を掲載した。[26] 同研究ではハードディスクを、周囲の音波を捉えるようにプログラミングし、秘密の盗聴器に仕立てていた。しかし記事の末尾、つまり見出しからずっと離れた下の方になってようやくこの記事の執筆者は、会話を聞き取って録音するには、会話の音量はフードミキサーや芝刈り機と同じくらい大きい必要があることを書いていた。[27]

教師で作家のクレイ・シャーキーは、「それぞれの機関は、自らが解決策となるような問題を維持しようとする」と指摘している。[28] 情報セキュリティ企業、セキュリティ研究者、報道機関は、情報セキュリティのリスクに関する神話をつくることに貢献しており、そしてその理由は自分たちの利益だったことは明白だ。

このような課題がある中で、何がなされるべきなのだろうか。情報セキュリティの厄介な性質のために、さまざまな症状の背後にある根本的な原因が見えなくなってしまっている。そうした症状を緩和しようとするのは人間の自然な反応だが、最終的には、根本的な原因に対処しなければならない。新たなセキュリティ技術、シグネチャ、あるいはパッチの開発を壮大なスケールで行っても、その目標にはほとんど貢献しない。

複雑性が情報セキュリティにどのような影響を与えるのか、そしてその複雑性をどのように管理できるのかを、より深く理解するための特別な努力が必要だ。ある種のセキュリティ脆弱性の餌食とならない最新のプログラミング言語は、偶有的複雑性を軽減する手段の一例である。[29] 別の例としては、セキュリティに関する不要な判断を、エンドユーザーと技術者の両方から取り除くことが挙げられる。[30]

情報セキュリティには、集団的努力が求められる。失敗やニアミスに関する情報共有をさらに進めなければならない。航空や原子力などの複雑性の高い業界では、情報セキュリティ分野が目指すべきレベルの情報共有を実現している。情報セキュリティ実務者や情報セキュリティ産業と、アカデミアとの間の情報共有には、特に多くの問題がある。これ以上、欠陥のあるセキュリティ製品を生み出したり、不毛な学術研究を続けたりすることのないよう、この問題に対処しなければならない。

検知と対応という漸進的な改善では、安全なシステムを作ることはできない。保護、検知、対応のバランスを再調整し、１９７０年代にそうであったように、情報セキュリティの分野は再び保護を取り戻さなければならない。その一環として、ＣＩＡの3要素や「多層防御」などの常識を見直し、本当にそれがいま求められているものなのかを見極める必要があるだろう。

最後に、コンピュータのユーザーや組織は、セキュリティに関しては「合理的」に行動するというのが一般的な考えだ。しかし、１９６０年代にランドをはじめとする初期の研究者たちが行った研究に始まり、その後数十年間にわたって研究が続けられ、合理性は得体の知れない存在であることがわかった。歴史を振り返ると、それまで不合理と思われていたことが、いまでは合理的とされることも多い。このように、合理的な行動とは何かをその時々で理解するのは困難であり、セキュリティ対策を設計する際には、そういったことも考慮に入れなければならない。

ナポレオン戦争後、プロイセンの将軍カール・フォン・クラウゼヴィッツは、『戦争論』（清水多吉訳、中公文庫、２００１年）という軍事戦略書を著した。[31] この本には、戦争の戦略論に対する彼の考え方が記されており、「大量の現象とそれらの関係についての洞察を得て、それを自由にし、行動のより高い領域に昇華させる」ことを目標としている。[32] 情報セキュリティの分野もそうでなければならない。うわべだけではなく実体が必要なのだ。そして本質的なものが、刹那的なものを凌駕しなければならない。

謝辞

何よりも、コーネル大学出版局のマイケル・Ｊ・マクガンディに感謝したい。マイケルは本書の出版プロジェクトの要(かなめ)だ。また、読者役を務めてくれたリチャード・Ｈ・イマーマン、ジェフ・コセフ、ベン・ロスキーにも感謝したい。マイケル、リチャード、ジェフ、ベンがいなければ、本書は実現しなかっただろう。

ＩＥＥＥ（Institute of Electrical and Electronics Engineers）、ＡＣＭ（Association for Computing Machinery）、ＵＳＥＮＩＸ（Advanced Computing Systems Association）が発行・保存する資料は、ゴードン・リヨンが管理するセキュリティ・メーリングリスト・アーカイブ（Security Mailing List Archive）やセキュリティ・ダイジェスト・アーカイブ（Security Digest Archives）同様、本書を執筆する上で極めて重要だった。またチャールズ・バベッジ研究所が「コンピュータ・セキュリティ史の基盤構築（Building an Infrastructure for Computer Security History）」の一環として作成したオーラルヒストリーも、重要な情報源となっている。特にジェフリー・ヨーストは、多くの有益なインタビューを行っている。

カースティ・レッキー゠パーマーは、私の原稿に対して専門的なフィードバックを提供してくれた。コピーエディターを務めてくれたのはジョイス・リーである。またモルガン・スタンレーの同僚、特にジェリー・ブレイディ、グラント・ジョナス、マーク・ハンディ、グレッグ・ガスキン、チップ・レッドフォードに感謝したい。なお、私がここでこれらの人々に謝辞を述べることは、彼らが本書の内容を支持することを意味するものではない。

最後になったが、妻のホリーと息子のトリスタンに特別な感謝を捧げる。

訳者あとがき

本書は２０２１年９月に出版された、*A Vulnerable System: The History of Information Security in the Computer Age*（脆弱なシステム――コンピュータ時代の情報セキュリティ史）の邦訳である。著者のアンドリュー・スチュワートは投資銀行で情報セキュリティの専門家として働く一方、ロンドン大学キングス・カレッジに研究生として在籍中であり、情報セキュリティに関する論文を多数発表している。原著のタイトルにもある通り、本書は「脆弱なシステム」であるコンピュータのセキュリティをめぐる歴史を振り返るとともに、それを通じて「なぜ情報セキュリティは失敗の連続なのか」を明らかにしている。

本書でも繰り返し指摘されているように、いまや情報セキュリティは誰にとっても身近な問題となった。たとえば２０１３年に米ヤフーで発生したデータ漏洩事件では、同社サービスのユーザーアカウント、実に30億人分が流出している。本書によれば、当時の世界人口はおよそ70億人であり、単純計算で全人口の４割以上の人々に影響があったことになる。

また日本でも、２０２２年６月に、兵庫県尼崎（あまがさき）市の全住民（約46万人）の個人情報が入ったＵＳＢメモリが紛失するという事件が起きている。同市から業務を委託された業者の社員が、個人情報データをＵＳＢに移し、それをかばんに入れたまま居酒屋で飲酒。この時点で既に大問題だが、この社員はその後路上で寝込んでしまい、起きたときにはかばんごと無くなっていたのである。幸いなことに、その後かばんとUSBは無事発見された。現時点ではUSBからデータが読み取られた形跡はないとのことだが、全住民の情報が悪意を持つ人物の手に渡る恐れがあったこの事件は、誰もが情報セキュリティの問題と無関係ではいられないことを如実に示すものと言えるだろう。

もちろん被害を受けるのは個人だけではない。いまや多くの企業も、否応なく情報セキュリティに取り組まざるを得ない状況となっている。

たとえば本書の第7章でも取り上げられているランサムウェア。マルウェアの一種で、感染したコンピュータをロックしたり、その中に格納されているファイルを暗号化するなどして使えないようにし、それを解除する見返りとして身代金（ランサム）を要求するというものだが、それがいま猛威を振るっている。警察庁が発表した資料によれば、令和3年（２０２１年）中に警察庁に報告されたものだけで、日本国内におけるランサムウェアの被害件数は１４６件に達している。この中には、感染したシステム等の復旧までに2か月以上要した事例や、調査・復旧に５０００万円以上の費用を要した事例など、甚大な被害をもたらしたものも含まれている。また医療機関において、電子カルテ等のシステムがランサムウェアに感染し、新規の診療受付や救急患者の受け入れが一時停止するなどの「重要インフラ事業者が標的となり、市民生活にまで重大な影響を及ぼす事案」も確認された。同様の事案は海外でも多く確認されており、情報セキュリティは企業の業績や存続にまで深く関わる問題となっている。

なぜコンピュータはこれほど「脆弱なシステム」であり、ハッカーによる攻撃やデータ漏洩といった事件・事故が日々発生しているのか。それを理解するためのひとつのアプローチとして、情報セキュリティをめぐる現在のスナップショットを撮り、問題の直接的な原因を追究するという方法が考えられるる。

だろう。もちろんそれは有効なアプローチであり、多くの技術書やIT系ニュースサイトが採用している。

一方で本書が採用しているのは、過去を振り返って「なぜいまこのような状況になっているのか」を理解し、そこから今後の進むべき道を考えるというアプローチだ。情報セキュリティをめぐっては、コンピュータ開発の黎明期から幾度となく議論が繰り返され、さまざまな方法論の開発・実践が取り組まれてきた。本書はそれらを当時の時代背景と共に振り返り、いくつもの取り組みがどのようにして生まれ、なぜことごとく失敗に終わってきたのかを描き出す。その中では、世界初のスパムメールや世界初のコンピュータウイルス、さらには「悪意のあるコンピュータプログラムを流布した罪」で逮捕され、裁判にかけられた世界初の人物（それが誰か、そしてこの一件がどのような顚末をたどったのかは、ぜひ本書を読んで確認してほしい）といったエピソードも紹介されており、情報セキュリティ史を身近に感じられる読み物としても楽しめるようになっている。

技術の世界は日進月歩なのだから、重要なのは最新の状況だけであり、過去を振り返っても意味がないと思われるだろうか。確かに目の前で起きている情報セキュリティ事故やサイバー攻撃に対処するには、たったいま、どのような脆弱性が世の中で発見され、どのような攻撃手法がトレンドとなっており、それにどう対応するかという専門知識が必要だ。そしてそれは、多くの技術書やニュースサイトが提供してくれている。

しかしそうした脆弱性がなぜ繰り返し発生するのか、そして対症療法ではなく根本的な治療を行うにはどうすれば良いのかを考えるためには、いまという状況がどのようにして生まれてきたのかを考えなければならない。著者はこのことを、「現在は過去の産物であり、今日の情報セキュリティ分野が直面している問題は、過去をより良く理解しない限り乗り越えられない」という表現で訴えている。

たとえば本書の中に、ユーザビリティに関する解説がある。著者によれば、情報セキュリティ史の初期、ユーザビリティの重要性はあまり考慮されていなかったそうだ。その理由は、初期のコンピュータは軍事目的で開発されており、したがってそのユーザーも軍人を想定していたためであった。軍人は「命令、規則、手順に忠実に従うよう訓練され、あたかも機械の一部であるかのように行動したから」、彼らが問題行動を取る可能性を考慮しなくてよかったわけである。

その後、コンピュータが社会へと普及するに従い、一般の人々がユーザーになることが当たり前の状況となった。しかしこうしたユーザーの軽視（あるいは過度の信頼と呼べるかもしれない）は、ユーザビリティの領域だけにとどまらず、逆に情報セキュリティに関する取り組み全体へと波及してしまっており、その悪影響が尾を引いている。パスワードをめぐり、人間の心理や行動パターンを無視したアドバイスが行われ、逆にセキュリティの観点からはマイナスの影響をもたらしていること（複雑なパスワードを推奨するあまり、パスワードの使いまわしが起きたり、覚えやすいパスワードを設定することにより推察されやすくなったりするなど）はその最たる例だ。

本書ではこうした、過去の状況が現在の問題をもたらしているという構図を、「経路依存性」という経済学・社会学における専門用語を引用して示している。これは「ある瞬間に取りうる一連の選択肢は、過去に行われた選択によって制限されている」という概念だ。一見すると非合理的な選択（タイプライター時代のQWERTYキーボードレイアウトがコンピュータ時代になっても引き継がれていることなど）も、経路依存性から説明でき、問題を正しく理解することを促してくれる。本書はまさに、情報セキュリティをめぐる現在の問題の背景にある、さまざまな経路依存性を解説してくれるものと言えるだろう。

さて、前述の通り、本書は２０２１年9月に原著が刊行されている。その後に発生した、世界に衝撃を与えたある事件と、その後の情報セキュリティ界隈の状況は、本書の見通しの正しさを別の角度から証明するものとなっている。それは言うまでもなく、２０２２年2月24日のロシアによるウクライナ侵攻である。

本書は第8章において「国家によるハッキング」を取り上げ、情報セキュリティにおける主要な「３つの汚名」のひとつとして位置づけ、詳しい解説を行っている。２０１０年代ごろから活発に見られるようになり、また被害の件数・規模ともに拡大傾向にあるのが、国家が何らかの目的でハッキング行為に乗り出すという現象だ。本書はこれについて、「国家は、目的を遂行するためにコンピュータ・ハッキングを利用することを止めないだろう」として、今後も増加傾向が続くという予想を示している。

そして実際に、2月のウクライナ侵攻では、その前後からさまざまな企業・組織に対するサイバー攻撃が急増するという状況が見られている。たとえば株式会社サイバーセキュリティクラウドが２０２２年4月に発表したレポートによれば、侵攻直前となる2月16日以降、日本国内ウェブサイトに対するＤＤｏＳ攻撃（ＢＯＴや脆弱性スキャナなどによる不正アクセスの検知）数が、それまでの直近３か月平均と比べて最大25倍も増加していた。また帝国データバンクが3月に発表したアンケート結果（3月11日から14日にかけて行われたもの）では、回答した企業の28・４パーセントが、「1か月以内にサイバー攻撃を受けた」と答えている。こうした事態を受け、経済産業省は国内企業に対してサイバーセキュリティの強化を呼び掛けているが、それは侵攻が発生した2月24日、ならびに3月1日、３月24日と、１か月間で3度も行われている。まさに本書が危惧(きぐ)していた状況が現実になっているわけだ。

本書はこうした情報セキュリティの根本的課題を解決するために、さまざまな学術分野における知識や経験に学ぶことを推奨している。情報セキュリティ史は、他の学術分野が歩んできた歴史と比べて圧倒的に短い。それだけこの分野はまだまだ手探りの状況であるわけだが、逆に考えれば、他の学術分野から学べることが多いと言えるだろう。たとえば本書は、「経済学の分野からは、外部性の重要性、逆インセンティブを考慮する必要性、そして公共財としてのセキュリティという考え方、農業の分野からはモノカルチャーの概念、保険の分野からはリスクマネジメントの概念と保険数理データの価値など、全体として多くの有益なアイデアが生み出されてきた」と指摘している。一方でこれらの概念は、まだ情報セキュリティ分野において十分に浸透・活用されていないともしており、今後より大きな効果をもたらすことに期待をかけている。

大げさな言い方をすれば、すべての人々や企業にとって重要なテーマとなった情報セキュリティに対しては、あらゆる分野から人々が参加し、英知を結集させてその対応を探る必要があるのだろう。その際に本書は、情報セキュリティ史をめぐる共通認識を提供し、未来を考えるための基盤をつくるという点で、大きな価値を提供するものになると信じている。

Now-hackers-steal-ID-bank-details-coffee-machine.html/.

24. Alfred Ng, "These Kids' Smartwatches Have Security Problems as Simple as 1-2-3," *CNET*, December 11, 2019, https://www.cnet.com/news/these-kids-smartwatches-have-security-problems-as-simple-as-1-2-3/.
25. WillC [pseud.], "Phreaking Elevators" (presentation, Defcon, Las Vegas, NV, August9, 2019), https://www.youtube.com/watch?v=NoZ7ujJhb3k; Daniel Oberhaus, "This Hacker Showed How a Smart Lightbulb Could Leak Your Wi-Fi Password," *Vice*, January 31, 2019, https://www.vice.com/enus/article/kzdwp9/this-hacker-showed-how-a-smart-lightbulb-could-leak-your-wi-fi-password/; Trend Micro Research, *Attacks against Industrial Machines via Vulnerable Radio Remote Controllers: Security Analysis and Recommendations* (Tokyo: Trend Micro, 2019); Patrick Clark, "The Hotel Hackers Are Hiding in the Remote Control Curtains," *Bloomberg Businessweek*, June 26, 2019, https://www.bloomberg.com/news/features/2019-06-26/the-hotel-hackers-are-hiding-in-the-remote-control-curtains/.
26. Thomas Claburn, "From Hard Drive to Over-Heard Drive: Boffins Convert Spinning Rust into Eavesdropping Mic," *Register*, March 7, 2019, https://www.theregister.co.uk/2019/03/07/harddriveeavesdropping/.
27. Claburn, "From Hard Drive."
28. Kevin Kelly, "The Shirky Principle," *Technium* (blog), April 2, 2010, https://kk.org/thetechnium/the-shirky-prin/.
29. "A Proactive Approach to More Secure Code," Microsoft Security Response Center, Gavin Thomas, last updated July 16, 2019, https://msrc-blog.microsoft.com/2019/07/16/a-proactive-approach-to-more-secure-code/.
30. Dirk Balfanz, Glenn Durfee, Rebecca E. Grinter, and D. K. Smetters, "In Search of Usable Security: Five Lessons from the Field," *IEEE Security & Privacy* 2, no. 5 (2004): 19–24, https://doi.org/10.1109/MSP.2004.71; Katharina Krombholz, Wilfried Mayer, Martin Schmiedecker, and Edgar Weippl, " 'I Have No Idea What I'm Doing': On the Usability of Deploying HTTPS" (presentation, 26th USENIX Conference on Security Symposium, Vancouver, August 16–18, 2017), https://dl.acm.org/citation.cfm?id=3241293.
31. Carl von Clausewitz, *On War*, ed. Michael Howard and Peter Paret (Princeton, NJ: Princeton University Press, 1989).
32. Clausewitz, *On War*, 578.

12. “Analysisof a Chrome Zero Day: CVE-2019-5786,” McAfee Labs, McAfee, last updated March 20, 2019, https://www.mcafee.com/blogs/other-blogs/mcafee-labs/analysis-of-a-chrome-zero-day-cve-2019-5786/.
13. Eric Geller, “Chinese Nationals Charged for Anthem Hack, ‘One of the Worst Data Breaches in History,’ ” *Politico*, May 9, 2019, https://www.politico.com/story/2019/05/09/chinese-hackers-anthem-data-breach-1421341/.
14. Zack Whittaker, “Hackers Are Stealing Years of Call Records from Hacked Cell Networks,” *TechCrunch*, June 24, 2019, https://techcrunch.com/2019/06/24/hackers-cell-networks-call-records-theft/.
15. Whittaker, “Stealing Years of Call Records.”
16. United States Senate, *Report of the Select Committee on Intelligence on Russian Active Measures Campaigns and Interference in the 2016 Election* (Washington, DC: United States Senate, September 25, 2019), https://www.intelligence.senate.gov/sites/default/files/documents/Report_Volume1.pdf; David E. Sanger, “Russia Targeted Election Systems in All 50 States, Report Finds,” *New York Times*, September 25, 2019, https://www.nytimes.com/2019/07/25/us/politics/russian-hacking-elections.html.
17. Gary Fineout, “Russians Hacked 2 Florida Voting Systems; FBI and DeSantis Refuse to Release Details,” *Politico*, May 14, 2019, https://www.politico.com/states/florida/story/2019/05/14/russians-hacked-2-florida-voting-systems-fbi-and-desantis-refuse-to-release-details-1015772/.
18. Sam Biddle, “The NSA Leak Is Real, Snowden Documents Confirm,” *Intercept*, August 19, 2016, https://theintercept.com/2016/08/19/the-nsa-was-hacked-snowden-documents -confirm/.
19. Elizabeth Piper,“Cyber Attack Hits 200,000 in at Least 150 Countries: Europol,”*Reuters*, May 14, 2017, https://www.reuters.com/article/us-cyber-attack-europol/cyber-attack-hits-200000-in-at-least-150-countries-europol-idUSKCN18A0FX/.
20. Nicole Perlroth, “How Chinese Spies Got the N.S.A.’s Hacking Tools, and Used Them for Attacks,” *New York Times*, May 6, 2019, https://www.nytimes.com/2019/05/06/us/politics/china-hacking-cyber.html.
21. Dan Goodin, “Stolen NSA Hacking Tools Were Used in the Wild 14 Months before Shadow Brokers Leak,” *Ars Technica*, May 6, 2019, https://arstechnica.com/information-technology/2019/05/stolen-nsa-hacking-tools-were-used-in-the-wild-14-months-before-shadow-brokers-leak/.
22. Orion Rummler and Rebecca Falconer, “Iranian Cyberattacks against the U.S. Are on the Rise,” *Axios*, June 23, 2019, https://www.axios.com/iranian-cyberattacks-against-the-us-are-on-the-rise-46e2f3a2-7c4d-4589-b006-4d90a4dd6d0b.html; Tim Starks, “Security Firms See Spike in Iranian Cyberattacks,” *Politico*, June 21, 2019, https://www.politico.com/story/2019/06/21/us-iran-cyberattacks-3469447/; Michelle Nichols, “North Korea Took $2Billion in Cyberattacks to Fund Weapons Program: U.N. Report,” *Reuters*, August 5, 2019, https://www.reuters.com/article/us-northkorea-cyber-un/north-korea-took-2-billion-in-cyberattacks-to-fund-weapons-program-u-n-report-idUSKCN1UV1ZX/.
23. Jamie Nimmo, “Now Hackers Can Steal Your ID and Bank Details from a Coffee Machine! Cyber Security Guru Also Warns People from Using WhatsApp and Smart TVs,” *Mail on Sunday*, May 18, 2019, https://www.dailymail.co.uk/news/article-7045105/

https://plato.stanford.edu/entries/aristotle-ethics/; Aristotle, *The Eudemian Ethics*, trans. Anthony Kenny (Oxford: Oxford World's Classics, 2011).

158. Matt Bishop, "A Taxonomy of UNIX System and Network Vulnerabilities,"n.p., May 1995.
159. James Burke, *Connections*, dir. Mick Jackson (United Kingdom: BBC, 1978).

エピローグ　過去、現在、あり得る未来

1. Davey Winder, "Data Breaches Expose 4.1 Billion Records in First Six Months of2019," *Forbes*, August 20, 2019, https://www.forbes.com/sites/daveywinder/2019/08/20/data-breaches-expose-41-billion-records-in-first-six-months-of-2019/; "2019 Data Breaches: 4Billion Records Breached So Far," Emerging Threats, Norton, last accessed March 4, 2020, https://us.norton.com/internetsecurity-emerging-threats-2019-data-breaches.html.
2. Alfred Ng, "Marriott Says Hackers Stole More Than 5 Million Passport Numbers,"*CNET*, January 4, 2019, https://www.cnet.com/news/marriott-says-hackers-stole-more-than-5-million-passport-numbers/.
3. Chris Williams, *Register*, February 11, 2019, https://www.theregister.co.uk/2019/02/11/620millionhackedaccountsdarkweb/.
4. Sean Gallagher, "Hackers Breached 3 US Antivirus Companies, Researchers Reveal," *Ars Technica*, May 2019, https://arstechnica.com/information-technology/2019/05/hackers-breached-3-us-antivirus-companies-researchers-reveal/.
5. Dell Cameron, "Antivirus Makers Confirm, and Deny, Getting Breached by Hackers Looking to Sell Stolen Data," *Gizmodo*, May 13, 2019, https://gizmodo.com/antivirus-makers-confirm-and-deny-getting-breached-afte-1834725136/.
6. Ionut Ilascu, "Fxmsp Chat Logs Reveal the Hacked Antivirus Vendors, AVs Respond," *Bleeping Computer*, May 13, 2019, https://www.bleepingcomputer.com/news/security/fxmsp-chat-logs-reveal-the-hacked-antivirus-vendors-avs-respond/.
7. Mark Bridge, "Biggest Instagram Leak Exposes Data of 49 Million Users," *Times*, May 22, 2019, https://www.thetimes.co.uk/article/biggest-instagram-leak-exposes-data-of-50-million-users-m8dsnh7xd/.
8. "Information on the Capital One Cyber Incident," *Capital One*, last updated September23, 2019, https://www.capitalone.com/facts2019/.
9. Jessie Yeung, "Almost Entire Population of Ecuador Has Data Leaked," *CNN*, September 17, 2019, https://www.cnn.com/2019/09/17/americas/ecuador-data-leak-intl-hnk-scli/index.html; Catalin Cimpanu, "Database Leaks Data on Most of Ecuador's Citizens, Including 6.7 Million Children,"*ZDNet*, September 16, 2019, https://www.zdnet.com/article/database-leaks-data-on-most-of-ecuadors-citizens-including-6-7-million-children/.
10. Shaun Nichols, "Why Is a 22GB Database Containing 56 Million US Folks' Personal Details Sitting on the Open Internet Using a Chinese IP Address? Seriously, Why?"*Register*, January 9, 2020, https://www.theregister.com/2020/01/09/checkpeoplecomdata_exposed/.
11. Naked Security, "Serious Chrome Zero-Day,"*Naked Security* (blog), March 6, 2019, https://nakedsecurity.sophos.com/2019/03/06/serious-chrome-zero-day-google-says-update-right-this-minute/.

Learning,2016), 16–17; Adam Gordon, *Official (ISC)2 Guide to the CISSP CBK* (Boca Raton, FL: Auerbach, 2015); Shon Harris and Fernando Maymi, *CISSP All-in-One Exam Guide*, 8th ed. (New York: McGraw-Hill, 2018).
139. Phil Venables, "21st Century InfoSec Management and Beyond," *Information Security Bulletin*, February 2000.
140. Venables, "21st Century InfoSec Management."
141. Jerome H. Saltzer, "Repaired Security Bugs in Multics," in *Ancillary Reports: Kernel Design Project*, MIT Laboratory for Computer Science Technical Memo MIT/LCS/TM-87, 1977, 1–4, http://web.mit.edu/Saltzer/www/publications/pubs.html; Donn B. Parker, *Fighting Computer Crime: A New Framework for Protecting Information* (New York: Wiley, 1998); Spyridon Samonas and David Coss, "The CIA Strikes Back: Redefining Confidentiality, Integrity and Availability in Security," *Journal of Information System Security* 10, no. 3 (2014): 21–45, http://www.jissec.org/Contents/V10/N3/V10N3-Samonas.html.
142. Thomas Rid, *Cyber War Will Not Take Place* (Oxford: Oxford University Press,2017), 73.
143. Auguste Kerckhoffs, "La cryptographie militaire," *Journal des sciences militaires*9 (1883): 5–38, 161–191.
144. Rid, *Cyber War*, 73.
145. Steven M. Bellovin, "Re: Security through Obscurity," *Risks Digest* 25, no. 71(2009), https://catless.ncl.ac.uk/Risks/25/71.
146. Bellovin, "Re: Security through Obscurity."
147. "Defense-in-Depth,"Computer Security Resource Center, NIST, last accessed July 17, 2019, https://csrc.nist.gov/glossary/term/defenseindepth.
148. Josephine Wolff, *You'll See This Message When It Is Too Late: The Legal and Economic Aftermath of Cybersecurity Breaches* (Cambridge, MA: MIT Press, 2018), 86–87, 236–237.
149. Josephine Wolff, "Perverse Effects in Defense of Computer Systems: When More Is Less" (presentation, 49th Hawaii International Conference on System Sciences, Koloa, March 10, 2016), https://doi.org/10.1109/HICSS.2016.598; Don Norman, "Why Adding More Security Measures May Make Systems Less Secure," *Risks Digest* 23,no. 63 (2004), https://catless.ncl.ac.uk/Risks/23/63.
150. Charles Perrow, *Normal Accidents: Living with High-Risk Technologies* (Princeton, NJ: Princeton University Press, 1999).
151. Abella, *Soldiers of Reason*.
152. Abella, *Soldiers of Reason*.
153. Abella, *Soldiers of Reason*.
154. Ross Anderson, "Why Information Security Is Hard—An Economic Perspective" (presentation, 17th Annual Computer Security Applications Conference, New Orleans, December 10–14, 2001), https://doi.org/10.1109/ACSAC.2001.991552.
155. Herley, "So Long."
156. Richard Samuels, Stephen Stich, and Luc Faucher, "Reason and Rationality," in *Handbook of Epistemology*, ed. I. Niiniluoto, Matti Sintonen, and Jan Wolenski (Dordrecht: Springer Netherlands, 2004), https://www.researchgate.net/publication/286299529_Reason_and_Rationality.
157. "Aristotle's Ethics," *Stanford Encyclopedia of Philosophy*, last updated June 15,2018,

121. Steven B. Lipner, "The Birth and Death of the Orange Book," *IEEE Annals of the History of Computing* 37, no. 2 (2015): 19–31, https://doi.org/10.1109/MAHC.2015.27.
122. Stefan Axelsson, "The Base-Rate Fallacy and Its Implications for the Difficulty of Intrusion Detection," (presentation, 2nd RAID Symposium, Purdue University, West Lafayette, IN, September 7–9, 1999).
123. Mara Tam, "Re: 'Clickbait Policy-Making,'" Dailydave, July 29, 2016, https://seclists.org/dailydave/2016/q3/23.
124. Teresa F. Lunt, interview by Jeffrey R. Yost, *Charles Babbage Institute*, June 4, 2013, 27, http://hdl.handle.net/11299/162378.
125. *Mad Men*, episode 13, season 5, "The Phantom," directed by Matthew Weiner, written by Jonathan Igla and Matthew Weiner, aired June 10, 2012, https://www.amc.com/shows/mad-men/season-5/episode-13/the-phantom.
126. Herley and van Oorschot, "SoK."
127. Paul Karger and Roger R. Schell, *Multics Security Evaluation: Vulnerability Analysis* (Bedford, MA: Electronic Systems Division, Air Force Systems Command, United States Air Force, 1974); Tom van Vleck, "How the Air Force Cracked Multics Security," Multicians, last updated October 14, 2002, https://www.multicians.org/security.html.
128. Herley and van Oorschot, "SoK."
129. Herley and van Oorschot, "SoK."
130. Adrian Stone, Josh Shaul, and Matt Watchinski, "Panel Discussion: The Value(and Danger) of Offensive Security Research" (presentation, Virus Bulletin, Dallas, September 26–28, 2012), https://www.virusbulletin.com/conference/vb2012/abstracts/panel-discussion-value-and-danger-offensive-security-research/; Ryan Naraine, "Offensive Security Research Community Helping Bad Guys," *ZDNet*, February 7, 2012, https://www.zdnet.com/article/offensive-security-research-community-helping-bad-guys/.
131. Ashish Arora and Rahul Telang, "Economics of Software Vulnerability Disclosure,"*IEEE Security & Privacy* 3, no. 1 (2005): 20–25, https://doi.org/10.1109/MSP.2005.12.
132. Arne Padmos, "Against Mindset" (presentation, New Security Paradigms Workshop, Windsor, UK, August 28–31, 2018, https://doi.org/10.1145/3285002.3285004.
133. Marcus Ranum, "Are the Skills of a Hacker Necessary to Build Good Security?"ranum.com, last accessed July 17, 2019, http://www.ranum.com/security/computer_security/editorials/skillsets/index.html; Ranum, "The Six Dumbest Ideas in Computer Security."
134. Rebecca G. Bace, interview by Jeffrey R. Yost, *Charles Babbage Institute*, July 31,2012, 48, http://hdl.handle.net/11299/144022.
135. "Initiatives," The Analogies Project, last accessed July 17, 2019, http://theanalogiesproject.org/initiatives/.
136. Butler Lampson, interview by Jeffrey R. Yost, *Charles Babbage Institute*, December 11, 2014, 19, http://hdl.handle.net/11299/169983.
137. Jerome H. Saltzer and M. D. Schroeder, "The Protection of Information in Computer Systems," *Proceedings of the IEEE* 63, no. 9 (1975): 1278–1308, http://doi.org/10.1109/PROC.1975.9939; Gollmann, *Computer Security*, 34.
138. Michael E. Whitman and Herbert J. Mattord, *Principles of Information Security*,5th ed. (Boston: Cengage Learning, 2014), 10–16. David Kim and Michael G. Solomon, *Fundamentals of Information Systems Security* (Burlington, MA: Jones & Bartlett

101. Benenson et al., "Poor Johnny."
102. Stewart, "A Utilitarian Re-Examination."
103. Ponnurangam Kumaraguru, Steve Sheng, Alessandro Acquisti, Lorrie Faith Cranor, and Jason Hong, "Teaching Johnny Not to Fall for Phish," *ACM Transactions on Internet Technology* 10, no. 2 (2010), https://doi.org/10.1145/1754393.1754396.
104. Kumaraguru et al., "Teaching Johnny."
105. Cormac Herley, "So Long, and No Thanks for the Externalities: The Rational Rejection of Security Advice by Users" (presentation, New Security Paradigms Workshop, Oxford, UK, September 8–11, 2009), https://doi.org/10.1145/1719030.1719050.
106. Herley, "So Long."
107. Herley, "So Long."
108. Dieter Gollmann, *Computer Security* (New York: Wiley, 2011), 40.
109. Simson Garfinkel and Heather Richter Lipford, *Usable Security: History, Themes, and Challenges* (San Rafael, CA: Morgan & Claypool, 2014); Benenson et al., "Poor Johnny."
110. Dirk Balfanz, Glenn Durfee, Rebecca E. Grinter, and D. K. Smetters, "In Search of Usable Security: Five Lessons from the Field," *IEEE Security & Privacy* 2, no. 5 (2004): 19–24, https://doi.org/10.1109/MSP.2004.71.
111. Katharina Krombholz, Wilfried Mayer, Martin Schmiedecker, and Edgar Weippl, " 'I Have No Idea What I'm Doing': On the Usability of Deploying HTTPS" (presentation, 26th USENIX Conference on Security Symposium, Vancouver, August16–18, 2017), https://dl.acm.org/citation.cfm?id=3241293.
112. Steven M. Bellovin, "Permissive Action Links," Department of Computer Science, Columbia University, last accessed July 17, 2019, https://www.cs.columbia.edu/~smb / nsam-160/pal.html.
113. Bellovin, "Permissive Action Links."
114. Shaya Potter, Steven M. Bellovin, and Jason Nieh, "Two-Person Control Administration: Preventing Administration Faults through Duplication" (presentation, 23rd Conference on Large Installation System Administration, Baltimore, November 1–6, 2009), https:// dl.acm.org/citation.cfm?id=1855700.
115. National Research Council, *Computers at Risk: Safe Computing in the Information Age* (Washington, DC: National Academy Press, 1991); Richard Forno, "Re: Nation's Cybersecurity Suffers from a Lack of Information Sharing," *InfoSec News*, March 5, 2010, https://seclists.org/isn/2010/Mar/21; Horne, "Humans in the Loop."
116. Financial Services Information Sharing and Analysis Center (FS-ISAC),"Reducing Cyber-Risk for Financial Services Institutions," fsisac.com, last accessed July 17, 2019, https://www.fsisac.com/who-we-are.
117. FS-ISAC, "Reducing Cyber-Risk for Financial Services Institutions."
118. Steven M. Bellovin and Adam Shostack, *Input to the Commission on Enhancing National Cybersecurity* (n.p.: September 2016), https://www.cs.columbia.edu/~smb / papers/CurrentandFutureStatesofCybersecurity-Bellovin-Shostack.pdf.
119. Jonathan Bair, Steven M. Bellovin, Andrew Manley, Blake Reid, and Adam Shostack, "That Was Close! Reward Reporting of Cybersecurity 'Near Misses,' " *Colorado Technology Law Journal* 16, no. 2 (2018): 327–364, https://ssrn.com/abstract=3081216.
120. Bair et al., "That Was Close!"

82. Donald MacKenzie and Garrell Pottinger, "Mathematics, Technology, and Trust: Formal Verification, Computer Security, and the U.S. Military," *IEEE Annals of the History of Computing* 19, no. 3 (1997): 41–59, https://doi.org/10.1109/85.601735.
83. Marcus Ranum, "The Network Police Blotter," *Login* 25, no. 1 (2000), https://www.usenix.org/publications/login/february-2000-volume-25-number-1.
84. Ranum, "The Network Police Blotter."
85. Michael Howard and David LeBlanc, *Writing Secure Code* (Redmond, WA: Microsoft Press, 2002); Steve McConnell, *Code Complete: A Practical Handbook of Software Construction*,2nd ed. (Redmond, WA: Microsoft Press, 2004); Michael Howard and Steve Lipner, *The Security Development Lifecycle* (Redmond, WA: Microsoft Press, 2006).
86. Ben Moseley and Peter Marks, "Out of the Tar Pit," n.p., February 6, 2006.
87. Martyn Thomas, "Complexity, Safety, and Computers," *Risks Digest* 10, no. 31(1990), https://catless.ncl.ac.uk/Risks/10/31; Moseley and Marks, "Out of the Tar Pit."
88. Sergey Bratus, Trey Darley, Michael Locasto, Meredith L. Patterson, Rebecca Shapiro, and Anna Shubina, "Beyond Planted Bugs in 'Trusting Trust': The Input-Processing Frontier," *IEEE Security & Privacy* 12, no. 1 (2014), https://ieeexplore.ieee.org/document/6756892.
89. Crispin Cowan, "Turning around the Security Problem: Why Does Security Still Suck?" n.p., August 3, 2006.
90. Howard and LeBlanc, *Writing Secure Code*; Howard and Lipner, *The Security Development Lifecycle*.
91. Bill Horne, "Humans in the Loop," *IEEE Security & Privacy* 12, no. 1 (2014):3–4, https://doi.ieeecomputersociety.org/10.1109/MSP.2014.5; Stewart, "A Utilitarian Re-Examination."
92. Stewart, "A Utilitarian Re-Examination."
93. Phil Venables, "Information Security & Complexity," n.p., 2004.
94. Frederick P. Brooks Jr., "No Silver Bullet: Essence and Accidents of Software Engineering,"*Computer* 20, no. 4 (1987): 10–19, https://doi.org/10.1109/MC.1987.1663532.
95. Brooks, "No Silver Bullet."
96. Brooks, "No Silver Bullet."
97. Brooks, "No Silver Bullet."
98. Gavin Thomas, "A Proactive Approach to More Secure Code," Microsoft Security Response Center, last updated July 16, 2019, https://msrc-blog.microsoft.com/2019/07/16/a-proactive-approach-to-more-secure-code/.
99. Alma Whitten and J. D. Tygar, "Why Johnny Can't Encrypt: A Usability Evaluation of PGP 5.0" (presentation, 8th USENIX Security Symposium, Washington, DC, August 23–26, 1999), https://people.eecs.berkeley.edu/~tygar/papers/Why_Johnny_Cant_Encrypt/OReilly.pdf.
100. Zinaida Benenson, Gabriele Lenzini, Daniela Oliveira, Simon Edward Parkin, and Sven Ubelacker, "Maybe Poor Johnny Really Cannot Encrypt: The Case for a Complexity Theory for Usable Security" (presentation, 15th New Security Paradigms Workshop, Twente, the Netherlands, September 8–11, 2015), https://doi.org/10.1145/2841113.2841120.

https://www.securityfocus.com/columnists/334.
66. Butler Lampson, "Usable Security: How to Get It," *Communications of the ACM* 52, no. 11 (2009): 25–27, https://doi.org/10.1145/1592761.1592773.
67. "Computer Security Is Broken from Top to Bottom," *Economist*, April 8, 2017, https://www.economist.com/science-and-technology/2017/04/08/computer-security-is-broken-from-top-to-bottom; Angus Loten, "NSA Cyber Chief Says Companies Are Losing Ground against Adversaries," *Wall Street Journal*, December 11, 2018, https://www.wsj.com/articles/nsa-cyber-chief-says-companies-are-losing-ground-against-adversaries-11544548614.
68. John D. McLean, "On the Science of Security," *IEEE Security & Privacy* 16, no. 3 (2018): 6–10, https://doi.ieeecomputersociety.org/10.1109/MSP.2018.2701158.
69. Jelen, *An Elusive Goal*, IV-60.
70. Shari Lawrence Pfleeger, "Learning from Other Disciplines," *IEEE Security &Privacy* 13, no. 4 (2015): 10–11, https://doi.ieeecomputersociety.org/10.1109/MSP.2015.81.
71. Jan Romein, *De dialectiek van de vooruitgang* (n.p., 1937).
72. Steven M. Bellovin, "Security as a Systems Property," *IEEE Security & Privacy* 7, no. 5 (2009): 88, https://doi.org/10.1109/MSP.2009.134.
73. Steven M. Bellovin, "Security Is a System Property," *SMBlog* (blog), September 1,2017, https://www.cs.columbia.edu/~smb /blog//2017-09/2017-09-01.html.
74. Alex Abella, *Soldiers of Reason: The RAND Corporation and the Rise of the American Empire* (Boston: Mariner Books, 2009).
75. Malcolm W. Hoag, *An Introduction to Systems Analysis* (Santa Monica, CA: RAND Corporation, 1956), https://www.rand.org/pubs/researchmemoranda/RM1678.html; Jack Stockfisch, *The Intellectual Foundations of Systems Analysis* (Santa Monica, CA: RAND Corporation, 1987), https://www.rand.org/pubs/papers/P7401.html.
76. Stockfisch, *Systems Analysis*; Abella, *Soldiers of Reason.*
77. Jelen, *An Elusive Goal*, III-50.
78. Eugene H. Spafford, "Complexity Is Killing Us: A Security State of the Union with Eugene Spafford of CERIAS" (presentation, CERIAS Symposium, Purdue University, West Lafayette, IN, March 3, 2011), https://www.cerias.purdue.edu/site/news/view/complexityiskillingusasecuritystateoftheunionwitheugene_spafford/; Marcus Ranum, "Teaching an Old Dog New Tricks: The Problem Is Complexity,"ranum.com, last accessed July 16, 2019, http://ranum.com/security/computer_security/editorials/codetools/index.html; Thomas Dullien, "Security, Moore's Law, and the Anomaly of Cheap Complexity" (presentation, 10th International Conference on Cyber Conflict, Tallinn, Estonia, May 29–June1, 2018), https://www.youtube.com/watch?v=q98foLaAfX8; John Viega and Gary McGraw, *Building Secure Software: How to Avoid Security Problems the Right Way* (Boston: Addison-Wesley,2001).
79. Willis H. Ware, *Security Controls for Computer Systems: Report of Defense Science Board Task Force on Computer Security* (Santa Monica, CA: RAND Corporation, 1970), https://www.rand.org/pubs/reports/R609-1/index2.html.
80. Ware, *Security Controls.*
81. James P. Anderson, *Computer Security Technology Planning Study* (Bedford, MA: Electronic Systems Division, Air Force Systems Command, United States Air Force, 1972).

49. Adam Shostack, "The Breach Response Market Is Broken (and What Could Be Done)," *New School of Information Security* (blog), October 12, 2016, https://newschoolsecurity.com/2016/10/the-breach-response-market-is-broken-and-what-could-be-done/.
50. Dinei A. F. Florencio, Cormac Herley, and Adam Shostack, "FUD: A Plea for Intolerance," *Communications of the ACM* 57, no. 6 (2014): 31–33, https://doi.org/10.1145/2602323.
51. Tyler Moore and Ross Anderson, *Economics and Internet Security: A Survey of Recent Analytical, Empirical, and Behavioral Research* (Cambridge, MA: Harvard University,2011), 7, http://nrs.harvard.edu/urn-3:HUL.InstRepos:23574266.
52. Tyler Moore, Richard Clayton, and Ross Anderson, "The Economics of Online Crime," *Journal of Economic Perspectives* 23, no. 3 (2009): 3–20, https://www.aeaweb.org/articles?id=10.1257/jep.23.3.3; Ross Anderson, Rainer Bohme, Richard Clayton, and Tyler Moore, *Security Economics and the Internal Market* (n.p.: European Network and Information Security Agency, 2008), https://www.enisa.europa.eu/publications/archive/economics-sec/; Dan Barrett, "Abuse of Statistics about Computer Crime," *Risks Digest* 18, no. 4(1996), https://catless.ncl.ac.uk/Risks/18/04; "Errata—Statistics," attrition.org, last updated 2011, http://attrition.org/errata/statistics/index.html.
53. Julie J. C. H. Ryan and Theresa I. Jefferson, "The Use, Misuse, and Abuse of Statistics in Information Security Research" (presentation, American Society for Engineering Management, Saint Louis, MO, October 15–18, 2003), http://citeseerx.ist.psu.edu/viewdoc/summary?doi=10.1.1.203.5387.
54. Dinei Florencio and Cormac Herley, "Sex, Lies, and Cyber-Crime Surveys," in *Economics of Information Security and Privacy III*, ed. Bruce Schneier (New York: Springer, 2013), https://doi.org/10.1007/978-1-4614-1981-53.
55. Florencio and Herley, "Cyber-Crime Surveys."
56. Florencio and Herley, "Cyber-Crime Surveys."
57. Ryan and Jefferson, "Misuse and Abuse."
58. James P. Anderson, *Computer Security Technology Planning Study* (Bedford, MA: Electronic Systems Division, Air Force Systems Command, United States Air Force,1972).
59. George F. Jelen, *Information Security: An Elusive Goal* (Cambridge, MA: Harvard University, 1995), III-32.
60. Jelen, *An Elusive Goal*, III-32.
61. Peter G. Neumann, "Computer Insecurity," *Issues in Science and Technology* 11, no. 1 (1994): 50–54, https://www.jstor.org/stable/43310933; Garfinkel, "The Cyber Security Mess," 27.
62. Bob Blakley, "The Emperor's Old Armor" (presentation, New Security Paradigms Workshop, Lake Arrowhead, CA, September 17–20, 1996), https://doi.org/10.1145/304851.304855.
63. Butler W. Lampson, "Computer Security in the Real World," *Computer* 37, no. 6(2004): 37–47, https://doi.org/10.1109/MC.2004.17.
64. David E. Bell, "Looking Back at the Bell-LaPadula Model" (presentation, 21st Annual Computer Security Applications Conference, Tucson, December 5–9, 2005), https://doi.org/10.1109/CSAC.2005.37.
65. Federico Biancuzzi, "Interview with Marcus Ranum," *Security Focus*, June 21,2005,

News, October 8, 2013, https://www.foxnews.com/tech/security-compromised-at-security-companies-during-cyber-security-month.

28. Peter J. Denning, interview by Jeffrey R. Yost, *Charles Babbage Institute*, April 10,2013, 67–68, http://hdl.handle.net/11299/156515.
29. Denning, interview by Yost, 67–68.
30. Adam Shostack and Andrew Stewart, *The New School of Information Security* (Upper Saddle River, NJ: Addison-Wesley,2008), 107.
31. Ben Rothke and Anton Chuvakin, "PCI Shrugged: Debunking Criticisms of PCI DSS," *CSO Magazine*, April 16, 2009, https://www.csoonline.com/article/2123972/pci-shrugged—debunking -criticisms-of-pci-dss.html.
32. PCI Security Standards Council, "Securing the Future of Payments Together,"Official PCI Security Standards Council Site, last accessed July 14, 2019, https://www.pcisecuritystandards.org/.
33. Klaus Julish, "Security Compliance: The Next Frontier in Security Research" (presentation, New Security Paradigms Workshop, Lake Tahoe, CA, September 22–25,2008), https://doi.org/10.1145/1595676.1595687.
34. Andrew Stewart, "A Utilitarian Re-Examination of Enterprise-Scale Information Security Management," *Information and Computer Security* 26, no. 1 (2018), https://doi.org/10.1108/ICS-03-2017-0012.
35. Stewart, "A Utilitarian Re-Examination."
36. Stewart, "A Utilitarian Re-Examination."
37. Stewart, "A Utilitarian Re-Examination."
38. "By Organization Name," Making Security Measurable, MITRE Corporation, last accessed July 14, 2019, http://makingsecuritymeasurable.mitre.org/directory/organizations/index.html.
39. "Common Weakness Enumeration (CWE)," The Bugs Framework, National Institute of Standards and Technology, last accessed July 14, 2019, https://samate.nist.gov/BF/Enlightenment/CWE.html.
40. "Common Vulnerability Scoring System SIG," first.org, Global Forum of Incident Response and Security Teams, last accessed July 17, 2019, https://www.first.org/cvss/.
41. Marcus Ranum, "The Six Dumbest Ideas in Computer Security" ranum.com, last accessed July 14, 2019, https://www.ranum.com/security/computersecurity/editorials/dumb/.
42. Ranum, "The Six Dumbest Ideas in Computer Security."
43. Andrew Stewart, "On Risk: Perception and Direction," *Computers & Security* 23,no. 5 (2004): 362–370, https://doi.org/10.1016/j.cose.2004.05.003.
44. Stewart, "On Risk."
45. Vilhelm Verendel, *A Prospect Theory Approach to Security* (Gothenburg, Sweden: Gothenburg University, 2008); National Institute of Standards and Technology, *Framework for Improving Critical Infrastructure Cybersecurity* (Gaithersburg, MD: NIST, April 16, 2018), https://www.nist.gov/cyberframework/framework.
46. Marc Donner, "Insecurity through Obscurity," *IEEE Security & Privacy* 4, no. 5(2006), https://doi.ieeecomputersociety.org/10.1109/MSP.2006.123; Stewart, "On Risk."
47. Shostack and Stewart, *The New School.*
48. Shostack and Stewart, *The New School.*

6. Rittel and Webber, "Dilemmas."
7. Simson L. Garfinkel, "The Cyber Security Mess," simson .net, last updated December14, 2016, http://simson.net/ref/2016/2016-12-14Cybersecurity.pdf.
8. Ben Laurie and Abe Singer, "Choose the Red Pill and the Blue Pill: A Position Paper" (presentation, 2008 New Security Paradigms Workshop, Lake Tahoe, CA, September22–25, 2008), https://doi.org/10.1145/1595676.1595695; Shari Pfleeger and Robert Cunningham, "Why Measuring Security Is Hard," *IEEE Security & Privacy* 8, no. 4(2010): 46–54, https://doi.org/10.1109/MSP.2010.60.
9. Andrew Stewart, "A Utilitarian Re-Examination of Enterprise-Scale Information Security Management," *Information and Computer Security* 26, no. 1 (2018), https://doi.org/10.1108/ICS-03-2017-0012.
10. Cormac Herley, "Unfalsifiability of Security Claims," *Proceedings of the National Academy of Sciences* 113, no. 23 (2016): 6415–6420, https://doi.org/10.1073/pnas.1517797113; Cormac Herley and P. C. van Oorschot, "SoK: Science, Security and the Elusive Goal of Security as a Scientific Pursuit" (presentation, IEEE Symposium on Security and Privacy, San Jose, CA, May 22–26, 2017), http://dx.doi.org/10.1109/SP.2017.38.
11. Herley, "Unfalsifiability of Security Claims"; Herley and van Oorschot, "Elusive Goal."
12. Herley, "Unfalsifiability of Security Claims"; Herley and van Oorschot, "Elusive Goal"; Pfleeger and Cunningham, "Measuring Security."
13. Herley, "Unfalsifiability of Security Claims"; Herley and van Oorschot, "Elusive Goal."
14. Herley, "Unfalsifiability of Security Claims"; Herley and van Oorschot, "Elusive Goal."
15. Herley, "Justifying Security Measures—A Position Paper" (presentation, 22nd European Symposium on Research in Computer Security, Oslo, September 11–15,2017), https://cormac.herley.org/docs/justifyingSecurityMeasures.pdf.
16. Herley, "Unfalsifiability of Security Claims"; Herley and van Oorschot, "Elusive Goal."
17. Herley, "Unfalsifiability of Security Claims"; Herley and van Oorschot, "Elusive Goal."
18. Herley, "Unfalsifiability of Security Claims"; Herley and van Oorschot, "Elusive Goal."
19. Herley, "Unfalsifiability of Security Claims"; Herley and van Oorschot, "Elusive Goal."
20. National Institute of Standards and Technology, *Security and Privacy Controls for Information Systems and Organizations* (Gaithersburg, MD: NIST, 2017), https://csrc.nist.gov/publications/detail/sp/800-53/rev-5/draft.
21. P. W. Singer and Allan Friedman, *Cybersecurity and Cyberwar: What Everyone Needs to Know* (Oxford: Oxford University Press, 2014), 80–81.
22. Singer and Friedman, *Cybersecurity and Cyberwar.*
23. RSA Security, "RSA Conference 2018 Closes 27th Year Bringing Top Information Security Experts Together to Debate Critical Cybersecurity Issues," RSA Conference, last updated April 20, 2018, https://www.rsaconference.com/press/89/rsa-conference-2018-closes-27th-year-bringing-top.
24. Greg Otto, "RSA Conference App Leaks User Data," *Cyberscoop*, April 20, 2018, https://www.cyberscoop.com/2018-rsa-conference-app-leaks-user-data/.
25. Gunter Ollmann, "Beware Your RSA Mobile App Download," IOActive, last updated February 27, 2014, https://ioactive.com/beware-your-rsa-mobile-app-download/.
26. Ollmann, "Beware Your RSA Mobile App Download."
27. "Security Compromised at Security Companies—During Cyber Security Month," *Fox*

cyber-idUSKCN1101YV.
218. Michael Riley and Jordan Robertson, "In an Unorthodox Move, Hacking Firm Teams Up with Short Sellers," *Bloomberg*, August 25, 2016, https://www.bloombergquint.com/onweb/in-an-unorthodox-move-hacking-firm-teams-up-with-short-sellers.
219. Riley and Robertson, "Short Sellers."
220. Jordan Robertson and Michael Riley, "Carson Block's Attack on St. Jude Reveals a New Front in Hacking for Profit," *Bloomberg*, August 25, 2016, https://www.bloomberg.com/news/articles/2016-08-25/in-an-unorthodox-move-hacking-firm-teams-up-with-short-sellers.
221. Robertson and Riley, "Carson Block's Attack."
222. Muddy Waters Research, "MW Is Short St. Jude Medical (STJ:US)," muddywatersresearch.com,last updated August 25, 2016, https://www.muddywatersresearch.com/research/stj/mw-is-short-stj/.
223. "MedSec CEO Responds to Carson Block's St. Jude Comments," *Bloomberg*, last updated August 25, 2016, https://www.bloomberg.com/news/videos/2016-08-25/medsec-ceo-responds-to-carson-block-s-st-jude-medical-comments.
224. *St. Jude Medical, Inc., vs. Muddy Waters Consulting et al.*, https://regmedia.co.uk/2016/09/08/medseclawsuit.pdf.
225. Jim Finkle and Dan Burns, "St. Jude Stock Shorted on Heart Device Hacking Fears: Shares Drop," *Reuters*, August 25, 2016, https://www.reuters.com/article/us-stjude-cyber-idUSKCN1101YV.
226. Sean Gallagher, "Trading in Stock of Medical Device Paused after Hackers Team with Short Seller," *Ars Technica*, August 26, 2016, https://arstechnica.com/information-technology/2016/08/trading-in-stock-of-medical-device-paused-after-hackers-team-with-short-seller/.
227. University of Michigan, "Holes Found in Report on St. Jude Medical Device Security," University of Michigan News, last updated August 30, 2016, https://news.umich.edu/holes-found-in-report-on-st-jude-medical-device-security/.
228. University of Michigan, "Holes Found in Report on St. Jude Medical Device Security."
229. Muddy Waters Research, "MW Is Short St. Jude Medical."
230. University of Michigan, "Holes Found in Report on St. Jude Medical Device Security."
231. University of Michigan, "Holes Found in Report on St. Jude Medical Device Security."
232. *St. Jude Medical, Inc., vs. Muddy Waters Consulting et al.*
233. *St. Jude Medical, Inc., vs. Muddy Waters Consulting et al.*
234. Michael Erman, "Abbott Releases New Round of Cyber Updates for St. Jude Pacemakers," *Reuters*, August 28, 2017, https://www.reuters.com/article/us-abbott-cyber-idUSKCN1B921V.

9 情報セキュリティの厄介な本質

1. Horst W. J. Rittel and Melvin M. Webber, "Dilemmas in a General Theory of Planning," *Policy Sciences* 4, no. 2 (1973): 155–169, https://doi.org/10.1007/BF01405730.
2. Rittel and Webber, "Dilemmas."
3. Rittel and Webber, "Dilemmas."
4. Rittel and Webber, "Dilemmas."
5. Rittel and Webber, "Dilemmas."

197. Van Vleck, "How the Air Force Cracked Multics Security."
198. Virginia Gold, "ACM's Turing Award Prize Raised to $250,000; Google Joins Intel to Provide Increased Funding for Most Significant Award in Computing," Association for Computing Machinery, last updated July 26, 2007, https://web.archive.org/web/20081230233653/http://www.acm.org/press-room/news-releases-2007/turingaward /.
199. Ken Thompson, "Reflections on Trusting Trust," *Communications of the ACM* 27, no. 8 (1984): 761–763, https://doi.org/10.1145/358198.358210.
200. Thompson, "Reflections on Trusting Trust."
201. Thompson, "Reflections on Trusting Trust."
202. Thompson, "Reflections on Trusting Trust."
203. Jonathan Thornburg, "Backdoor in Microsoft Web Server," sci.crypt, April 18, 2000, https://groups.google.com/forum/#!msg/sci.crypt/PybcCHi9u6s/b-7U1y9QBZMJ.
204. Vahab Pournaghshband, "Teaching the Security Mindset to CS 1 Students" (presentation, 44th ACM Technical Symposium on Computer Science Education, Denver, March 6–9, 2013), https://doi.org/10.1145/2445196.2445299.
205. Ivan Arce and Gary McGraw, "Guest Editors' Introduction: Why Attacking Systems Is a Good Idea," *IEEE Security & Privacy* 2, no. 4 (2004): 17–19, https://doi.org/10.1109/MSP.2004.46.
206. Arce and McGraw, "Guest Editors' Introduction."
207. Dan Goodin, "Meet badBIOS, the Mysterious Mac and PC Malware that Jumps Airgaps," *Ars Technica*, October 31, 2013, https://arstechnica.com/information-technology/2013/10/meet-badbios-the-mysterious-mac-and-pc-malware-that-jumps-airgaps/.
208. Goodin, "Meet badBIOS."
209. Goodin, "Meet badBIOS."
210. Goodin, "Meet badBIOS."
211. Goodin, "Meet badBIOS."
212. Goodin, "Meet badBIOS."
213. The Dark Tangent [pseud.] (@thedarktangent), "RT @alexstamos: Everybody in Security Needs to Follow @dragosr and Watch His Analysis of #badBIOS <- NoJoke It's Really Serious," Twitter, October 25, 2013, 11:15 p.m., https://twitter.com/thedarktangent/status/393984201151627264; Goodin, "Meet badBIOS."
214. Roger A. Grimes, "4 Reasons BadBIOS Isn't Real," *CSO Magazine*, November12, 2013, https://www.csoonline.com/article/2609622/4-reasons-badbios-isn-t-real.html; Roger A. Grimes, "NSA's Backdoors Are Real—but Prove Nothing about Bad-BIOS," *CSO Magazine*, January 14, 2014, https://www.csoonline.com/article/2609678/nsa-s-backdoors-are-real—-but-prove-nothing-about-badbios.html.
215. Roger A. Grimes, "New NSA Hack Raises the Specter of BadBIOS," *CSO Magazine*, March 3, 2015, https://www.csoonline.com/article/2891692/does-the-latest-nsa-hack-prove-badbios-was-real.html.
216. Frédéric Bastiat, "That Which Is Seen, and That Which Is Not Seen," bestiat.org, last accessed June 1, 2019, http://bastiat.org/en/twisatwins.html.
217. Jim Finkle and Dan Burns, "St. Jude Stock Shorted on Heart Device Hacking Fears: Shares Drop," *Reuters*, August 25, 2016, https://www.reuters.com/article/us-stjude-

CyberSecPolitics (blog), September 12, 2016, https://cybersecpolitics.blogspot.com/2016/09/an-old-dailydave-post-on-cyber.html.

180. Michael Joseph Gross, "A Declaration of Cyber-War," *Vanity Fair*, March 2011, https://www.vanityfair.com/news/2011/03/stuxnet-201104; H. Rodgin Cohen and John Evangelakos, "America Isn't Ready for a 'Cyber 9/11,' " *Wall Street Journal*, July 11, 2017, https://www.wsj.com/articles/america-isnt-ready-for-a-cyber-9-11-1499811450; Jeff John Roberts, "What a Cyber 9/11 Would Mean for the U.S.," *Fortune*, July 20, 2018, http://fortune.com/2018/07/20/us-cyber-security-russia-north-korea/; Kate Fazzini, "Power Outages, Bank Runs, Changed Financial Data: Here Are the 'Cyber 9/11' Scenarios that Really Worry the Experts," *CNBC*, November 18, 2018.
181. Singer and Friedman, *Cybersecurity and Cyberwar*, 132.
182. Rid, *Cyber War*, 12–14.
183. Raphael Satter, Jeff Donn, and Justin Myers, "Digital Hit List," *Chicago Tribune*, May 29, 2019, https://www.chicagotribune.com/nation-world/ct-russian-hacking-20171102-story.html.
184. Singer and Friedman, *Cybersecurity and Cyberwar*, 56.
185. Matthew M. Aid, "Inside the NSA's Ultra-Secret China Hacking Group," *Foreign Policy*, June 10, 2013, https://foreignpolicy.com/2013/06/10/inside-the-nsas-ultra-secret-china-hacking-group/.
186. Thielman and Ackerman, "Cozy Bear and Fancy Bear"; FireEye, *APT28*, 5.
187. FireEye, *APT28*, 5.
188. Singer and Friedman, *Cybersecurity and Cyberwar*, 94.
189. Singer and Friedman, *Cybersecurity and Cyberwar*, 189.
190. David E. Sanger and Nicole Perlroth, "Hackers from China Resume Attacks on U.S. Targets," *New York Times*, May 19, 2013, https://www.nytimes.com/2013/05/20/world/asia/chinese-hackers-resume-attacks-on-us-targets.html.
191. Julian Sanchez, "Frum, Cocktail Parties, and the Threat of Doubt," *Julian Sanchez* (blog), March 26, 2010, http://www.juliansanchez.com/2010/03/26/frum-cocktail-parties-and-the-threat-of-doubt/; Patricia Cohen, " 'Epistemic Closure'? Those Are Fighting Words," *New York Times*, April 27, 2010, https://www.nytimes.com/2010/04/28/books/28conserv.html.
192. Sanchez, "Cocktail Parties."
193. Barnaby Jack, "Jackpotting Automated Teller Machines Redux" (presentation, Black Hat Briefings, Las Vegas, July 28–29, 2010), https://www.blackhat.com/html/bh-us-10/bh-us-10-archives.html#Jack; Kim Zetter, "Researcher Demonstrates ATM 'Jackpotting' at Black Hat Conference," *Wired*, August 28, 2010, https://www.wired.com/2010/07/atms-jackpotted/; William Alexander, "Barnaby Jack Could Hack Your Pacemaker and Make Your Heart Explode," *Vice*, June 25, 2013, https://www.vice.com/enus/article/avnx5j/i-worked-out-how-to-remotely-weaponise-a-pacemaker.
194. Paul Karger and Roger R. Schell, *Multics Security Evaluation: Vulnerability Analysis* (Bedford, MA: Electronic Systems Division, Air Force Systems Command, United States Air Force, 1974), 51.
195. Karger and Schell, *Multics Security Evaluation*, 51.
196. Tom van Vleck, "How the Air Force Cracked Multics Security," Multicians, last updated October 14, 2002, https://www.multicians.org/security.html.

Crucial in Iran Nuclear Delay," *New York Times*, January 15, 2011, https://www.nytimes.com/2011/01/16/world/middleeast/16stuxnet.html.

158. Kim Zetter, "How Digital Detectives Deciphered Stuxnet, the Most Menacing Malware in History," *Ars Technica*, July 11, 2011, https://arstechnica.com/tech-policy/2011/07/how-digital-detectives-deciphered-stuxnet-the-most-menacing-malware-in-history/; Thomas Rid, *Cyber War Will Not Take Place* (Oxford: Oxford University Press, 2017), 44.
159. Broad et al., "Israeli Test on Worm."
160. Eric Chien, "Stuxnet: A Breakthrough," *Symantec* (blog), November 12, 2010, https://www.symantec.com/connect/blogs/stuxnet-breakthrough.
161. Ralph Langner, "Stuxnet's Secret Twin," *Foreign Policy*, November 19, 2013, https://foreignpolicy.com/2013/11/19/stuxnets-secret-twin/.
162. Ralph Langner, "Stuxnet's Secret Twin."
163. Ralph Langner, "Stuxnet's Secret Twin."
164. Jonathan Fildes, "Stuxnet Worm 'Targeted High-Value Iranian Assets,' " *BBC News*, September 23, 2010, https://www.bbc.com/news/technology-11388018; Rid, *Cyber War*, 43.
165. Michael B. Kelley, "The Stuxnet Attack on Iran's Nuclear Plant Was 'Far More Dangerous' than Previously Thought," *Business Insider*, November 20, 2013, https://www.businessinsider.com/stuxnet-was-far-more-dangerous-than-previous-thought-2013-11.
166. Yossi Melman, "Iran Pauses Uranium Enrichment at Natanz Nuclear Plant,"*Haaretz*, November 23, 2010, https://www.haaretz.com/1.5143485; John Markoff, "A Silent Attack, but Not a Subtle One," *New York Times*, September 26, 2010, https://www.nytimes.com/2010/09/27/technology/27virus.html.
167. John Markoff and David E. Sanger, "In a Computer Worm, a Possible Biblical Clue," *New York Times*, September 29, 2010, https://www.nytimes.com/2010/09/30/world/middleeast/30worm.html.
168. Ralph Langner, "Stuxnet's Secret Twin."
169. Broad et al., "Israeli Test on Worm."
170. Kim Zetter, "Blockbuster Worm Aimed for Infrastructure, but No Proof Iran Nukes Were Target," *Wired*, September 23, 2010, https://www.wired.com/2010/09/stuxnet-2/.
171. Kim Zetter, "An Unprecedented Look at Stuxnet, the World's First Digital Weapon," *Wired*, November 3, 2014, https://www.wired.com/2014/11/countdown-to-zero-day-stuxnet/.
172. Nicolas Falliere, Liam O. Murchu, and Eric Chien, *W32.Stuxnet Dossier* (Mountain View, CA: Symantec, 2011).
173. Fildes, "Stuxnet Worm."
174. P. W. Singer and Allan Friedman, *Cybersecurity and Cyberwar: What Everyone Needs to Know* (Oxford: Oxford University Press, 2014), 115.
175. Zetter, "Most Menacing Malware."
176. Zetter, "Most Menacing Malware."
177. Jeffrey Carr, *Inside Cyber Warfare, Second Edition* (Sebastopol, CA: O'Reilly Media,2012), 47.
178. Rid, *Cyber War*, 188.
179. Dave Aitel, "An Old Dailydave Post on Cyber Attribution, and Some Notes,"

politics/us-formally-accuses-russia-of-stealing-dnc-emails.html.
137. Sanger and Corasaniti, "Russian Hackers."
138. Sanger and Corasaniti, "Russian Hackers."
139. Brewington et al., "Russia Indictment 2.0."
140. Brewington et al., "Russia Indictment 2.0."
141. Brewington et al., "Russia Indictment 2.0."
142. *United States of America v. Viktor Borisovish Netyksho et al.*, https://www.justice.gov/file/1080281/download.
143. David E. Sanger, Jim Rutenberg, and Eric Lipton, "Tracing Guccifer 2.0's Many Tentacles in the 2016 Election," *New York Times*, July 15, 2018, https://www.nytimes.com/2018/07/15/us/politics/guccifer-russia-mueller.html; *United States of America v. Viktor Borisovish Netyksho et al.*
144. David A. Graham, "The Coincidence at the Heart of the Russia Hacking Scandal," *Atlantic*, July 13, 2018, https://www.theatlantic.com/politics/archive/2018/07/russia-hacking-trump-mueller/565157/.
145. *United States of America v. Viktor Borisovish Netyksho et al.*
146. Eric Lipton and Scott Shane, "Democratic House Candidates Were Also Targets of Russian Hacking," *New York Times*, December 13, 2016, https://www.nytimes.com/2016/12/13/us/politics/house-democrats-hacking-dccc.html.
147. Matt Blaze, "NSA Revelations: The 'Middle Ground' Everyone Should Be Talking About," *Guardian*, January 6, 2014, https://www.theguardian.com/commentisfree/2014/jan/06/nsa-tailored-access-operations-privacy.
148. Spiegel Staff, "Documents Reveal Top NSA Hacking Unit," *Spiegel Online*, December 29, 2013, https://www.spiegel.de/international/world/the-nsa-uses-powerful-toolbox-in-effort-to-spy-on-global-networks-a-940969-3.html.
149. "Deep Dive into QUANTUM INSERT," fox-it.com, Fox IT, last updated April 20, 2015, https://blog.fox-it.com/2015/04/20/deep-dive-into-quantum-insert/.
150. "Deep Dive into QUANTUM INSERT."
151. Spiegel Staff, "Top NSA Hacking Unit."
152. Dave Aitel, "It Was Always Worms (in My Heart!)," *CyberSecPolitics* (blog), July 5, 2017, https://cybersecpolitics.blogspot.com/2017/07/it-was-always-worms.html.
153. "NSA Phishing Tactics and Man in the Middle Attacks," *Intercept*, last updated March 12, 2014, https://theintercept.com/document/2014/03/12/nsa-phishing-tactics-man-middle-attacks/.
154. "NSA-Dokumente: So knackt der Geheimdienst Internetkonten," *Der Spiegel*, last updated December 30, 2013, https://www.spiegel.de/fotostrecke/nsa-dokumente-so-knackt-der-geheimdienst-internetkonten-fotostrecke-105326-12.html.
155. Ryan Gallagher, "The Inside Story of How British Spies Hacked Belgium's Largest Telco," *Intercept*, December 12, 2014, https://theintercept.com/2014/12/13/belgacom-hack-gchq-inside-story/.
156. Electronic Frontier Foundation, "CSEC SIGINT Cyber Discovery: Summary of the Current Effort," eff.org, last updated November 2010, https://www.eff.org/files/2015/01/23/20150117-speigel-csecdocumentabouttherecognitionoftrojansandother_networkbasedanomaly.pdf; "NSA Phishing Tactics and Man in the Middle Attacks."
157. William J. Broad, John Markoff, and David E. Sanger, "Israeli Test on Worm Called

117. FireEye, *APT28: A Window into Russia's Cyber Espionage Operations?* (Milpitas, CA: FireEye, 2014), 5, 27.
118. FireEye, *APT28*, 6.
119. Raphael Satter, Jeff Donn, and Justin Myers, "Digital Hit List Shows Russian Hacking Went Well beyond U.S. Elections," *Chicago Tribune*, November 2, 2017, https://www.chicagotribune.com/nation-world/ct-russian-hacking-20171102-story.html.
120. Satter et al., "Russian Hacking."
121. Satter et al., "Russian Hacking."
122. FireEye, *APT28*, 6.
123. Ralph Satter, "Russian Hackers," *Talking Points Memo*, May 8, 2018, https://talkingpointsmemo.com/news/russian-hackers-isis-militant-posers-military-wives-threat.
124. Satter, "Russian Hackers."
125. Henry Samuel, "Isil Hackers Seize Control of France's TV5Monde Network in'Unprecedented'Attack," *Telegraph*, April 9, 2015, https://www.telegraph.co.uk/news/worldnews/europe/france/11525016/Isil-hackers-seize-control-of-Frances-TV5Monde-network-in-unprecedented-attack.html.
126. Samuel, "Isil Hackers."
127. Samuel, "Isil Hackers."
128. Sam Thielman and Spencer Ackerman, "Cozy Bear and Fancy Bear: Did Russians Hack Democratic Party and If So, Why?" *Guardian*, July 29, 2016, https://www.theguardian.com/technology/2016/jul/29/cozy-bear-fancy-bear-russia-hack-dnc.
129. Thielman and Ackerman, "Cozy Bear and Fancy Bear."
130. Louise Matsakis, "Hack Brief: Russian Hackers Release Apparent IOC Emails in Wake of Olympics Ban," *Wired*, October 1, 2018, https://www.wired.com/story/russian-fancy-bears-hackers-release-apparent-ioc-emails/; Reuters/AFP, "WADA Hacked by Russian Cyber Espionage Group Fancy Bear, Agency Says," *ABC News* (Australian Broadcasting Corporation), September 13, 2016, https://www.abc.net.au/news/2016-09-14/doping-wada-systems-hacked-by-russian-cyber-espionage-group/7842644.
131. Josh Meyer, "Russian Hackers Post 'Medical Files' of Simone Biles, Serena Williams," *NBC News*, September 14, 2016, https://www.nbcnews.com/storyline/2016-rio-summer-olympics/russian-hackers-post-medical-files-biles-serena-williams-n647571.
132. David E. Sanger and Nick Corasaniti, "D.N.C. Says Russian Hackers Penetrated Its Files, Including Dossier on Donald Trump," *New York Times*, June 14, 2016, https://www.nytimes.com/2016/06/15/us/politics/russian-hackers-dnc-trump.html.
133. Damien Gayle, "CIA Concludes Russia Interfered to Help Trump Win Election, Say Reports," *Guardian*, December 10, 2016, https://www.theguardian.com/us-news/2016/dec/10/cia-concludes-russia-interfered-to-help-trump-win-election-report.
134. Autumn Brewington, Mikhaila Fogel, Susan Hennessey, Matthew Kahn, Katherine Kelley, Shannon Togawa Mercer, Matt Tait et al., "Russia Indictment 2.0: What to Make of Mueller's Hacking Indictment," *LawFare* (blog), July 13, 2018, https://www.lawfareblog.com/russia-indictment-20-what-make-muellers-hacking-indictment.
135. Brewington et al., "Russia Indictment 2.0."
136. David E. Sanger and Charlie Savage, "U.S. Says Russia Directed Hacks to Influence Elections," *New York Times*, October 7, 2016, https://www.nytimes.com/2016/10/08/us/

us.html.
97. Riva Richmond, "Microsoft Plugs Security Hole Used in Attacks on Google," *New York Times*, January 21, 2010, https://bits.blogs.nytimes.com/2010/01/21/microsoft-plugs-security-hole-used-in-december-attacks/; Sanger et al., "Chinese Army Unit."
98. George Kurtz, "Operation 'Aurora' Hit Google, Others by George Kurtz," *McAfee Blog Central*, January 14, 2010, https://web.archive.org/web/20120911141122/http://blogs.mcafee.com/corporate/cto/operation-aurora-hit-google-others.
99. Sanger et al., "Chinese Army Unit"; Mandiant, *APT1: Exposing One of China's Cyber Espionage Units* (Alexandria, VA: Mandiant, 2013), 3.
100. Mandiant, *APT1*, 2.
101. Mandiant, *APT1*, 3.
102. Sanger et al., "Chinese Army Unit."
103. Sanger et al., "Chinese Army Unit."
104. Sanger et al., "Chinese Army Unit."
105. Mandiant, *APT1*.
106. Sanger et al., "Chinese Army Unit"; Meng Yan and Zhou Yong, "Annoying and Laughable 'Hacker Case,'" SecLists.Org Security Mailing List Archive, last updated February 25, 2013, https://seclists.org/isn/2013/Feb/52.
107. Sanger et al., "Chinese Army Unit."
108. Mandiant, *APT1*, 2.
109. Sanger et al., "Chinese Army Unit."
110. Mandiant, *APT1*, 2.
111. Michael S. Schmidt and David E. Sanger, "5 in China Army Face U.S. Charges of Cyberattacks," *New York Times*, May 19, 2014, https://www.nytimes.com/2014/05/20/us/us-to-charge-chinese-workers-with-cyberspying.html; David E. Sanger, "With Spy Charges, U.S. Draws a Line that Few Others Recognize," *New York Times*, May 19, 2014, https://www.nytimes.com/2014/05/20/us/us-treads-fine-line-in-fighting-chinese-espionage.html.
112. Alexander Abad-Santos,"China Is Winning the Cyber War because They Hacked U.S. Plans for Real War," *Atlantic*, May 28, 2013, https://www.theatlantic.com/international/archive/2013/05/china-hackers-pentagon/314849/.
113. Eric Walsh, "China Hacked Sensitive U.S. Navy Undersea Warfare Plans: *Washington Post*," *Reuters*, June 8, 2018, https://www.reuters.com/article/us-usa-china-cyber/china-hacked-sensitive-u-s-navy-undersea-warfare-plans-washington-post-idUSKCN1J42MM.
114. Sam Sanders, "Massive Data Breach Puts 4 Million Federal Employees' Records at Risk," *National Public Radio*, June 4, 2015, https://www.npr.org/sections/thetwo-way/2015/06/04/412086068/massive-data-breach-puts-4-million-federal-employees-records-at-risk.
115. "China Unable to Recruit Hackers Fast Enough to Keep Up with Vulnerabilities in U.S. Security Systems," *Onion*, last updated October 26, 2015, https://www.theonion.com/china-unable-to-recruit-hackers-fast-enough-to-keep-up-1819578374.
116. Melissa Eddy, "Germany Says Hackers Infiltrated Main Government Network," *New York Times*, March 1, 2018, https://www.nytimes.com/2018/03/01/world/europe/germany-hackers.html.

Guardian," *New York Times*, February 10, 2015, https://www.nytimes.com/2015/02/11/business/media/chelsea-manning-soldier-sentenced-for-leaks-will-write-for-the-guardian.html.
76. Somaiya, "Chelsea Manning."
77. Kim Zetter, "Jolt in WikiLeaks Case: Feds Found Manning-Assange Chat Logs on Laptop," *Wired*, December 19, 2011, https://www.wired.com/2011/12/manning-assange-laptop/.
78. Charlie Savage and Emmarie Huetteman, "Manning Sentenced to 35 Years for a Pivotal Leak of U.S. Files," *New York Times*, August 21, 2013, https://www.nytimes.com/2013/08/22/us/manning-sentenced-for-leaking-government-secrets.html.
79. Charlie Savage, "Chelsea Manning to Be Released Early as Obama Commutes Sentence," *New York Times*, January 17, 2017, https://www.nytimes.com/2017/01/17/us/politics/obama-commutes-bulk-of-chelsea-mannings-sentence.html.
80. Robert Mackey, "N.S.A. Whistle-Blower Revealed in Video," *New York Times*, June 10, 2013, https://thelede.blogs.nytimes.com/2013/06/10/n-s-a-whistle-blower-revealed-in-video/.
81. Mark Hosenball, "NSA Chief Says Snowden Leaked up to 200,000 Secret Documents," *Reuters*, November 14, 2013, https://www.reuters.com/article/us-usa-security-nsa/nsa-chief-says-snowden-leaked-up-to-200000-secret-documents-idUSBRE9AD19B20131114.
82. Mark Hosenball and Warren Strobel, "Exclusive: Snowden Persuaded Other NSA Workers to Give Up Passwords—Sources," *Reuters*, November 7, 2013, https://www.reuters.com/article/net-us-usa-security-snowden/exclusive-snowden-persuaded-other-nsa-workers-to-give-up-passwords-sources-idUSBRE9A703020131108.
83. William Knowles, "Former NSA Contractor, Edward Snowden, Now Former EC-Council(C|EH)," *InfoSec News*, July 5, 2013, https://seclists.org/isn/2013/Jul/19.
84. Onion, "Yahoo! Turns 25," onion.com, last updated January 18, 2019, https://www.theonion.com/yahoo-turns-25-1831869954.
85. Wolff, *You'll See This Message*, 225–226.
86. Wolff, *You'll See This Message*, 225–226.
87. Wolff, *You'll See This Message*, 225–226.
88. Wolff, *You'll See This Message*, 21.
89. Wolff, *You'll See This Message*, 269.
90. Wolff, *You'll See This Message*, 134–135.
91. Wolff, *You'll See This Message*, 270.
92. Wolff, *You'll See This Message*, 24.
93. David Drummond, "A New Approach to China," *Google* (blog), January 12, 2010, https://googleblog.blogspot.com/2010/01/new-approach-to-china.html.
94. Drummond, "A New Approach."
95. "Industries Targeted by the Hackers," *New York Times*, last updated February 18,2013, https://archive.nytimes.com/www.nytimes.com/interactive/2013/02/18/business/Industries -Targeted-by-the-Hackers.html.
96. David E. Sanger, David Barboza, and Nicole Perlroth, "Chinese Army Unit Is Seen as Tied to Hacking against U.S.," *New York Times*, February 18, 2013, https://www.nytimes.com/2013/02/19/technology/chinas-army-is-seen-as-tied-to-hacking-against-

50. Sasha Romanosky, David A. Hoffman, and Alessandro Acquisti, "Empirical Analysis of Data Breach Litigation," *Journal of Empirical Legal Studies* 11, no. 1 (2014):74–104, https://doi.org/10.1111/jels.12035.
51. Ablon et al., "Consumer Attitudes," 32.
52. Ablon et al., "Consumer Attitudes," 35–36.
53. Romanosky et al., "Empirical Analysis."
54. Ablon et al., "Consumer Attitudes," xii.
55. Choi and Johnson, "Hospital Data Breaches."
56. Adam Shostack, "The Breach Response Market Is Broken (and What Could Be Done)," *New School of Information Security* (blog), October 12, 2016, https://newschoolsecurity.com/2016/10/the-breach-response-market-is-broken-and-what-could-be-done/.
57. Wolff, *You'll See This Message*, 123–124.
58. Shostack, "Breach Response Market."
59. Jose Pagliery, "OPM Hack's Unprecedented Haul: 1.1 Million Fingerprints," *CNN*, July 10, 2015, https://money.cnn.com/2015/07/10/technology/opm-hack-fingerprints/.
60. jkouns [pseud.], "Having 'Fun' with the Data Set," DataLossDB, last updated September 25, 2009, https://blog.datalossdb.org/2009/09/25/having-fun-with-the-data-set/.
61. Mary Madden and Lee Rainie, *Americans' Attitudes about Privacy, Security and Surveillance* (Washington, DC: Pew Research Center, 2015), https://www.pewinternet.org/2015/05/20/americans-attitudes-about-privacy-security-and-surveillance/.
62. Ablon et al., "Consumer Attitudes," 41.
63. Stefan Laube and Rainer Bohme, "The Economics of Mandatory Security Breach Reporting to Authorities," *Journal of Cybersecurity* 2, no. 1 (2016): 29, https://doi.org/10.1093/cybsec/tyw002.
64. Laube and Bohme, "Mandatory Security Breach Reporting," 29.
65. Laube and Bohme, "Mandatory Security Breach Reporting," 29.
66. Wolff, *You'll See This Message*, 43.
67. Sebastien Gay, "Strategic News Bundling and Privacy Breach Disclosures," *Journal of Cybersecurity* 3, no. 2 (2017): 91–108, https://doi.org/10.1093/cybsec/tyx009.
68. Alessandro Acquisti, Allan Friedman, and Rahul Telang, "Is There a Cost to Privacy Breaches? An Event Study" (presentation, 27th International Conference on Information Systems, Milwaukee, December 10–13, 2006).
69. Surendranath R. Jory, Thanh N. Ngo, Daphne Wang, and Amrita Saha, "The Market Response to Corporate Scandals Involving CEOs," *Journal of Applied Economics* 47, no. 17 (2015): 1723–1738, https://doi.org/10.1080/00036846.2014.995361.
70. Gay, "Strategic News Bundling."
71. Gay, "Strategic News Bundling."
72. Gay, "Strategic News Bundling."
73. Dawn M. Cappelli, Andrew P. Moore, and Randall F. Trzeciak, *The CERT Guide to Insider Threats* (Boston: Addison-Wesley,2012).
74. Annarita Giani, Vincent H. Berk, and George V. Cybenko, "Data Exfiltration and Covert Channels" (presentation, Defense and Security Symposium, Kissimmee, FL,2006), https://doi.org/10.1117/12.670123.
75. Ravi Somaiya, "Chelsea Manning, Soldier Sentenced for Leaks, Will Write for the

Jolla, CA, June 26–27, 2017).

34. Alex Hern, "Hackers Publish Private Photos from Cosmetic Surgery Clinic," *Guardian*, May 31, 2017, https://www.theguardian.com/technology/2017/may/31/hackers-publish-private-photos-cosmetic-surgery-clinic-bitcoin-ransom-payments.
35. Julie Hirschfeld Davis, "Hacking of Government Computers Exposed 21.
5 Million People," *New York Times*, July 9, 2015, https://www.nytimes.com/2015/07/10/us/office-of-personnel-management-hackers-got-data-of-millions.html.
36. Office of Personnel Management, "Our Mission, Role & History," OPM.gov, last accessed May 28, 2019, https://www.opm.gov/about-us/our-mission-role-history/what-we-do/.
37. Office of Personnel Management, "Questionnaire for National Security Positions,"OPM.gov, last updated November 2016, https://www.opm.gov/Forms/pdffill/sf86.pdf.
38. Office of Personnel Management, "Questionnaire for National Security Positions."
39. Office of Personnel Management, "Questionnaire for National Security Positions."
40. Office of Personnel Management, "Questionnaire for National Security Positions."
41. C-SPAN,"Office of Personnel Management Data Breach," c-span.org, last updated June 24, 2015, https://www.c-span.org/video/?326767-1/opm-director-katherine-archuleta-testimony-data-security-breach; David E. Sanger, Nicole Perlroth, and Michael D. Shear,"Attack Gave Chinese Hackers Privileged Access to U.S. Systems," *New York Times*, June 20,2015, https://www.nytimes.com/2015/06/21/us/attack-gave-chinese-hackers-privileged-access-to-us-systems.html; David E. Sanger, Julie Hirschfeld Davis, and Nicole Perlroth,"U.S. Was Warned of System Open to Cyberattacks," *New York Times*, June 5, 2015, https://www.nytimes.com/2015/06/06/us/chinese-hackers-may-be-behind-anthem-premera-attacks.html.
42. Davis, "Hacking of Government Computers."
43. Everett Rosenfeld, "Office of Personnel Mgmt: 5.6M Estimated to Have Fingerprints Stolen in Breach," *CNBC*, September 23, 2015, https://www.cnbc.com/2015/09/23/office-of-personnel-mgmt-56m-estimated-to-have-fingerprints-stolen-in-breach.html.
44. Robert McMillan and Ryan Knutson, "Yahoo Triples Estimate of Breached Accounts to 3 Billion," *Wall Street Journal*, October 3, 2017, https://www.wsj.com/articles/yahoo-triples-estimate-of-breached-accounts-to-3-billion-1507062804; Nicole Perlroth,"All 3 Billion Yahoo Accounts Were Affected by 2013 Attack," *New York Times*, October 3,2017, https://www.nytimes.com/2017/10/03/technology/yahoo-hack-3-billion-users.html.
45. Nicole Perlroth, "Yahoo Says Hackers Stole Data on 500 Million Users in 2014," *New York Times*, September 22, 2016, https://www.nytimes.com/2016/09/23/technology/yahoo-hackers.html; Elizabeth Weise, "Are You a Yahoo User? Do This Right Now," *USA Today*, September 22, 2016, https://www.usatoday.com/story/tech/news/2016/09/22/yahoo-breach-500-million-what-to-do/90849498/.
46. Perlroth, "Hackers Stole Data."
47. Ablon et al., "Consumer Attitudes," ix.
48. Romanosky et al., "Data Breach Disclosure Laws."
49. Fabio Bisogni, Hadi Asghari, and Michel J. G. van Eeten, "Estimating the Size of the Iceberg from Its Tip" (presentation, 16th Workshop on the Economics of Information Security, La Jolla, CA, June 26–27, 2017).

8. Sasha Romanosky, Rahul Telang, and Alessandro Acquisti, "Do Data Breach Disclosure Laws Reduce Identity Theft?" *Journal of Policy Analysis and Management* 30,no. 2 (2011): 256–286, https://papers.ssrn.com/sol3/papers.cfm?abstractid=1268926.
9. Ablon et al., "Consumer Attitudes," ix, 2–3.
10. Ablon et al., "Consumer Attitudes," ix, 2–3.
11. Ablon et al., "Consumer Attitudes," ix.
12. Ablon et al., "Consumer Attitudes," ix, 2–3.
13. Romanosky et al., "Data Breach Disclosure Laws."
14. Romanosky et al., "Data Breach Disclosure Laws."
15. Ross Kerber, "Banks Claim Credit Card Breach Affected 94 Million Accounts,"*New York Times*, October 24, 2007, https://www.nytimes.com/2007/10/24/technology/24iht-hack.1.8029174.html.
16. Brad Stone, "3 Indicted in Theft of 130 Million Card Numbers," *New York Times*, August 17, 2009, https://www.nytimes.com/2009/08/18/technology/18card.html.
17. Jenn Abelson, "Hackers Stole 45.7 Million Credit Card Numbers from TJX,"*New York Times*, March 29, 2007, https://www.nytimes.com/2007/03/29/business/worldbusiness/29iht-secure.
1.5071252.html.
18. Brad Stone, "11 Charged in Theft of 41 Million Card Numbers," *New York Times*, August 5, 2008, https://www.nytimes.com/2008/08/06/business/06theft.html.
19. Stone, "11 Charged."
20. Stone, "11 Charged."
21. Stone, "11 Charged."
22. James Verini, "The Great Cyberheist," *New York Times*, November 10, 2010, https://www.nytimes.com/2010/11/14/magazine/14Hacker-t.html; Kim Zetter, "TJX Hacker Was Awash in Cash; His Penniless Coder Faces Prison," *Wired*, June 18, 2019, https://www.wired.com/2009/06/watt/.
23. Verini, "The Great Cyberheist."
24. Verini, "The Great Cyberheist."
25. Verini, "The Great Cyberheist."
26. Verini, "The Great Cyberheist."
27. Verini, "The Great Cyberheist."
28. Verini, "The Great Cyberheist."
29. Associated Press, "20-YearSentence in Theft of Card Numbers," *New York Times*, March 25, 2010, https://www.nytimes.com/2010/03/26/technology/26hacker.html.
30. Verini, "The Great Cyberheist."
31. Josephine Wolff, *You'll See This Message When It Is Too Late: The Legal and Economic Aftermath of Cybersecurity Breaches* (Cambridge, MA: MIT Press, 2018), 57.
32. Reed Abelson and Matthew Goldstein, "Anthem Hacking Points to Security Vulnerability of Health Care Industry," *New York Times*, February 5, 2015, https://www.nytimes.com/2015/02/06/business/experts-suspect-lax-security-left-anthem-vulnerable-to-hackers.html; Edwards et al., "Hype and Heavy Tails."
33. Sung J. Choi and M. Eric Johnson, "Do Hospital Data Breaches Reduce Patient Care Quality?" (presentation, 16th Workshop on the Economics of Information Security, La

198. Roose, "A Solution to Hackers?"
199. Roger A. Grimes, "To Beat Hackers, You Have to Think like Them," *CSO Magazine*, June 7, 2011, https://www.csoonline.com/article/2622041/to-beat-hackers—you-have-to-think-like-them.html; Steve Zurier, "5 Ways to Think like a Hacker," *Dark Reading*, June 24, 2016, https://www.darkreading.com/vulnerabilities—threats/5-ways-to-think-like-a-hacker-/d/d-id/1326043; Tony Raval, "To Protect Your Company, Think like a Hacker," *Forbes*, October 30, 2018, https://www.forbes.com/sites/forbestechcouncil/2018/10/30/to-protect-your-company-think-like-a-hacker/.
200. David Siders, "Hack an Election? These Kids Will Try," *Politico*, July 19, 2018, https://www.politico.com/story/2018/07/19/election-hacking-kids-workshop-las-vegas-734115.
201. Brett Molina and Elizabeth Weise, "11-Year-OldHacks Replica of Florida State Website, Changes Election Results," *USA Today*, August 13, 2018, https://www.usatoday.com/story/tech/nation-now/2018/08/13/11-year-old-hacks-replica-florida-election-site-changes-results/975121002/.
202. Adam Shostack, "Think like an Attacker?" *Adam Shostack & Friends* (blog),September 17, 2008, https://adam.shostack.org/blog/2008/09/think-like-an-attacker/.
203. Lilia Chang, "No, a Teen Did Not Hack a State Election," *Pro Publica*, August 24,2018, https://www.propublica.org/article/defcon-teen-did-not-hack-a-state-election; Dave Aitel, "Re: Voting Village at Defcon," SecLists.Org Security Mailing List Archive, last updated August 25, 2018, https://seclists.org/dailydave/2018/q3/14.

8　データ漏洩、国家によるハッキング、認知的閉鎖

1. Benjamin Edwards, Steven Hofmeyr, and Stephanie Forrest, "Hype and Heavy Tails: A Closer Look at Data Breaches," *Journal of Cybersecurity* 2, no. 1 (2016): 3–14, https://doi.org/10.1093/cybsec/tyw003.
2. Lillian Ablon, Martin C. Libicki, and Andrea M. Abler, *Hackers' Bazaar: Markets for Cybercrime Tools and Stolen Data* (Santa Monica, CA: RAND, 2014); Alvaro Cardenas, Svetlana Radosavac, Jens Grossklags, John Chuang, and Chris Jay Hoofnagle, "An Economic Map of Cybercrime" (presentation, Research Conference on Communications, Information and Internet Policy, Arlington, VA, September 26–27, 2009), https://papers.ssrn.com/sol3/papers.cfm?abstractid=1997795.
3. Trey Herr and Sasha Romanosky, "Cyber Crime: Security under Scarce Resources," *American Foreign Policy Council Defense Technology Program Brief* no. 11(2015), https://papers.ssrn.com/sol3/papers.cfm?abstractid=2622683.
4. Edwards et al., "Hype and Heavy Tails."
5. "Law Section," California Legislative Information, State of California, last updated2016, https://leginfo.legislature.ca.gov/faces/codesdisplaySection.xhtml?lawCode=CIV§ionNum=1798.29.
6. Henry Fountain, "Worry. But Don't Stress Out," *New York Times*, June 26, 2005, https://www.nytimes.com/2005/06/26/weekinreview/worry-but-dont-stress-out.html; Steve Lohr, "Surging Losses, but Few Victims in Data Breaches," *New York Times*, September 27, 2006, https://www.nytimes.com/2006/09/27/technology/circuits/27lost.html.
7. Lillian Ablon, Paul Heaton, Diana Catherine Lavery, and Sasha Romanosky, *Consumer Attitudes toward Data Breach Notifications and Loss of Personal Information* (Santa Monica, CA: RAND, 2016), 2, https://www.rand.org/pubs/researchreports/RR1187.html.

Hacking"; Geniar, "Stunt Hacking."
187. Billy Rios and Jonathan Butts, "Understanding and Exploiting Implanted Medical Devices" (presentation, Black Hat Briefings, Las Vegas, August 4–9, 2019), https://www.blackhat.com/us-18/briefings/schedule/#understanding-and-exploiting-implanted-medical-devices-11733; Jason Staggs, "Adventures in Attacking Wind Farm Control Networks" (presentation, Black Hat Briefings, Las Vegas, July 22–27, 2017), https://www.blackhat.com/us-17/briefings.html#adventures-in-attacking-wind-farm-control-networks; Colin O'Flynn, "A Lightbulb Worm?" (presentation, Black Hat Briefings, Las Vegas, August 3–4, 2016), https://www.blackhat.com/us-16/briefings.html; Marina Krotofil, "Rocking the Pocket Book: Hacking Chemical Plant for Competition and Extortion"(presentation, Black Hat Briefings, Las Vegas, August 5–6, 2015), https://www.blackhat.com/us-15/briefings.html#rocking-the-pocket-book-hacking-chemical-plant-for-competition-and-extortion; Kyle Wilhoit and Stephen Hilt, "The Little Pump Gauge That Could: Attacks against Gas Pump Monitoring Systems" (presentation, Black Hat Briefings, Las Vegas, August 5–6, 2015), https://www.blackhat.com/us-15/briefings.html#the-little-pump-gauge-that-could-attacks-against-gas-pump-monitoring-systems.
188. Chris Roberts (@Sidragon1), "Find Myself on a 737/800, Lets See Box-IFE-ICE-SATCOM,? Shall We Start Playing with EICAS Messages? 'PASS OXYGENON' Anyone?:)," Twitter, April 15, 2015, 1:08 p.m., https://twitter.com/Sidragon1/status/588433855184375808.
189. Rob Price, "People Are Having Serious Doubts about the Security Researcher Who Allegedly Hacked a Plane," *Business Insider*, May 18, 2015, https://www.businessinsider.com/doubts-grow-fbi-claims-chris-roberts-hacked-plane-mid-flight-2015-5; Evan Perez, "FBI: Hacker Claimed to Have Taken Over Flight's Engine Controls,"*CNN*, May 18, 2015, https://www.cnn.com/2015/05/17/us/fbi-hacker-flight-computer-systems/index.html.
190. Price, "Serious Doubts"; Perez, "FBI: Hacker Claimed."
191. Price, "Serious Doubts."
192. Price, "Serious Doubts."
193. Price, "Serious Doubts."
194. Dinei A. F. Florencio, Cormac Herley, and Adam Shostack, "FUD: A Plea for Intolerance," *Communications of the ACM* 57, no. 6 (2014): 31–33, https://doi.org/10.1145/2602323; A. J. Burns, M. Eric Johnson, and Peter Honeyman, "A Brief Chronology of Medical Device Security," *Communications of the ACM* 59, no. 10 (2016): 66–72, https://cacm.acm.org/magazines/2016/10/207766-a-brief-chronology-of-medical-device-security/fulltext.
195. Karl Koscher, Alexei Czeskis, Franziska Roesner, Shwetak Patel, Tadayoshi Kohno, and Stephen Checkoway, et al., "Experimental Security Analysis of a Modern Automobile" (presentation, IEEE Symposium on Security and Privacy, Berkeley/Oakland, CA, May 16–19, 2010), https://doi.org/10.1109/SP.2010.34.
196. James Mickens, "This World of Ours," *Login*, January, 2014, https://www.usenix.org/publications/login-logout/january-2014-login-logout/mickens.
197. Andrew Stewart, "On Risk: Perception and Direction," *Computers & Security*23, no. 5 (2004): 362–370, https://doi.org/10.1016/j.cose.2004.05.003.

false-en-us-x-none.html; Andrew Plato, "Enough with the Stunt Hacking," *Anitian* (blog), July 22, 2015, https://www.anitian.com/enough-with-the-stunt-hacking/; Mattias Geniar, "Stunt Hacking: The Sad State of Our Security Industry," *Mattias Geniar* (blog), August 3, 2015, https://ma.ttias.be/stunt-hacking/.

180. Aitel, "Junk Hacking Must Stop!"; valsmith [pseud.], "Stunt Hacking"; Plato,"Stunt Hacking"; Geniar, "Stunt Hacking."
181. Ken Munro, "Sinking Container Ships by Hacking Load Plan Software," *Pen Test Partners* (blog), November 16, 2017, https://www.pentestpartners.com/security-blog/sinking-container-ships-by-hacking-load-plan-software/; Rupert Neate, "Cybercrime on the High Seas: The New Threat Facing Billionaire Superyacht Owners,"*Guardian*, May 5, 2017, https://www.theguardian.com/world/2017/may/05/cybercrime-billionaires-superyacht-owners-hacking; Yier Jin, Grant Hernandez, and Daniel Buentello, "Smart Nest Thermostat: A Smart Spy in Your Home" (presentation, Black Hat Briefings, Las Vegas, August6–7, 2014), https://www.blackhat.com/us-14/archives.html#smart-nest-thermostat-a-smart-spy-in-your-home; Michael Kassner, "IBM X-Force Finds Multiple IoT Security Risks in Smart Buildings," *TechRepublic*, February 13, 2016, https://www.techrepublic.com/article/ibm-x-force-finds-multiple-iot-security-risks-in-smart-buildings/; Andy Greenberg,"This Radio Hacker Could Hijack Citywide Emergency Sirens to Play Any Sound," *Wired*, April 10, 2018, https://www.wired.com/story/this-radio-hacker-could-hijack-emergency-sirens-to-play-any-sound/; Jason Staggs, "Adventures in Attacking Wind Farm Control Networks" (presentation, Black Hat Briefings, Las Vegas, July 22–27, 2017), https://www.blackhat.com/us-17/briefings.html#adventures-in-attacking-wind-farm-control-networks; Oscar Williams-Grut, "Hackers Once Stole a Casino's High-Roller Database through a Thermometer in the Lobby Fish Tank," *Business Insider*, April 15, 2018, https://www.businessinsider.com/hackers-stole-a-casinos-database-through-a-thermometer-in-the-lobby-fish-tank-2018-4; Kashmir Hill, "Here's What It Looks Like When a 'Smart Toilet' Gets Hacked," *Forbes*, August 15, 2013, https://www.forbes.com/sites/kashmirhill/2013/08/15/heres-what-it-looks-like-when-a-smart-toilet-gets-hacked-video/.
182. Jerome Radcliffe, "Hacking Medical Devices for Fun and Insulin: Breaking the Human SCADA System" (presentation, Black Hat Briefings, Las Vegas, August 3–4,2011), https://www.blackhat.com/html/bh-us-11/bh-us-11-archives.html.
183. Jordan Robertson, "McAfee Hacker Says Medtronic Insulin Pumps Vulnerable to Attack," *Bloomberg*, February 29, 2012, https://www.bloomberg.com/news/articles/2012-02-29/mcafee-hacker-says-medtronic-insulin-pumps-vulnerable-to-attack; Arundhati Parmar, "Hacker Shows Off Vulnerabilities of Wireless Insulin Pumps," *MedCity News*, March 1, 2012, https://medcitynews.com/2012/03/hacker-shows-off-vulnerabilities-of-wireless-insulin-pumps/.
184. Nick Bilton, "Disruptions: As New Targets for Hackers, Your Car and Your House," *New York Times*, August 11, 2013, https://bits.blogs.nytimes.com/2013/08/11/taking-over-cars-and-homes-remotely/.
185. Kevin Roose, "A Solution to Hackers? More Hackers," *New York Times*, August2, 2017, https://www.nytimes.com/2017/08/02/technology/a-solution-to-hackers-more-hackers.html.
186. Aitel, "Junk Hacking Must Stop!"; valsmith [pseud.], "Stunt Hacking"; Plato,"Stunt

165. Matthew Finifter, Devdatta Akhawe, and David Wagner, "An Empirical Study of Vulnerability Rewards Programs" (presentation, 22nd USENIX Security Symposium, Washington, DC, August 14–16, 2014), https://www.usenix.org/conference/usenixsecurity13/technical-sessions/presentation/finifter; Dennis Groves, "Re: The Monetization of Information Insecurity," SecLists.Org Security Mailing List Archive, last updated September 9, 2014, https://seclists.org/dailydave/2014/q3/39.
166. Arkadiy Tetelman, "Bug Bounty, 2 Years In," *Twitter Engineering* (blog),May 27, 2016, https://blog.twitter.com/engineering/enus/a/2016/bug-bounty-2-years-in.html; amitku [pseud.], "Bug Bounty, Two Years In," Hacker News, last updated, June 1, 2016, https://news.ycombinator.com/item?id=11816527; Finifter et al., "An Empirical Study of Vulnerability Rewards Programs."
167. Charles Morris, "Re: We're Now Paying up to $20,000 for Web Vulns in Our Services," SecLists.Org Security Mailing List Archive, last updated April 24, 2012, https://seclists.org/fulldisclosure/2012/Apr/295.
168. Erin Winick, "Life as a Bug Bounty Hunter: A Struggle Every Day, Just to Get Paid," *MIT Technology Review*, August 23, 2018.
169. Josh Armour, "VRP News from Nullcon," *Google Security Blog*, March 2,2017, https://security.googleblog.com/2017/03/vrp-news-from-nullcon.html; Winick,"Bug Bounty Hunter."
170. Winick, "Bug Bounty Hunter"; Kim Zetter, "Portrait of a Full-Time Bug Hunter," *Wired*, November 8, 2012, https://www.wired.com/2012/11/bug-hunting/.
171. Wesley Wineberg, "Instagram's Million Dollar Bug," Exfiltrated, last updated December 27, 2015, http://www.exfiltrated.com/research-Instagram-RCE.php.
172. Alex Stamos, "Bug Bounty Ethics," *Facebook* (blog), December 17, 2015, https://www.facebook.com/notes/alex-stamos/bug-bounty-ethics/10153799951452929; infosecau [pseud.], "Instagram's Million Dollar Bug (Exfiltrated.com),"Hacker News, last updated December 17, 2015, https://news.ycombinator.com/item?id=10754194.
173. infosecau [pseud.], "Instagram's Million Dollar Bug."
174. Mike Isaac, Katie Benner, and Sheera Frenkel, "Uber Hid 2016 Breach, Paying Hackers to Delete Stolen Data," *New York Times*, November 21, 2017, https://www.nytimes.com/2017/11/21/technology/uber-hack.html; Eric Newcomer, "Uber Paid Hackers to Delete Stolen Data on 57 Million People,"*Bloomberg*, November 21, 2017, https://www.bloomberg.com/news/articles/2017-11-21/uber-concealed-cyberattack-that-exposed-57-million-people-s-data.
175. Isaac et al., "Uber Hid 2016 Breach"; Newcomer, "Uber Paid Hackers."
176. Isaac et al., "Uber Hid 2016 Breach"; Newcomer, "Uber Paid Hackers."
177. Isaac et al., "Uber Hid 2016 Breach"; Newcomer, "Uber Paid Hackers."
178. Andy Greenberg, "Shopping for Zero-Days: A Price List for Hackers' Secret Software Exploits," *Forbes*, March 23, 2012, https://www.forbes.com/sites/andygreenberg/2012/03/23/shopping-for-zero-days-an-price-list-for-hackers-secret-software-exploits/#4e9995e32660.
179. Dave Aitel, "Junk Hacking Must Stop!" *Daily Dave* (blog), September 22, 2014, https://lists.immunityinc.com/pipermail/dailydave/2014-September/000746.html; valsmith [pseud.], "Let's Call Stunt Hacking What It Is, Media Whoring," *Carnal0wnage*(blog), May 16, 2015, http://carnal0wnage.attackresearch.com/2015/05/normal-0-false-false-

150. Eric Lichtblau and Katie Benner, "F.B.I. Director Suggests Bill for iPhone Hacking Topped $1.3 Million," *New York Times*, April 21, 2016, https://www.nytimes.com/2016/04/22/us/politics/fbi-director-suggests-bill-for-iphone-hacking-was-1-3-million.html.
151. Dan Goodin, "Security Firm Pledges $1 Million Bounty for iOS Jailbreak Exploits," *Ars Technica*, September 21, 2015, https://arstechnica.com/information-technology/2015/09/security-firm-pledges-1-million-bounty-for-ios-jailbreak-exploits/.
152. "Zerodium iOS 9 Bounty," Zerodium, last accessed May 22, 2019, https://www.zerodium.com/ios9.html; Lorenzo Franceschi-Bicchierai, "Somebody Just Claimed a$1 Million Bounty for Hacking the iPhone," *Motherboard*, November 2, 2015, https://www.vice.com/enus/article/yp3mx5/somebody-just-won-1-million-bounty-for-hacking-the-iphone; Menn, "NSA Says How Often."
153. David Kennedy, "Another Netscape Bug US$1K," *Risks Digest* 18, no. 14 (1996), https://catless.ncl.ac.uk/Risks/18/14; Jim Griffith, "Company Blackmails Netscape for Details of Browser Bug," *Risks Digest* 19, no. 22 (1997), https://catless.ncl.ac.uk/Risks/19/22; Dancho Danchev, "Black Market for Zero Day Vulnerabilities Still Thriving," *ZDNet*, November 2, 2008, https://www.zdnet.com/article/black-market-for-zero-day-vulnerabilities-still-thriving/.
154. Nicky Woolf, "Bounty Hunters Are Legally Hacking Apple and the Pentagon—for Big Money," *Guardian*, August 22, 2016, https://www.theguardian.com/technology/2016/aug/22/bounty-hunters-hacking-legally-money-security-apple-pentagon; Joe Uchill, "3 Firms to Split DOD's $34 Million Bug Bounty Program," *Axios*, October 24, 2018, https://www.axios.com/pentagon-dod-bug-bounty-program-2e9be488-7943-465e-9a31-1fcd4ef2007c.html.
155. Charlie Osborne, "HackerOne Raises $40 Million to Empower Hacking Community," *ZDNet*, February 8, 2017, https://www.zdnet.com/article/hackerone-raises-40-million-to-empower-hacking-community/.
156. Marten Mickos, "Why I Joined HackerOne as CEO," *HackerOne* (blog), November 11, 2015, https://www.hackerone.com/blog/marten-mickos-why-i-joined-hackerone-as-ceo.
157. Thomas Maillart, Mingyi Zhao, Jens Grossklags, and John Chuang, "Given Enough Eyeballs, All Bugs Are Shallow? Revisiting Eric Raymond with Bug Bounty Programs," *Journal of Cybersecurity* 3, no. 2 (2017), 81–90, https://doi.org/10.1093/cybsec/tyx008.
158. Maillart et al., "Given Enough Eyeballs."
159. Maillart et al., "Given Enough Eyeballs."
160. Maillart et al., "Given Enough Eyeballs."
161. Kim Zetter, "With Millions Paid in Hacker Bug Bounties, Is the Internet Any Safer?" *Wired*, November 8, 2012, https://www.wired.com/2012/11/bug-bounties/.
162. Darren Pauli, "Facebook Has Paid $4.3m to Bug-Hunters since 2011," *Register*, February 15, 2016, https://www.theregister.co.uk/2016/02/15/facebookbugbounty_totals/.
163. Trent Brunson, "On Bounties and Boffins," *Trail of Bits Blog*, January 14, 2019, https://blog.trailofbits.com/2019/01/14/on-bounties-and-boffins/.
164. Katie Moussouris, "The Wolves of Vuln Street—The First System Dynamics Model of the 0day Market," *HackerOne* (blog), April 14, 2015, https://www.hackerone.com/blog/the-wolves-of-vuln-street.

January 30, 2006, https://www.nytimes.com/2007/01/30/technology/30bugs.html.
130. Stone, "A Lively Market."
131. Stone, "A Lively Market."
132. Michael S. Mimoso, "The Pipe Dream of No More Free Bugs," *TechTarget*, May 2009, https://searchsecurity.techtarget.com/The-Pipe-Dream-of-No-More-Free-Bugs; Robert Lemos, "No More Bugs for Free, Researchers Say," *Security Focus*, March 24, 2009, https://www.securityfocus.com/brief/933.
133. Charles Miller, "Re: No More Free Bugs (and WOOT)," SecLists.Org Security Mailing List Archive, last updated April 8, 2009, https://seclists.org/dailydave/2009/q2/22; Mimoso, "The Pipe Dream of No More Free Bugs."
134. Dave Shackleford, "No More Free Bugs? Is Bullshit," *ShackF00* (blog),May 14, 2009, http://daveshackleford.com/?p=187.
135. Shackleford, "No More Free Bugs?"
136. Joseph Menn, "Special Report: U.S. Cyberwar Strategy Stokes Fear of Blowback," *Reuters*, May 10, 2013, https://www.reuters.com/article/us-usa-cyberweapons-specialreport/special-report-u-s-cyberwar-strategy-stokes-fear-of-blowback-idUSBRE9490EL20130510.
137. Menn, "U.S. Cyberwar Strategy."
138. Andy Greenberg, "Meet the Hackers Who Sell Spies the Tools to Crack Your PC (and Get Paid Six-Figure Fees)," *Forbes*, March 21, 2012, https://www.forbes.com/sites/andygreenberg/2012/03/21/meet-the-hackers-who-sell-spies-the-tools-to-crack-your-pc-and-get-paid-six-figure-fees/#7efd4fc41f74.
139. Greenberg, "Meet the Hackers."
140. Greenberg, "Meet the Hackers."
141. Mattathias Schwartz, "Cyberwar for Sale," *New York Times*, January 4, 2017, https://www.nytimes.com/2017/01/04/magazine/cyberwar-for-sale.html.
142. Jack Tang, "A Look at the OpenType Font Manager Vulnerability from the Hacking Team Leak," *Trend Micro Security Intelligence Blog*, July 7, 2015, https://blog.trendmicro.com/trendlabs-security-intelligence/a-look-at-the-open-type-font-manager-vulnerability-from-the-hacking-team-leak/.
143. P. W. Singer and Allan Friedman, *Cybersecurity and Cyberwar: What Everyone Needs to Know* (Oxford: Oxford University Press, 2014), 221.
144. "The Underhanded C Contest," Underhanded C Contest, last accessed May 22,2019, http://underhanded-c.org/.
145. Robert Lemos, "Zero-Day Sales Not 'Fair'—to Researchers," *Security Focus*, June 1, 2007, https://www.securityfocus.com/news/11468.
146. Nicole Perlroth and David E. Sanger, "Nations Buying as Hackers Sell Flaws in Computer Code," *New York Times*, July 13, 2013, https://www.nytimes.com/2013/07/14/world/europe/nations-buying-as-hackers-sell-computer-flaws.html.
147. Matthew J. Schwartz, "NSA Contracted with Zero-Day Vendor Vupen," *Dark Reading*, September 17, 2013, https://www.darkreading.com/risk-management/nsa-contracted-with-zero-day-vendor-vupen/d/d-id/1111564.
148. Menn, "U.S. Cyberwar Strategy."
149. Michael Mimoso, "US Navy Soliciting Zero Days," *Threatpost*, June 15, 2015, https://threatpost.com/us-navy-soliciting-zero-days/113308/.

116. Michael Daniel, "Heartbleed: Understanding When We Disclose Cyber Vulnerabilities,"White House, last updated April 28, 2014, https://obamawhitehouse.archives.gov/blog/2014/04/28/heartbleed-understanding-when-we-disclose-cyber-vulnerabilities; David E. Sanger, "White House Details Thinking on Cybersecurity Flaws," *New York Times*, April 28, 2014, https://www.nytimes.com/2014/04/29/us/white-house-details-thinking-on-cybersecurity-gaps.html.
117. Daniel, "Heartbleed: Understanding When We Disclose Cyber Vulnerabilities."
118. United States Government, *Vulnerabilities Equities Policy and Process for the United States Government* (Washington, DC: United States Government, 2017), https://www.whitehouse.gov/sites/whitehouse.gov/files/images/External%20 -%20Unclassified%20 VEP%20Charter%20FINAL .PDF.
119. Ari Schwartz and Rob Knake, *Government's Role in Vulnerability Disclosure: Creating a Permanent and Accountable Vulnerability Equities Process*(Cambridge, MA: Belfer Center for Science and International Affairs, 2016), https://www.belfercenter.org/publication/governments-role-vulnerability-disclosure-creating-permanent-and-accountable; United States Government, *Vulnerabilities Equities Policy*.
120. United States Government, *Vulnerabilities Equities Policy*.
121. United States Government, *Vulnerabilities Equities Policy*.
122. Joseph Menn, "NSA Says How Often, Not When, It Discloses Software Flaws,"*Reuters*, November 6, 2015, https://www.reuters.com/article/us-cybersecurity-nsa-flaws-insight/nsa-says-how-often-not-when-it-discloses-software-flaws-idUSKCN0SV2XQ20151107.
123. Andrew Crocker, "It's No Secret that the Government Uses Zero Days for 'Offense,'" Electronic Frontier Foundation, November 9, 2015, https://www.eff.org/deeplinks/2015/11/its-no-secret-government-uses-zero-days-offense.
124. Dave Aitel and Matt Tait, "Everything You Know about the Vulnerability Equities Process Is Wrong," *Lawfare*, August 18, 2016, https://www.lawfareblog.com/everything-you-know-about-vulnerability-equities-process-wrong; Dave Aitel, "The Tech Does Not Support the VEP," *CyberSecPolitics* (blog), September 5, 2016, https://cybersecpolitics.blogspot.com/2016/09/the-tech-does-not-support-vep.html.
125. Rain Forest Puppy [pseud.], "Full Disclosure Policy (RFPolicy) v2.0."
126. L. Jean Camp and Catherine D. Wolfram, "Pricing Security: Vulnerabilities as Externalities," *Economics of Information Security* 12 (2004), https://ssrn.com/abstract=894966; Anon., "iDefense Paying $$$ for Vulns," SecLists.Org Security Mailing List Archive, last updated August 7, 2002, https://seclists.org/fulldisclosure/2002/Aug/168.
127. sdse [pseud.], "Re: 0-Dayfor Sale on eBay—New Auction!" SecLists.Org Security Mailing List Archive, last updated December 12, 2005, https://seclists.org/fulldisclosure/2005/Dec/523; Jericho [pseud.], "Selling Vulnerabilities: Going Once . . . ," *OSVDB* (blog),December 8, 2005, https://blog.osvdb.org/2005/12/08/selling-vulnerabilities-going-once/.
128. Charlie Miller, "The Legitimate Vulnerability Market: Inside the Secretive World of 0-DayExploit Sales" (presentation, 6th Workshop on the Economics of Information Security, Pittsburgh, PA, June 7–8, 2007), https://www.econinfosec.org/archive/weis2007/papers/29.pdf.
129. Brad Stone, "A Lively Market, Legal and Not, for Software Bugs," *New York Times*,

Security Bug," *Sydney Morning Herald*, October 9, 2014, https://www.smh.com.au/technology/revealed-how-google-engineer-neel-mehta-uncovered-the-heartbleed-security-bug-20141009-113kff.html.

100. Paul Mutton, "Half a Million Widely Trusted Websites Vulnerable to Heartbleed Bug," *Netcraft*, last updated April 8, 2014, https://news.netcraft.com/archives/2014/04/08/half-a-million-widely-trusted-websites-vulnerable-to-heartbleed-bug.html.
101. "The Heartbleed Bug," heartbleed.com, Synopsis, last accessed May 20, 2019, http://heartbleed.com/; Patrick McKenzie,"What Heartbleed Can Teach the OSS Community about Marketing," *Kalzumeus* (blog), April 9, 2014, https://www.kalzumeus.com/2014/04/09/what-heartbleed-can-teach-the-oss-community-about-marketing/.
102. McKenzie,"What Heartbleed Can Teach the OSS Community about Marketing."
103. Pete Evans, "Heartbleed Bug: RCMP Asked Revenue Canada to Delay News of SIN Thefts," *Canadian Broadcasting Corporation*, April 14, 2014, https://www.cbc.ca/news/business/heartbleed-bug-rcmp-asked-revenue-canada-to-delay-news-of-sin-thefts-1.2609192.
104. Sam Frizell, "Report: Devastating Heartbleed Flaw Was Used in Hospital Hack," *Time*, August 20, 2014, http://time.com/3148773/report-devastating-heartbleed-flaw-was-used-in-hospital-hack/.
105. Victor van der Veen, "Rampage and Guardion," rampageattack.com, last accessed May 20, 2019, http://rampageattack.com/; Richard Bejtlich, "Lies and More Lies,"*TaoSecurity* (blog), January 22, 2018, https://taosecurity.blogspot.com/2018/01/lies-and-more-lies.html; Nicole Perlroth, "Security Experts Expect 'Shellshock' Software Bug in Bash to Be Significant," *New York Times*, September 25, 2014, https://www.nytimes.com/2014/09/26/technology/security-experts-expect-shellshock-software-bug-to-be-significant.html.
106. Michael Riley, "NSA Said to Have Used Heartbleed Bug, Exposing Consumers," *Bloomberg*, April 11, 2014, https://www.bloomberg.com/news/articles/2014-04-11/nsa-said-to-have-used-heartbleed-bug-exposing-consumers; Kim Zetter, "Has the NSA Been Using the Heartbleed Bug as an Internet Peephole?" *Wired*, April 10, 2014, https://www.wired.com/2014/04/nsa-heartbleed/.
107. Andrea O'Sullivan,"NSA 'Cyber Weapons' Leak Shows How Agency Prizes Online Surveillance over Online Security," *Reason*, August 30, 2016, https://reason.com/2016/08/30/shadow-brokers-nsa-exploits-leak.
108. O'Sullivan,"NSA 'Cyber Weapons' Leak."
109. Herr et al., "Estimating Vulnerability Rediscovery."
110. Lillian Ablon and Andy Bogart, *Zero Days, Thousands of Nights* (Santa Monica, CA: RAND, 2017), https://www.rand.org/pubs/researchreports/RR1751.html.
111. Ablon and Bogart, *Zero Days*.
112. Ablon and Bogart, *Zero Days*.
113. Herr et al., "Estimating Vulnerability Rediscovery."
114. Ryan Hagemann, "The NSA and NIST: A Toxic Relationship," *Niskanen Center* (blog), February 9, 2016, https://niskanencenter.org/blog/the-nsa-and-nist-a-toxic-relationship/.
115. NSA/CSS (@NSAGov), "Statement: NSA Was Not Aware of the Recently Identified Heartbleed Vulnerability until It Was Made Public," Twitter, April 11, 2014, 1:39p.m., https://twitter.com/NSAGov/status/454720059156754434.

81. "Responsible Vulnerability Disclosure Process."
82. "Responsible Vulnerability Disclosure Process."
83. "Responsible Vulnerability Disclosure Process."
84. "Responsible Vulnerability Disclosure Process."
85. Rain Forest Puppy [pseud.], "Full Disclosure Policy (RFPolicy) v2.0," Packet Storm Security, last accessed May 20, 2019, https://dl.packetstormsecurity.net/papers/general/rfpolicy-2.0.txt.
86. Rain Forest Puppy [pseud.], "Full Disclosure Policy (RFPolicy) v2.0."
87. Leif Nixon, "Re: Qualys Security Advisory," Openwall, last updated July 23,2015, https://www.openwall.com/lists/oss-security/2015/07/23/17; Lasser, "Irresponsible Disclosure."
88. Brad Spengler, "Hyenas of the Security Industry," SecLists.Org Security Mailing List Archive, last updated June 18, 2010, https://seclists.org/dailydave/2010/q2/58.
89. Spengler, "Hyenas of the Security Industry."
90. Chris Evans, Eric Grosse, Neel Mehta, Matt Moore, Tavis Ormandy, Julien Tinnes, and Michal Zalewski, "Rebooting Responsible Disclosure: A Focus on Protecting End Users," *Google Security* (blog), July 20, 2010, https://security.googleblog.com/2010/07/rebooting-responsible-disclosure-focus.html; Spengler, "Hyenas of the Security Industry."
91. Spengler, "Hyenas of the Security Industry."
92. Chris Evans, "Announcing Project Zero," *Google Security* (blog), July 15, 2014, https://security.googleblog.com/2014/07/announcing-project-zero.html.
93. Evans, "Announcing Project Zero."
94. "Vulnerabilities—Application Security—Google,"Google Application Security, Google, last accessed May 20, 2019, https://www.google.com/about/appsecurity/research/; Carl Franzen, "Google Created a Team to Stop the Worst Attacks on the Internet," *Verge*, July 15, 2014, https://www.theverge.com/2014/7/15/5902061/google-project-zero-security-team; Evans, "Announcing Project Zero."
95. Dave Aitel, "Remember the Titans," SecLists.Org Security Mailing List Archive, last updated July 31, 2015, https://seclists.org/dailydave/2015/q3/9.
96. Steve Dent, "Google Posts Windows8.1 Vulnerability before Microsoft Can Patch It," *Engadget*, January 2, 2015, https://www.engadget.com/2015/01/02/google-posts-unpatched-microsoft-bug/; Liam Tung, "Google's Project Zero Exposes UnpatchedWindows10 Lockdown Bypass," *ZDNet*, April 20, 2018, https://www.zdnet.com/article/googles-project-zero-reveals-windows-10-lockdown-bypass/; Tom Warren, "Google Discloses Microsoft Edge Security Flaw before a Patch Is Ready," *Verge*, February 19, 2019, https://www.theverge.com/2018/2/19/17027138/google-microsoft-edge-security-flaw-disclosure.
97. Dan Goodin, "Google Reports 'High-Severity'Bug in Edge/IE, No Patch Available,"*Ars Technica*, February 27, 2017, https://arstechnica.com/information-technology/2017/02/high-severity-vulnerability-in-edgeie-is-third-unpatched-msft-bug-this-month/.
98. Russell Brandom, "Google Just Disclosed a Major Windows Bug—and Microsoft Isn't Happy," *Verge*, October 31, 2016, https://www.theverge.com/2016/10/31/13481502/windows-vulnerability-sandbox-google-microsoft-disclosure.
99. Ben Grubb, "Revealed: How Google Engineer Neel Mehta Uncovered the Heartbleed

Revealed."

65. "Vault 7: CIA Hacking Tools Revealed."
66. "What Did Equation Do Wrong, and How Can We Avoid Doing the Same?"wikiLeaks.org, WikiLeaks, last accessed May 19, 2019, https://wikileaks.org/ciav7p1/cms/page 14588809.html.
67. Fyodor [pseud.], "Full Disclosure Mailing List," SecLists.Org Security Mailing List Archive, last accessed May 19, 2019, https://seclists.org/fulldisclosure/.
68. Fyodor [pseud.], "Bugtraq Mailing List," SecLists.Org Security Mailing List Archive, last accessed May 19, 2019, https://seclists.org/bugtraq/; Fyodor [pseud.], "Full Disclosure Mailing List."
69. Len Rose, "New Security Mailing List Full-Disclosure,"OpenSuse, last updated July 11, 2002, https://lists.opensuse.org/opensuse-security/2002-07/msg00259.html.
70. Fyodor [pseud.], "Full Disclosure Mailing List."
71. Fyodor [pseud.], "Zardoz 'Security Digest,'" The 'Security Digest' Archives, last accessed May 19, 2019, http://securitydigest.org/zardoz/.
72. Neil Gorsuch, "Zardoz Security Mailing List Status," Zardoz Security Mailing List, last updated December 20, 1988, https://groups.google.com/forum/#!msg/news.groups/p5rpZNAe5UI/ccJEtbQzJ2YJ.
73. Suelette Dreyfus, *Underground: Tales of Hacking, Madness and Obsession on the Electronic Frontier* (Sydney: Random House Australia, 1997), http://underground-book.net/.
74. Levy, "Full Disclosure Is a Necessary Evil"; Marcus J. Ranum, "The Network Police Blotter," *Login* 25, no. 6 (2000): 46–49, https://www.usenix.org/publications/login/october-2000-volume-25-number-6/network-police-blotter.
75. Robert Graham, "Vuln Disclosure Is Rude," *Errata Security* (blog), April 21,2010, https://blog.erratasec.com/2010/04/vuln-disclosure-is-rude.html.
76. Ashish Arora and Rahul Telang, "Economics of Software Vulnerability Disclosure,"*IEEE Security & Privacy* 3, no. 1 (2005): 20–25, https://doi.org/10.1109/MSP.2005.12.
77. Robert O'Harrow Jr. and Ariana Eunjung Cha, "Computer Worm Highlights Hidden Perils of the Internet," *Washington Post*, January 28, 2003; David Litchfield,"David Litchfield Talks about the SQL Worm in the *Washington Post*," SecLists.Org Security Mailing List Archive, last updated January 29, 2003, https://seclists.org/fulldisclosure/2003/Jan/365.
78. Simon Richter, "Re: Announcing New Security Mailing List," SecLists.Org Security Mailing List Archive, last updated July 11, 2002, https://seclists.org/fulldisclosure/2002/Jul/7.
79. O'Harrow and Cha, "Computer Worm Highlights Hidden Perils of the Internet"; Litchfield,"David Litchfield Talks about the SQL Worm in the *Washington Post*"; John Leyden, "Slammer: Why Security Benefits from Proof of Concept Code," *Register*, February 6, 2003, https://www.theregister.co.uk/2003/02/06/slammerwhysecurity_benefits/.
80. "Responsible Vulnerability Disclosure Process,"IETF Tools, IETF, last updated February 2002, https://tools.ietf.org/html/draft-christey-wysopal-vuln-disclosure-00; Jon Lasser, "Irresponsible Disclosure," *Security Focus*, June 26, 2002, https://www.securityfocus.com/columnists/91.

ukraine-russia-code-crashed-the-world/; Kaspersky Global Research and Analysis Team, "Schrodinger's Pet(ya)," *SecureList* (blog), June 27, 2017, https://securelist.com/schroedingers-petya/78870/.

48. Dan Goodin, "Tuesday's Massive Ransomware Outbreak Was, in Fact, Something Much Worse," *Ars Technica*, June 28, 2017, https://arstechnica.com/information-technology/2017/06/petya-outbreak-was-a-chaos-sowing-wiper-not-profit-seeking-ransomware/.
49. Nicole Perlroth, Mark Scott, and Sheera Frenkel, "Cyberattack Hits Ukraine Then Spreads Internationally," *New York Times*, June 27, 2017, https://www.nytimes.com/2017/06/27/technology/ransomware-hackers.html.
50. "Global Ransomware Attack Causes Turmoil," *BBC News*, June 28, 2017, https://www.bbc.com/news/technology-40416611.
51. Andrew Griffin, " 'Petya' Cyber Attack: Chernobyl's Radiation Monitoring System Hit by Worldwide Hack," *Independent*, June 27, 2017; Perlroth et al., "Cyberattack Hits Ukraine."
52. Dan Goodin, "How 'Omnipotent' Hackers Tied to NSA Hid for 14 Years—and Were Found at Last," *Ars Technica*, February 16, 2015, https://arstechnica.com/information-technology/2015/02/how-omnipotent-hackers-tied-to-the-nsa-hid-for-14-years-and-were-found-at-last/.
53. Scott Shane, Matt Apuzzo, and Jo Becker, "Trove of Stolen Data Is Said to Include Top-Secret U.S. Hacking Tools," *New York Times*, October 19, 2016, https://www.nytimes.com/2016/10/20/us/harold-martin-nsa.html; Goodin, "How 'Omnipotent'Hackers."
54. Matthew M. Aid, "Inside the NSA's Ultra-Secret China Hacking Group," *Foreign Policy*, June 10, 2013, https://foreignpolicy.com/2013/06/10/inside-the-nsas-ultra-secret-china-hacking-group/.
55. Aid, "Ultra-Secret China Hacking Group."
56. Sam Biddle, "The NSA Leak Is Real, Snowden Documents Confirm," *Intercept*, August 19, 2016, https://theintercept.com/2016/08/19/the-nsa-was-hacked-snowden-documents -confirm/.
57. Dan Goodin, "New Smoking Gun Further Ties NSA to Omnipotent 'Equation Group' Hackers," *Ars Technica*, March 11, 2015, https://arstechnica.com/information-technology/2015/03/new-smoking-gun-further-ties-nsa-to-omnipotent-equation-group-hackers/.
58. Goodin, "New Smoking Gun."
59. Goodin, "How 'Omnipotent' Hackers."
60. Scott Shane, Matthew Rosenberg, and Andrew W. Lehren, "WikiLeaks Releases Trove of Alleged C.I.A. Hacking Documents," *New York Times*, March 7, 2017, https://www.nytimes.com/2017/03/07/world/europe/wikileaks-cia-hacking.html.
61. "Vault 7: CIA Hacking Tools Revealed," wikileaks.org, last updated March 7, 2017, https://wikileaks.org/ciav7p1/.
62. Shane et al., "Alleged C.I.A. Hacking Documents"; "Vault 7: CIA Hacking Tools Revealed."
63. Shane et al., "Alleged C.I.A. Hacking Documents"; "Vault 7: CIA Hacking Tools Revealed."
64. Shane et al., "Alleged C.I.A. Hacking Documents"; "Vault 7: CIA Hacking Tools

30. Rescorla, "Finding Security Holes."
31. Rescorla, "Finding Security Holes."
32. Rescorla, "Finding Security Holes."
33. Andy Ozment, "The Likelihood of Vulnerability Rediscovery and the Social Utility of Vulnerability Hunting" (presentation, 4th Workshop on the Economics of Information Security, Cambridge, MA, June 1–3, 2005), http://infosecon.net/workshop/pdf/10.pdf.
34. Andrew Crocker, "It's No Secret that the Government Uses Zero Days for 'Offense,'" Electronic Frontier Foundation, last updated November 9, 2015, https://www.eff.org/deeplinks/2015/11/its-no-secret-government-uses-zero-days-offense.
35. Crocker, "It's No Secret that the Government Uses Zero Days for 'Offense.' "
36. Anon., "Equation Group—Cyber Weapons Auction," Pastebin, last updated August15, 2016, https://archive.is/20160815133924/http://pastebin.com/NDTU5kJQ#selection-373.0-373.38; Scott Shane, "Malware Case Is Major Blow for the N.S.A.," *New York Times*, May 16, 2017, https://www.nytimes.com/2017/05/16/us/nsa-malware-case-shadow-brokers.html.
37. Anon., "Equation Group—Cyber Weapons Auction."
38. Anon., "Equation Group—Cyber Weapons Auction."
39. Anon., "Equation Group—Cyber Weapons Auction."
40. Scott Shane, Nicole Perlroth, and David E. Sanger, "Security Breach and Spilled Secrets Have Shaken the N.S.A. to Its Core," *New York Times*, November 12,2017, https://www.nytimes.com/2017/11/12/us/nsa-shadow-brokers.html.
41. Dan Goodin, "NSA-Leaking Shadow Brokers Just Dumped Its Most Damaging Release Yet," *Ars Technica*, April 14, 2017, https://arstechnica.com/information-technology/2017/04/nsa-leaking-shadow-brokers-just-dumped-its-most-damaging-release-yet/; Selena Larson, "NSA's Powerful Windows Hacking Tools Leaked Online," *CNN*, April 15, 2017, https://money.cnn.com/2017/04/14/technology/windows-exploits-shadow-brokers/index.html.
42. Goodin, "NSA-Leaking Shadow Brokers."
43. Elizabeth Piper,"Cyber Attack Hits 200,000 in at Least 150 Countries: Europol,"*Reuters*, May 14, 2017, https://www.reuters.com/article/us-cyber-attack-europol/cyber-attack-hits-200000-in-at-least-150-countries-europol-idUSKCN18A0FX.
44. Tanmay Ganacharya, "WannaCrypt Ransomware Worm Targets Out-of-Date Systems," *Microsoft Security* (blog), May 12, 2017, https://www.microsoft.com/security/blog/2017/05/12/wannacrypt-ransomware-worm-targets-out-of-date-systems/.
45. Eric Geller, "NSA-Created Cyber Tool Spawns Global Attacks—and Victims Include Russia,"*Politico*, May 12, 2017, https://www.politico.com/story/2017/05/12/nsa-hacking-tools-hospital-ransomware-attacks-wannacryptor-238328; "Cyber-Attack: Europol Says It Was Unprecedented in Scale," *BBC News*, May 13, 2017, https://www.bbc.com/news/world-europe-39907965.
46. Dan Goodin, "A New Ransomware Outbreak Similar to WCry Is Shutting Down Computers Worldwide," *Ars Technica*, June 27, 2017, https://arstechnica.com/information-technology/2017/06/a-new-ransomware-outbreak-similar-to-wcry-is-shutting-down-computers-worldwide/.
47. Andy Greenberg, "The Untold Story of NotPetya, the Most Devastating Cyber-attack in History," *Wired*, August 22, 2018, https://www.wired.com/story/notpetya-cyberattack-

13. Bilge and Dumitras, "Investigating Zero-Day Attacks," 7.
14. Dave Aitel, "The Atlantic Council Paper," *CyberSecPolitics* (blog), January 17,2017, https://cybersecpolitics.blogspot.com/2017/01/.
15. Dave Aitel, "The Atlantic Council Paper."
16. Sebastian Anthony, "The First Rule of Zero-Days Is No One Talks about Zero-Days(So We'll Explain)," *Ars Technica*, October 20, 2015, https://arstechnica.com/information-technology/2015/10/the-rise-of-the-zero-day-market/.
17. Anthony, "Zero-Days."
18. Riva Richmond, "The RSA Hack: How They Did It," *New York Times*, April 2,2011, https://bits.blogs.nytimes.com/2011/04/02/the-rsa-hack-how-they-did-it/.
19. Richmond, "The RSA Hack."
20. John Markoff, "Security Firm Is Vague on Its Compromised Devices," *New York Times*, March 18, 2011, https://www.nytimes.com/2011/03/19/technology/19secure.html; Christopher Drew and John Markoff, "Data Breach at Security Firm Linked to Attack on Lockheed," *New York Times*, May 27, 2011, https://www.nytimes.com/2011/05/28/business/28hack.html; Christopher Drew, "Stolen Data Is Tracked to Hacking at Lockheed,"*New York Times*, June 3, 2011, https://www.nytimes.com/2011/06/04/technology/04security.html.
21. Robert Graham and David Maynor, "A Simpler Way of Finding 0day" (presentation, Black Hat Briefings, Las Vegas, July 28–August2, 2007), https://www.blackhat.com/presentations/bh-usa-07/MaynorandGraham/Whitepaper/bh-usa-07-maynor_andgraham-WP.pdf.
22. Graham and Maynor, "A Simpler Way."
23. Elias Levy, "Full Disclosure Is a Necessary Evil," *Security Focus*, last updated August16, 2001, https://www.securityfocus.com/news/238; John Leyden, "Show Us the Bugs—Users Want Full Disclosure," *Register*, July 8, 2002, https://www.theregister.co.uk/2002/07/08/showusthebugsusers/.
24. Levy, "Full Disclosure Is a Necessary Evil"; Leyden, "Show Us the Bugs."
25. Levy, "Full Disclosure Is a Necessary Evil"; Leyden, "Show Us the Bugs."
26. Marcus Ranum, "Script Kiddiez Suck: V2.0," ranum.com, last accessed May 19,2019, https://www.ranum.com/security/computersecurity/archives/script-kiddiez-suck-2.pdf; Marcus Ranum, "Vulnerability Disclosure—Let's Be Honest about Motives Shall We?" ranum.com, last accessed May 20, 2019, https://www.ranum.com/security/computersecurity/editorials/disclosure-1/index.html.
27. Brian Martin, "A Note on Security Disclosures," *Login* 25, no. 8 (2000): 43–46, https://www.usenix.org/publications/login/december-2000-volume-25-number-8/note-security-disclosures; William A. Arbaugh, William L. Fithen, and John McHugh, "Windows of Vulnerability: A Case Study Analysis," *IEEE Computer* 33, no. 12 (2000), https://doi.org/10.1109/2.889093.
28. Leyla Bilge and Tudor Dumitras, "Before We Knew It: An Empirical Study of Zero-Day Attacks in the Real World" (presentation, ACM Conference on Computer and Communications Security, Raleigh, NC, October 16–18, 2012), https://doi.org/10.1145/2382196.2382284.
29. Eric Rescorla, "Is Finding Security Holes a Good Idea?" *IEEE Security & Privacy*3, no. 1 (2005): 14–19, https://doi.org/10.1109/MSP.2005.17.

173. Herley, "So Long, and No Thanks."
174. Herley, "So Long, and No Thanks."
175. Dinei Florencio and Cormac Herley, "Is Everything We Know about Password-Stealing Wrong?" *IEEE Security & Privacy* 10, no. 6 (2012): 63–69, https://doi.org/10.1109/MSP.2012.57.
176. Florencio and Herley, "Everything We Know."
177. Herley, "So Long, and No Thanks."
178. Herley, "So Long, and No Thanks."
179. Herley, "So Long, and No Thanks."
180. Herley, "So Long, and No Thanks."
181. Herley, "So Long, and No Thanks."

7 脆弱性の開示、報奨金、市場

1. Freakonomics, "The Cobra Effect (Ep. 96): Full Transcript," *Freakonomics* (blog), October 11, 2012, http://freakonomics.com/2012/10/11/the-cobra-effect-full-transcript/.
2. John Diedrich and Raquel Rutledge, "ATF Sting in Milwaukee Flawed from Start," *Milwaukee Journal Sentinel*, September 12, 2016, https://www.jsonline.com/story/news/investigations/2016/09/12/atf-sting-milwaukee-flawed-start/90145044/; John Diedrich, "540: A Front," This American Life, last accessed May 19, 2019, https://www.thisamericanlife.org/540/transcript; John Diedrich and Raquel Rutledge, "ATF Uses Rogue Tactics in Storefront Stings across Nation," *Milwaukee Journal Sentinel*, December 7, 2013, http://archive.jsonline.com/watchdog/watchdogreports/atf-uses-rogue-tactics-in-storefront-stings-across-the-nation-b99146765z1-234916641.html.
3. Steve McConnell, *Code Complete: A Practical Handbook of Software Construction*,2nd ed. (Redmond, WA: Microsoft Press, 2004).
4. Leyla Bilge and Tudor Dumitras, "Investigating Zero-Day Attacks," *Login* 38,no. 4 (2013): 6–12, https://www.usenix.org/publications/login/august-2013-volume-38-number-4/investigating-zero-day-attacks.
5. Bilge and Dumitras, "Investigating Zero-Day Attacks," 6.
6. Bilge and Dumitras, "Investigating Zero-Day Attacks," 6.
7. Trey Herr, Bruce Schneier, and Christopher Morris, *Taking Stock: Estimating Vulnerability Rediscovery* (Cambridge, MA: Harvard University, 2017), 6, https://www.belfercenter.org/publication/taking-stock-estimating-vulnerability-rediscovery.
8. Dave Aitel, "CIS VEP Panel Commentary," *CyberSecPolitics* (blog), November 23,2016, https://cybersecpolitics.blogspot.com/2016/11/cis-vep-panel-commentary.html; Dave Aitel, "Do You Need 0days? What about Oxygen?" *CyberSecPolitics* (blog), August 1, 2017, https://cybersecpolitics.blogspot.com/2017/08/do-you-need-0days-what-about-oxygen.html.
9. Dave Aitel, "Zero Day—Totally Gnarly," *CyberSecPolitics* (blog), January 7,2017, https://cybersecpolitics.blogspot.com/2017/01/zero-daytotally-gnarly.html.
10. Dave Aitel, "Unboxing '0day' for Policy People,"*CyberSecPolitics* (blog), November28, 2016, https://cybersecpolitics.blogspot.com/2016/11/unboxing-0day-for-policy-people.html.
11. Bilge and Dumitras, "Investigating Zero-Day Attacks," 7.
12. Bilge and Dumitras, "Investigating Zero-Day Attacks," 7.

Information," *Journal of Cybersecurity* 1, no. 1 (2015): 121–144, https://doi.org/10.1093/cybsec/tyv008.
149. Rick Wash, "Folk Models of Home Computer Security" (presentation, Symposium on Usable Privacy and Security, Redmond, WA, July 14–16, 2010); Rader and Wash, "Identifying Patterns."
150. Wash, "Folk Models"; Rader and Wash, "Identifying Patterns."
151. Rader et al., "Stories as Informal Lessons."
152. Rader et al., "Stories as Informal Lessons."
153. Wash, "Folk Models."
154. Wash, "Folk Models."
155. Rader and Wash, "Identifying Patterns."
156. Rader and Wash, "Identifying Patterns."
157. Rader and Wash, "Identifying Patterns."
158. Andrew Stewart, "On Risk: Perception and Direction," *Computers & Security*23, no. 5 (2004): 362–370, https://doi.org/10.1016/j.cose.2004.05.003.
159. Vic Napier, *Open Canopy Fatalities and Risk Homeostasis: A Correlation Study* (Monmouth: Department of Psychology, Western Oregon University, 2000).
160. Napier, *Open Canopy Fatalities.*
161. Napier, *Open Canopy Fatalities.*
162. John Adams, "Cars, Cholera, and Cows: The Management of Risk and Uncertainty," Cato Institute, last updated March 4, 1999, https://www.cato.org/publications/policy-analysis/cars-cholera-cows-management-risk-uncertainty.
163. Adams, "Cars, Cholera, and Cows."
164. Fridulv Sagberg, Stein Fosser, and Inger Anne Saetermo, "An Investigation of Behavioral Adaptation to Airbags and Antilock Brakes among Taxi Drivers,"*Accident Analysis and Prevention* 29, no. 3 (1997): 293–302, http://dx.doi.org/10.1016/S0001-4575(96)00083 -8.
165. Sagberg et al., "Investigation of Behavioral Adaptation."
166. M. Aschenbrenner and B. Biehl, "Improved Safety through Improved Technical Measures?"in *Challenges to Accident Prevention: The Issue of Risk Compensation Behavior* (Groningen, the Netherlands: Styx Publications, 1994), https://trid.trb.org/view/457353.
167. Aschenbrenner and Biehl, "Improved Safety."
168. John Ioannidis, "Re: Ping Works, but FTP /Telnet Get 'No Route to Host,' "comp.protocols.tcp-ip, July 22, 1992, http://securitydigest.org/tcp-ip/archive/1992/07.
169. Barry Glassner, *The Culture of Fear: Why Americans Are Afraid of the Wrong Things: Crime, Drugs, Minorities, Teen Moms, Killer Kids, Mutant Microbes, Plane Crashes, Road Rage, & So Much More* (New York: Basic Books, 2010).
170. Graham Lawton, "Everything Was a Problem and We Did Not Understand a Thing: An Interview with Noam Chomsky," *Slate*, March 25, 2012, https://slate.com/technology/2012/03/noam-chomsky-on-linguistics-and-climate-change.html.
171. Cormac Herley, "So Long, and No Thanks for the Externalities: The Rational Rejection of Security Advice by Users" (presentation, New Security Paradigms Workshop, Oxford, UK, September 8–11, 2009), https://doi.org/10.1145/1719030.1719050.
172. Benenson et al., "Maybe Poor Johnny Really Cannot Encrypt."

University, 2006).
130. Benjamin Edelman, "Adverse Selection in Online 'Trust' Certifications and Search Results," *Electronic Commerce Research and Applications* 10, no. 1 (2011): 17–25, https://doi.org/10.1016/j.elerap.2010.06.001.
131. "The FTC's TRUSTe Case: When Seals Help Seal the Deal," Federal Trade Commission, last updated November 17, 2014, https://www.ftc.gov/news-events/blogs/business-blog/2014/11/ftcs-truste-case-when-seals-help-seal-deal.
132. Edelman, "Adverse Selection."
133. Edelman, "Adverse Selection."
134. Edelman, "Adverse Selection."
135. "TRUSTe Settles FTC Charges It Deceived Consumers through Its Privacy Seal Program," Federal Trade Commission, last updated November 17, 2014, https://www.ftc.gov/news-events/press-releases/2014/11/truste-settles-ftc-charges-it-deceived-consumers-through-its.
136. Hal R. Varian, "System Reliability and Free Riding" (presentation, 3rd Workshop on the Economics of Information Security, Minneapolis, 2004), https://doi.org/10.1007/1-4020-8090-5_1; Jack Hirshleifer, "From Weakest-Link to Best-Shot: The Voluntary Provision of Public Goods," *Public Choice* 41, no. 3 (1983): 371–386.
137. Ross Anderson and Tyler Moore: "Information Security: Where Computer Science, Economics and Psychology Meet," *Philosophical Transactions: Mathematical, Physical and Engineering Sciences* 367, no. 1898 (2009): 2717–2727, https://doi.org/10.1098/rsta.2009.0027.
138. Moore and Anderson, *Economics and Internet Security*.
139. Binyamin Appelbaum, "Nobel in Economics Is Awarded to Richard Thaler," *New York Times*, October 9, 2017, https://www.nytimes.com/2017/10/09/business/nobel-economics-richard-thaler.html.
140. Anderson, "Security Economics."
141. Nicolas Christin, Sally S. Yanagihara, and Keisuke Kamataki, "Dissecting One Click Frauds" (presentation, 17th ACM Conference on Computer and Communication Security, Chicago, October 4–8, 2010), https://doi.org/10.1145/1866307.1866310.
142. Christin et al., "Dissecting One Click Frauds."
143. Simson Garfinkel, "Cybersecurity Research Is Not Making Us More Secure" (presentation, University of Pennsylvania, Philadelphia, October 30, 2018), 63, https://simson.net/ref/2018/2018-10-31%20Cybersecurity%20Research .pdf.
144. Garfinkel, "Cybersecurity Research."
145. Steven Furnell and Kerry-Lynn Thomson, "Recognizing and Addressing Security Fatigue," *Computer Fraud & Security* 2009, no. 11 (2009): 7–11, https://doi.org/10.1016/S1361-3723(09)70139 -3.
146. Brian Stanton, Mary F. Theofanos, Sandra Spickard Prettyman, and Susanne Furman, "Security Fatigue," *IT Professional* 18, no. 5 (2016): 26–32, http://dx.doi.org/10.1109/MITP.2016.84.
147. Emilee Rader, Rick Wash, and Brandon Brooks, "Stories as Informal Lessons about Security" (presentation, Symposium on Usable Privacy and Security, Washington, DC, July 11–13, 2012), https://doi.org/10.1145/2335356.2335364.
148. Emilee Rader and Rick Wash, "Identifying Patterns in Informal Sources of Security

102. Florencio et al., "Strong Web Passwords."
103. Bonneau et al., "Evolution of Imperfect Authentication."
104. Yinqian Zhang, Fabian Monrose, and Michael K. Reiter, "The Security of Modern Password Expiration: An Algorithmic Framework and Empirical Analysis" (presentation, 17th ACM Conference on Computer and Communications Security, Chicago, October 4–8, 2010), https://doi.org/10.1145/1866307.1866328.
105. Ross Anderson, "Ross Anderson's Home Page," University of Cambridge Computer Laboratory, last accessed May 15, 2019, https://www.cl.cam.ac.uk/~rja14 /.
106. Ross Anderson, interview by Jeffrey R. Yost, *Charles Babbage Institute*, May 21,2015, 5, http://hdl.handle.net/11299/174607.
107. Anderson, interview by Yost, 9.
108. Anderson, interview by Yost, 9.
109. Anderson, interview by Yost, 9.
110. Anderson, interview by Yost, 9, 10.
111. Anderson, interview by Yost, 32.
112. Gollmann, *Computer Security*, 284.
113. Anderson, interview by Yost, 37.
114. Anderson, interview by Yost, 37–38.
115. Ross Anderson, "Security Economics—A Personal Perspective" (presentation, 28th Annual Computer Security Applications Conference, Orlando, December 3–7, 2012), https://doi.org/10.1145/2420950.2420971.
116. Anderson, "Security Economics."
117. Anderson, interview by Yost, 39.
118. William Forster Lloyd, *Two Lectures on the Checks to Population* (Oxford: Oxford University Press, 1833).
119. Lloyd, *Two Lectures*.
120. Anderson, interview by Yost, 42; Anderson, "Security Economics."
121. Tyler Moore and Ross Anderson, *Economics and Internet Security: A Survey of Recent Analytical, Empirical and Behavioral Research* (Cambridge, MA: Harvard University,2011).
122. Christian Kreibich, Chris Kanich, Kirill Levchenko, Brandon Enright, Geoff Voelker, Vern Paxson, and Stefan Savage, "Spamalytics: An Empirical Analysis of Spam Marketing Conversion" (presentation, ACM Conference on Computer and Communications Security, Alexandria, VA, October 27–31, 2008).
123. Kreibich et al., "Spamalytics."
124. Ross Anderson, "Why Information Security Is Hard—An Economic Perspective" (presentation, 17th Annual Computer Security Applications Conference, New Orleans, December 10–14, 2001), https://doi.org/10.1109/ACSAC.2001.991552.
125. Tyler Moore, Richard Clayton, and Ross Anderson, "The Economics of Online Crime," *Journal of Economic Perspectives* 23, no. 3 (2009): 3–20, https://www.aeaweb.org/articles?id=10.1257/jep.23.3.3.
126. Moore et al., "Economics of Online Crime."
127. Moore et al., "Economics of Online Crime."
128. Anderson, "Why Information Security Is Hard."
129. L. Jean Camp, *The State of Economics of Information Security* (Bloomington: Indiana

2014), https://doi.org/10.14722/ndss.2014.23357.
83. Jianxin Yan, Alan Blackwell, Ross Anderson, and Alasdair Grant, *The Memorability and Security of Passwords—Some Empirical Results* (Cambridge: University of Cambridge, 2000).
84. Stuart Schechter, Cormac Herley, and Michael Mitzenmacher, "Popularity Is Everything; A New Approach to Protecting Passwords from Statistical-Guessing Attacks" (presentation, 5th USENIX Workshop on Hot Topics in Security, Washington, DC, August 11–13, 2010), https://www.microsoft.com/en-us/research/publication/popularity-is-everything-a-new-approach-to-protecting-passwords-from-statistical-guessing-attacks/.
85. Cynthia Kuo, Sasha Romanosky, and Lorrie Faith Cranor, "Human Selection of Mnemonic Phrase-Based Passwords" (presentation, Symposium on Usable Privacy and Security, Pittsburgh, PA, July 12–14, 2006), https://doi.org/10.1145/1143120.1143129.
86. Schechter et al., "Popularity Is Everything."
87. Dinei Florencio, Cormac Herley, and Baris Coskun, "Do Strong Web Passwords Accomplish Anything?" (presentation, 2nd USENIX Workshop on Hot Topics in Security, Boston, August 7, 2007).
88. Richard Shay, Saranga Komanduri, Patrick Gage Kelley, Pedro Giovanni Leon, Michelle L. Mazurek, Lujo Bauer, Nicolas Christin et al., "Encountering Stronger Password Requirements: User Attitudes and Behaviors" (presentation, Symposium on Usable Privacy and Security, Redmond, WA, July 14–16, 2010), https://doi.org/10.1145/1837110.1837113; Florencio et al., "An Administrator's Guide."
89. Garfinkel and Lipford, *Usable Security*, 40–43.
90. Joseph Bonneau, Cormac Herley, Paul C. van Oorschot, and Frank Stajano, "The Quest to Replace Passwords: A Framework for Comparative Evaluation of Web Authentication Schemes" (presentation, IEEE Symposium on Security and Privacy, San Francisco, May 20–23, 2012), https://doi.org/10.1109/SP.2012.44.
91. Garfinkel and Lipford, *Usable Security*, 46.
92. Garfinkel and Lipford, *Usable Security*, 43–25.
93. Cormac Herley and Paul van Oorschot, "A Research Agenda Acknowledging the Persistence of Passwords," *IEEE Security & Privacy* 10, no. 1 (2012): 28–36, https://doi.org/10.1109/MSP.2011.150.
94. Herley and van Oorschot, "A Research Agenda"; Bonneau et al., "Quest to Replace Passwords."
95. Bonneau et al., "Quest to Replace Passwords."
96. Herley and van Oorschot, "A Research Agenda."
97. Herley and van Oorschot, "A Research Agenda."
98. Herley and van Oorschot, "A Research Agenda."
99. Dinei Florencio and Cormac Herley, "Where Do Security Policies Come From?" (presentation, Symposium on Usable Privacy and Security, Redmond, WA, July 14–16, 2010), https://doi.org/10.1145/1837110.1837124; Florencio et al., "Strong Web Passwords."
100. Florencio et al., "An Administrator's Guide."
101. Florencio et al., "An Administrator's Guide."

57. Garfinkel and Lipford, *Usable Security*, 55.
58. Cormac Herley, "Why Do Nigerian Scammers Say They Are from Nigeria?" (presentation, 11th Workshop on the Economics of Information Security, Berlin, June 25–26, 2012), https://www.microsoft.com/en-us/research/publication/why-do-nigerian-scammers-say-they-are-from-nigeria/.
59. Herley, "Nigerian Scammers."
60. Herley, "Nigerian Scammers."
61. Herley, "Nigerian Scammers."
62. Herley, "Nigerian Scammers."
63. Matt Bishop, *Computer Security: Art and Science* (Boston: Addison-Wesley, 2003),309–310.
64. Bishop, *Computer Security*, 309–310.
65. Joe Bonneau, Cormac Herley, Paul C. van Oorschot, and Frank Stajano, "Passwords and the Evolution of Imperfect Authentication," *Communications of the ACM* 58, no. 7 (2015): 78–87, https://doi.org/10.1145/2699390.
66. Bonneau et al., "Evolution of Imperfect Authentication."
67. Bonneau et al., "Evolution of Imperfect Authentication."
68. Jerome H. Saltzer, "Protection and the Control of Information Sharing in Multics," *Communications of the ACM* 17, no. 7 (1974): 388–402, https://doi.org/10.1145/361011.361067.
69. Robert Morris and Ken Thompson, "Password Security: A Case History," *Communications of the ACM* 22 no. 11 (1979): 594–597, https://doi.org/10.1145/359168.359172.
70. Morris and Thompson, "Password Security"; Bishop, *Computer Security*, 311.
71. Morris and Thompson, "Password Security"; Bishop, *Computer Security*, 311.
72. Bishop, *Computer Security*, 312.
73. Morris and Thompson, "Password Security."
74. Morris and Thompson, "Password Security."
75. Department of Defense, *Password Management Guideline* (Fort Meade, MD: Department of Defense, April 12, 1985); Bonneau et al., "Evolution of Imperfect Authentication."
76. Department of Defense, *Password Management Guideline*.
77. National Bureau of Standards, *Password Usage—Federal Information Processing Standards Publication 112* (Gaithersburg, MD: National Bureau of Standards, 1985), https://csrc.nist.gov/publications/detail/fips/112/archive/1985-05-01.
78. Bonneau et al., "Evolution of Imperfect Authentication."
79. Bonneau et al., "Evolution of Imperfect Authentication."
80. Dinei Florencio, Cormac Herley, and Paul C. van Oorschot, "Password Portfolios and the Finite-Effort User: Sustainably Managing Large Numbers of Accounts" (presentation, 23rd USENIX Security Symposium, San Diego, August 20–22, 2014).
81. Dinei Florencio and Cormac Herley, "A Large Scale Study of Web Password Habits" (presentation, 16th International Conference on World Wide Web, Banff, Canada, May 8–12, 2007), https://doi.org/10.1145/1242572.1242661.
82. Anupam Das, Joseph Bonneau, Matthew Caesar, Nikita Borisov, and Xiao Feng Wang, "The Tangled Web of Password Reuse" (presentation, San Diego, February 23–26,

Florencio, Cormac Herley, and Paul C. van Oorschot, "An Administrator's Guide to Internet Password Research" (presentation, 28th Large Installation System Administration Conference, Seattle, November 9–14, 2014).
42. Julie S. Downs, Mandy B. Holbrook, and Lorrie Faith Cranor, "Decision Strategies and Susceptibility to Phishing" (presentation, Symposium on Usable Privacy and Security, Pittsburgh, PA, July 12–14, 2006), https://doi.org/10.1145/1143120.1143131.
43. Garfinkel and Lipford, *Usable Security*, 56.
44. Garfinkel and Lipford, *Usable Security*, 56.
45. Ponnurangam Kumaraguru, Steve Sheng, Alessandro Acquisti, Lorrie Faith Cranor, and Jason Hong, "Teaching Johnny Not to Fall for Phish," *ACM Transactions on Internet Technology* 10, no. 2 (2010), https://doi.org/10.1145/1754393.1754396; KyungWha Hong, Christopher M. Kelley, Rucha Tembe, Emerson Murphy-Hill, and Christopher B. Mayhorn, "Keeping Up with the Joneses: Assessing Phishing Susceptibility in an Email Task," *Proceedings of the Human Factors and Ergonomics Society Annual Meeting*57, no. 1 (2013): 1012–1016, https://doi.org/10.1177%2F1541931213571226; Ponnurangam Kumaraguru, Justin Cranshaw, Alessandro Acquisti, Lorrie Cranor, Jason Hong, Mary Ann Blair, and Theodore Pham, "School of Phish: A Real-World Evaluation of Anti-Phishing Training" (presentation, Symposium on Usable Privacy and Security, Mountain View, CA, July 15–17, 2009), https://doi.org/10.1145/1572532.1572536.
46. Andrew Stewart, "A Utilitarian Re-Examination of Enterprise-Scale Information Security Management," *Information and Computer Security* 26, no. 1 (2018): 39–57, https://doi.org/10.
1108/ICS-03-2017-0012.
47. Stewart, "A Utilitarian Re-Examination."
48. Garfinkel and Lipford, *Usable Security*, 58–61.
49. Rachna Dhamija and J. D. Tygar, "The Battle against Phishing: Dynamic Security Skins" (presentation, Symposium on Usable Privacy and Security, Pittsburgh, PA, July 6–8, 2005), https://doi.org/10.1145/1073001.1073009.
50. Douglas Stebila, "Reinforcing Bad Behavior: The Misuse of Security Indicators on Popular Websites" (presentation, 22nd Conference of the Computer-Human Interaction Special Interest Group of Australia on Computer-Human Interaction, Brisbane, November22–26, 2010), https://doi.org/10.1145/1952222.1952275.
51. Garfinkel and Lipford, *Usable Security*, 58.
52. Garfinkel and Lipford, *Usable Security*, 58.
53. Min Wu, Robert C. Miller, and Simson L. Garfinkel, "Do Security Toolbars Actually Prevent Phishing Attacks?" (presentation, SIGHCI Conference on Human Factorsin Computing Systems, Montreal, April 22–27, 2006); Rachna Dhamija, J. D. Tygar, and Marti Hearst, "Why Phishing Works" (presentation, SIGHCI Conferenceon Human Factors in Computing Systems, Montreal, April 22–27, 2006), https://doi.org/10.1145/1124772.1124861.
54. Wu et al., "Security Toolbars."
55. Kumaraguru et al., "School of Phish."
56. Ben Rothke, *Computer Security: 20 Things Every Employee Should Know* (New York: McGraw-Hill,2003); Kumaraguru et al., "Teaching Johnny."

14. Saltzer and Schroeder, "Protection of Information."
15. Saltzer and Schroeder, "Protection of Information."
16. James Reason, *Human Error* (Cambridge: Cambridge University Press, 1990).
17. Zurko and Simon, "User-Centered Security."
18. Whitten and Tygar, "Why Johnny Can't Encrypt."
19. Whitten and Tygar, "Why Johnny Can't Encrypt."
20. "Encryption, Powered by PGP," Encryption Family, Symantec Corporation, last accessed May 14, 2019, https://www.symantec.com/products/encryption.
21. "Encryption, Powered by PGP."
22. Dieter Gollmann, *Computer Security* (New York: Wiley, 2011), 264.
23. Whitten and Tygar, "Why Johnny Can't Encrypt"; Garfinkel and Lipford, *Usable Security*, 15.
24. Whitten and Tygar, "Why Johnny Can't Encrypt."
25. Whitten and Tygar, "Why Johnny Can't Encrypt."
26. Whitten and Tygar, "Why Johnny Can't Encrypt."
27. Whitten and Tygar, "Why Johnny Can't Encrypt."
28. Whitten and Tygar, "Why Johnny Can't Encrypt."
29. Computing Research Association, *Four Grand Challenges in Trustworthy Computing* (Washington, DC: Computing Research Association, 2003).
30. Computing Research Association, *Four Grand Challenges*, 4.
31. "Symposium on Usable Privacy and Security," CyLab Usable Privacy and Security Laboratory, Carnegie Mellon University, last accessed May 14, 2019, http://cups.cs.cmu.edu/soups/.
32. Garfinkel and Lipford, *Usable Security*, 3.
33. Ka-Ping Yee, *User Interaction Design for Secure Systems* (Berkeley: University of California, 2002); Jakob Nielsen, "Security & Human Factors,"Nielsen Normal Group ,last updated November 26, 2000, https://www.nngroup.com/articles/security-and-human-factors/.
34. Whitten and Tygar, "Why Johnny Can't Encrypt."
35. Rogerio de Paula, Xianghua Ding, Paul Dourish, Kari Nies, Ben Pillet, David Redmiles, Jie Ren et al., "Two Experiences Designing for Effective Security" (presentation, Symposium on Usable Privacy and Security, Pittsburgh, PA, July 6–8, 2005), https://doi.org/10.1145/1073001.1073004.
36. Lorrie Faith Cranor, "A Framework for Reasoning about the Humanin the Loop' (presentation, 1st Conference on Usability, Psychology, and Security, San Francisco, April 14, 2008).
37. Cranor, "Humanin the Loop."
38. Garfinkel and Lipford, *Usable Security*, 55.
39. Garfinkel and Lipford, *Usable Security*, 55.
40. David F. Gallagher, "Users Find Too Many Phish in the Internet Sea," *New York Times*, September 20, 2004, https://www.nytimes.com/2004/09/20/technology/users-find-too-many-phish-in-the-internet-sea.html; Garfinkel and Lipford, *Usable Security*, 55.
41. L. McLaughlin, "Online Fraud Gets Sophisticated," *IEEE Internet Computing* 7, no. 5 (2003): 6–8, http://dx.doi.org/10.1109/MIC.2003.1232512; Ronald J. Mann, *Regulating Internet Payment Intermediaries* (Austin: University of Texas, 2003), 699; Dinei

apple.com/customer-letter/.
192. Cyrus Farivar and David Kravets, "How Apple Will Fight the DOJ in iPhone Backdoor Crypto Case," *Ars Technica*, February 18, 2016, https://arstechnica.com/tech-policy/2016/02/how-apple-will-fight-the-doj-in-iphone-backdoor-crypto-case/.
193. Gary McGraw, "From the Ground Up: The DIMACS Software Security Workshop," *IEEE Security & Privacy* 1, no. 2 (2003): 59–66, https://doi.org/10.1109/MSECP.2003.1193213.
194. Robert Lemos, "Re: The Strategic Difference of 0day," SecLists.Org Security Mailing List Archive, last updated June 15, 2011, https://seclists.org/dailydave/2011/q2/105; Dave Aitel, "Exploits Matter,"SecLists.Org Security Mailing List Archive, last updated October 6, 2009, https://seclists.org/dailydave/2009/q4/2.
195. Jerry Pournelle, "Of Worms and Things," *Dr. Dobb's Journal*, December 2003.

6 ユーザブルセキュリティ、経済学、心理学

1. Zinaida Benenson, Gabriele Lenzini, Daniela Oliveira, Simon Edward Parkin, and Sven Ubelacker, "Maybe Poor Johnny Really Cannot Encrypt: The Case for a Complexity Theory for Usable Security" (presentation, 15th New Security Paradigms Workshop, Twente, the Netherlands, September 8–11, 2015), https://doi.org/10.1145/2841113.2841120.
2. Tom Regan, "Putting the Dancing Pigs in Their Cyber-Pen," *Christian Science Monitor*, October 7, 1999, https://www.csmonitor.com/1999/1007/p18s2.html.
3. Bruce Sterling, *The Hacker Crackdown* (New York: Bantam, 1992), http://www.gutenberg.org/ebooks/101.
4. Sterling, *The Hacker Crackdown*.
5. Sterling, *The Hacker Crackdown*.
6. Steven M. Bellovin, Terry V. Benzel, Bob Blakley, Dorothy E. Denning, Whitfield Diffie, Jeremy Epstein, and Paulo Verissimo, "Information Assurance Technology Forecast 2008," *IEEE Security & Privacy* 6, no. 1 (2008): 16–23, https://doi.org/10.1109/MSP.2008.13.
7. Gary Rivlin, "Ideas & Trends: Your Password, Please; Pssst, Computer Users . . .Want Some Candy?" *New York Times*, April 25, 2004, https://www.nytimes.com/2004/04/25/weekinreview/ideas-trends-your-password-please-pssst-computer-users-want-some-candy.html.
8. Rivlin, "Your Password, Please."
9. Simson Garfinkel and Heather Richter Lipford, *Usable Security: History, Themes, and Challenges* (San Rafael, CA: Morgan & Claypool, 2014), 18.
10. Alma Whitten and J. D. Tygar, "Why Johnny Can't Encrypt: A Usability Evaluation of PGP 5.0" (presentation, 8th USENIX Security Symposium, Washington, DC, August 23–26, 1999).
11. Mary Ellen Zurko and Richard T. Simon, "User-Centered Security" (presentation, New Security Paradigms Workshop, Lake Arrowhead, CA, 1996).
12. Zurko and Simon, "User-Centered Security."
13. Jerome H. Saltzer and M. D. Schroeder, "The Protection of Information in Computer Systems," *Proceedings of the IEEE* 63, no. 9 (1975): 1278–1308, http://doi.org/10.1109/PROC.1975.9939.

accessed May 12, 2019, https://www.microsoft.com/securityinsights/; "Microsoft Security Guidance Blog," Microsoft TechNet, Microsoft Corporation, last accessed May 12, 2019, https://blogs.technet.microsoft.com/secguide/; "Microsoft Security Response Center," Microsoft Security Response Center, Microsoft Corporation, last accessed May 12, 2019, https://www.microsoft.com/en-us/msrc.

176. Howard and Lipner, *The Security Development Lifecycle.*
177. John Viega, J. T. Bloch, Tadayoshi Kohno, and Gary McGraw, "ITS4: A Static Vulnerability Scanner for C and C++ Code" (presentation, 16th Annual Computer Security Applications Conference, New Orleans, December 11–15, 2000), https://doi.org/10.1109/ACSAC.2000.898880.
178. "On the Record: The Year in Security Quotes," SearchEnterpriseDesktop, TechTarget, last updated December 29, 2004, https://searchenterprisedesktop.techtarget.com/news/1036885/On-the-record-The-year-in-security-quotes.
179. Ryan Singel, "Apple Goes on Safari with Hostile Security Researchers," *Wired*, June 14, 2007, https://www.wired.com/2007/06/researchersmeetsafari/.
180. Andy Greenberg, "Apples for the Army," *Forbes*, December 21, 2007, https://www.forbes.com/2007/12/20/apple-army-hackers-tech-security-cxag1221army.html.
181. Gregg Keizer, "Apple Issues Massive Security Update for Mac OS X," *Computerworld*, February 12, 2009, https://seclists.org/isn/2009/Feb/48; Dan Goodin, "Apple Unloads 47 Fixes for iPhones, Macs and QuickTime," *Register*, September 11, 2009, https://www.theregister.co.uk/2009/09/11/applesecurityupdates/.
182. Paul McDougall, "Apple iPhone Out, BlackBerry 8800 in at NASA," *Information Week*, July 31, 2007, https://seclists.org/isn/2007/Aug/1.
183. Charlie Miller, Jake Honoroff, and Joshua Mason, *Security Evaluation of Apple's iPhone* (Baltimore: Independent Security Evaluators, 2007), https://www.ise.io/wp-content/uploads/2017/07/exploitingiphone.pdf.
184. "Secure Enclave Overview," Apple Platform Security, Apple, last accessed March 10, 2020, https://support.apple.com/guide/security/secure-enclave-overview-sec59b0b31ff/web.
185. "Secure Enclave Overview."
186. Manu Gulati, Michael J. Smith, and Shu-Yi Yu, "Security Enclave Processor for a System on a Chip," US Patent US8832465B2, filed September 25, 2012, issued September9, 2014, https://patents.google.com/patent/US8832465.
187. Simson Garfinkel, "The iPhone Has Passed a Key Security Threshold," *MIT Technology Review*, August 13, 2012, https://www.technologyreview.com/s/428477/the-iphone-has-passed-a-key-security-threshold/.
188. Apple, *Apple Platform Security* (Cupertino, CA: Apple, 2019), 53–54, https://manuals.info.apple.com/MANUALS/1000/MA1902/enUS/apple-platform-security-guide.pdf.
189. Devlin Barrett and Danny Yadron, "New Level of Smartphone Encryption Alarms Law Enforcement," *Wall Street Journal*, September 22, 2014, https://www.wsj.com/articles/new-level-of-smartphone-encryption-alarms-law-enforcement-1411420341.
190. Cyrus Farivar, "Judge: Apple Must Help FBI Unlock San Bernardino Shooter's iPhone," *Ars Technica*, February 16, 2016, https://arstechnica.com/tech-policy/2016/02/judge-apple-must-help-fbi-unlock-san-bernardino-shooters-iphone/.
191. Apple, "A Message to Our Customers," last updated February 16, 2016, https://www.

org/security/rant/oracle01/; Andy Greenberg, "Oracle Hacker Gets the Last Word," *Forbes*, February 2, 2010, https://www.forbes.com/2010/02/02/hacker-litchfield-ellison-technology-security-oracle.html.

150. "Decade of Oracle Security."
151. "Decade of Oracle Security."
152. "Decade of Oracle Security."
153. Oracle Corporation, *Unbreakable: Oracle's Commitment to Security* (Redwood Shores, CA: Oracle Corporation, 2002).
154. Oracle Corporation, *Unbreakable*, 2.
155. Oracle Corporation, *Unbreakable*, 2.
156. Oracle Corporation, *Unbreakable*, 12.
157. Oracle Corporation, *Unbreakable*, 3.
158. Oracle Corporation, *Unbreakable*, 4.
159. David Litchfield, *Hackproofing Oracle Application Server* (Manchester, UK:NCC Group, 2013), https://www.nccgroup.trust/au/our-research/hackproofing-oracle-application-server/; Robert Lemos, "Guru Says Oracle's 9i Is Indeed Breakable,"*CNET News*, March 2, 2002, https://www.cnet.com/news/guru-says-oracles-9i-is-indeed-breakable/.
160. Thomas C. Greene, "How to Hack Unbreakable Oracle Servers," *Register*, February2, 2002, https://www.theregister.co.uk/2002/02/07/howtohackunbreakableoracle/.
161. Greene, "Unbreakable Oracle Servers."
162. "Decade of Oracle Security."
163. "Decade of Oracle Security."
164. "Decade of Oracle Security."
165. "Decade of Oracle Security."
166. David Litchfield,"Opinion: Complete Failure of Oracle Security Response and Utter Neglect of Their Responsibility to Their Customers," SecLists.Org Security Mailing List Archive, last updated January 6, 2005, https://seclists.org/bugtraq/2005/Oct/56.
167. Litchfield,"Opinion: Complete Failure of Oracle Security."
168. Munir Kotadia, "Oracle No Longer a 'Bastion of Security': Gartner," *ZDNet Australia*, January 24, 2006; "Decade of Oracle Security."
169. "Decade of Oracle Security."
170. Oracle Corporation, *Unbreakable*, 3.
171. Sean Michael Kerner, "Oracle Patches 301 Vulnerabilities in October Update,"*eWeek*, October 18, 2018, https://www.eweek.com/security/oracle-patches-301-vulnerabilities-in-october-update.
172. "Oracle Agrees to Settle FTC Charges It Deceived Consumers about Java Software Updates," Federal Trade Commission, last updated December 21, 2015, https://www.ftc.gov/news-events/press-releases/2015/12/oracle-agrees-settle-ftc-charges-it-deceived-consumers-about-java; Sean Gallagher, "Oracle Settles with FTC over Java's 'Deceptive' Security Patching," *Ars Technica*, December 21, 2015, https://arstechnica.com/information-technology/2015/12/oracle-settles-with-ftc-over-javas-deceptive-security-patching/.
173. Gallagher, "Oracle Agrees to Settle."
174. Gallagher, "Oracle Agrees to Settle."
175. "Microsoft Security Intelligence Report," Microsoft Security, Microsoft Corporation, last

technet.microsoft.com/msrc/2018/02/14/inside-the-msrc-the-monthly-security-update-releases/.

130. "Microsoft Releases First Security Update."
131. MSRC Team, "Monthly Security Update Releases"; Christopher Budd, "Ten Years of Patch Tuesdays: Why It's Time to Move On," *Geek Wire*, October 31, 2013, https://www.geekwire.com/2013/ten-years-patch-tuesdays-time-move/.
132. Ryan Naraine, "Exploit Wednesday Follows MS Patch Tuesday," *ZDNet*, June 13, 2007, https://www.zdnet.com/article/exploit-wednesday-follows-ms-patch-tuesday /.
133. Microsoft Corporation, *Digital Crosshairs*.
134. Microsoft Corporation, *Digital Crosshairs*.
135. Microsoft Corporation, *Digital Crosshairs*.
136. Microsoft Corporation, *Digital Crosshairs*.
137. Microsoft Corporation, *Digital Crosshairs*.
138. Microsoft Corporation, *Digital Crosshairs*.
139. Microsoft Corporation, *Digital Crosshairs*.
140. Microsoft Corporation, *Digital Crosshairs*.
141. Robert Lemos, "Microsoft Failing Security Test?" *ZDNet*, January 11, 2002, https://www.zdnet.com/article/microsoft-failing-security-test/.
142. Andy Oram and Greg Wilson, eds., *Making Software: What Really Works, and Why We Believe It* (Sebastopol, CA: O'Reilly Media, 2010).
143. Carol Sliwa, "Microsoft's Report Card," *Computerworld*, January 13, 2003.
144. Nick Wingfield, "Microsoft Sheds Reputation as an Easy Mark for Hackers,"*New York Times*, November 17, 2015, https://www.nytimes.com/2015/11/18/technology/microsoft-once-infested-with-security-flaws-does-an-about-face.html; John Viega, "Ten Years of Trustworthy Computing: Lessons Learned," *IEEE Security & Privacy* 9, no. 5(2011): 3–4, https://doi.ieeecomputersociety.org/10.1109/MSP.2011.143.
145. John Leyden, "10 Years Ago Today: Bill Gates Kicks Arse over Security," *Register*, January 15, 2012, https://www.theregister.co.uk/2012/01/15/trustworthycomputing_memo/; Jim Kerstetter, "Daily Report: Microsoft Finds Its Security Groove," *New York Times*, November 17, 2015, https://bits.blogs.nytimes.com/2015/11/17/daily-report-microsoft-finds-its-security-groove/.
146. Tom Bradley, "The Business World Owes a Lot to Microsoft Trustworthy Computing," *Forbes*, March 5, 2014.
147. Microsoft Corporation, *Digital Crosshairs*.
148. Stephen Foley, "Larry Ellison Owns a Fighter Jet, Yacht Racing Team and Supercars Galore, So What Did the Billionaire Buy Next? The Hawaiian Island of Lanai," *Independent*(UK), June 22, 2012, https://www.independent.co.uk/news/world/americas/larry-ellison-owns-a-fighter-jet-yacht-racing-team-and-supercars-galore-so-what-did-the-billionaire-7873541.html; Mark David, "Larry Ellison's Japanese Freak Out," *Variety*, January 3, 2007, https://variety.com/2007/dirt/real-estalker/larry-ellisons-japanese-freak-out-1201225604/; Emmie Martin, "Here's What It's Like to Stay on the Lush Hawaiian Island Larry Ellison Bought for $300 Million," *CNBC*, November 15,2017, https://www.cnbc.com/2017/11/14/see-lanai-the-hawaiian-island-larry-ellison-bought-for-300-million.html.
149. "A Decade of Oracle Security," attrition.org, last updated July 28, 2008, http://attrition.

Monoculture."
107. Geer et al., *The Cost of Monopoly.*
108. Geer et al., *The Cost of Monopoly,*20.
109. Geer et al., *The Cost of Monopoly,*12.
110. Geer et al., *The Cost of Monopoly,*13.
111. Geer et al., *The Cost of Monopoly,*17.
112. Geer et al., *The Cost of Monopoly,*18.
113. Geer et al., *The Cost of Monopoly,*5.
114. Geer et al., *The Cost of Monopoly,*19.
115. Robert Lemos, "Academics Get NSF Grant for Net Security Centers," *ZDNet*, September 21, 2004, https://www.zdnet.com/article/academics-get-nsf-grant-for-net-security-centers/.
116. Dan Geer, "Monopoly Considered Harmful," *IEEE Security & Privacy* 1, no. 6(2003): 14–17, https://doi.org/10.1109/MSECP.2003.1253563.
117. Geer et al., *The Cost of Monopoly,*5; Goth, "Addressing the Monoculture."
118. John Schwartz, "Worm Hits Microsoft, Which Ignored Own Advice," *New York Times*, January 28, 2003, https://www.nytimes.com/2003/01/28/business/technology-worm-hits-microsoft-which-ignored-own-advice.html.
119. William A. Arbaugh, William L. Fithen, and John McHugh, "Windows of Vulnerability: A Case Study Analysis," *IEEE Computer* 33, no. 12 (2000), https://doi.org/10.1109/2.889093.
120. Arbaugh et al., "Windows of Vulnerability."
121. Eric Rescorla, "Security Holes . . . Who Cares?" (presentation, 12th USENIX Security Symposium, Washington, DC, August 4–8, 2003).
122. United States General Accounting Office, *Effective Patch Management Is Critical to Mitigating Software Vulnerabilities* (Washington, DC: United States Accounting Office, September 10, 2003).
123. Helen J. Wang, *Some Anti-Worm Efforts at Microsoft* (Redmond, WA: Microsoft Corporation, 2004), http://www.icir.org/vern/worm04/hwang.pdf; Steve Beattie, Seth Arnold, Crispin Cowan, Perry Wagle, Chris Wright, and Adam Shostack, "Timing the Application of Security Patches for Optimal Uptime" (presentation, 16th Large Installation System Administration Conference, Philadelphia, November 3–8, 2003), https://adam.shostack.org/time-to-patch-usenix-lisa02.pdf.
124. Ted Bridis, "Microsoft Pulls XP Update over Glitch," *Associated Press*, May 27,2003; Brian Krebs, "New Patches Cause BSoD for Some Windows XP Users," *Krebs on Security* (blog), February 11, 2010, https://krebsonsecurity.com/2010/02/new-patches-cause-bsod-for-some-windows-xp-users/.
125. Beattie et al., "Security Patches."
126. Bishop, "Should Microsoft Be Liable?"
127. Martin LaMonica, "Microsoft Renews Security Vows," *CNET News*, June 3,2003.
128. LaMonica, "Microsoft Renews Security Vows."
129. "Software: Microsoft Releases First Security Update," *New York Times*, October16, 2003, https://www.nytimes.com/2003/10/16/business/technology-briefing-software-microsoft-releases-first-security-update.html; MSRC Team, "Inside the MSRC—The Monthly Security Update Releases," *MSRC* (blog), February 14, 2018, https://blogs.

87. John Leyden, "Blaster Variant Offers 'Fix' for Pox-Ridden PCs," *Register*, August19, 2003, https://www.theregister.co.uk/2003/08/19/blastervariantoffersfix/.
88. "W32.Welchia.Worm," Symantec Security Center, Symantec, last updated August11, 2017, https://www.symantec.com/security-center/writeup/2003-081815-2308-99; Leyden, "Blaster Variant."
89. John Schwartz, "A Viral Epidemic," *New York Times*, August 24, 2003, https://www.nytimes.com/2003/08/24/weekinreview/august-17-23-technology-a-viral-epidemic.html.
90. Elise Labott, " 'Welchia Worm' Hits U.S. State Dept. Network," *CNN*, September24, 2003, http://www.cnn.com/2003/TECH/internet/09/24/state.dept.virus/index.html.
91. "W32.Sobig.F@mm," Symantec Security Center, Symantec, last updated February13, 2007, https://www.symantec.com/security-center/writeup/2003-081909-2118-99.
92. John Schwartz, "Microsoft Sets $5 Million Virus Bounty," *New York Times*, November6, 2003, https://www.nytimes.com/2003/11/06/business/technology-microsoft-sets-5-million-virus-bounty.html.
93. Luke Harding, "Court Hears How Teenage Introvert Created Devastating Computer Virus in His Bedroom," *Guardian*, July 6, 2005, https://www.theguardian.com/technology/2005/jul/06/germany.internationalnews.
94. Harding, "Teenage Introvert."
95. NewsScan, "Sasser Creator Turned in for the Reward," *Risks Digest* 23, no. 37(2004), https://catless.ncl.ac.uk/Risks/23/37.
96. "The Worm That Turned," *Sydney Morning Herald*, September 12, 2004, https://www.smh.com.au/world/the-worm-that-turned-20040912-gdjq5w.html.
97. Harding, "Teenage Introvert."
98. Harding, "Teenage Introvert."
99. Victor Homola, " 'Sasser' Hacker Is Sentenced," *New York Times*, July 9, 2005, https://www.nytimes.com/2005/07/09/world/world-briefing-europe-germany-sasser-hacker-is-sentenced.html.
100. Nicholas Weaver and Vern Paxson, "A Worst-Case Worm" (presentation, 3rd Workshop on the Economics of Information Security, Minneapolis, May 2004), http://www.icir.org/vern/papers/worst-case-worm.WEIS04.pdf.
101. Stuart Staniford, Vern Paxson, and Nicholas Weaver, "How to Own the Internet in Your Spare Time" (presentation, 11th USENIX Security Symposium, San Francisco, August 5–9, 2002).
102. Staniford et al., "How to Own the Internet."
103. "Experts: Microsoft Security Gets an 'F,' " *CNN*, February 1, 2003, http://www.cnn.com/2003/TECH/biztech/02/01/microsoft.security.reut/.
104. "Microsoft and Dell Win $90M Homeland Security Contract," *InformationWeek*, last updated July 16, 2003, https://www.informationweek.com/microsoft-and-dell-win-$90m-homeland-security-contract/d/d-id/1019955; Greg Goth, "Addressing the Monoculture," *IEEE Security & Privacy* 1, no. 6 (2003): 8–10, https://doi.org/10.1109/MSECP.2003.1253561.
105. Jonathan Krim, "Microsoft Placates Two Foes," *Washington Post*, November 9,2004.
106. Dan Geer, Rebecca Bace, Peter Gutmann, Perry Metzger, Charles P. Pfleeger, John S. Quarterman, and Bruce Schneier, *CyberInsecurity: The Cost of Monopoly* (Washington, DC: Computer & Communications Industry Association, 2003); Goth, "Addressing the

63. Steve Lipner, "The Trustworthy Computing Security Development Lifecycle" (presentation, 20th Annual Computer Security Applications Conference, Tucson, December 6–10, 2004), https://doi.org/10.1109/CSAC.2004.41.
64. Lemos, "Microsoft Developers Feel Windows Pain."
65. Dennis Fisher, "Microsoft Puts Meat Behind Security Push," *eWeek*, September30, 2002.
66. D. Ian Hopper and Ted Bridis, "Microsoft Announces Corporate Strategy Shift toward Security and Privacy," *Associated Press*, January 16, 2002.
67. Richard Grimes, "Preventing Buffer Overruns in C++," *Dr. Dobb's*, January 1,2004, http://www.drdobbs.com/cpp/preventing-buffer-overruns-in-c/184405528.
68. Grimes, "Preventing Buffer Overruns in C++."
69. Crispin Cowan, Calton Pu, Dave Maier, Jonathan Walpole, Peat Bakke, Steve Beattie, Aaron Grier et al., "Stack Guard: Automatic Adaptive Detection and Prevention of Buffer-Overflow Attacks" (presentation, 7th USENIX Security Symposium, San Antonio, TX, January 26–29, 1998).
70. Michael Howard and Steve Lipner, *The Security Development Lifecycle* (Redmond, WA: Microsoft Corporation, 2006), 31.
71. Microsoft Corporation, *Digital Crosshairs*.
72. David Moore, Vern Paxson, Stefan Savage, Colleen Shannon, Stuart Staniford, and Nicholas Weaver, "Inside the Slammer Worm," *IEEE Security & Privacy* 1, no. 4(2003): 33–39, https://doi.org/10.1109/MSECP.2003.1219056.
73. Moore et al., "Inside the Slammer Worm."
74. Moore et al., "Inside the Slammer Worm."
75. Moore et al., "Inside the Slammer Worm."
76. Moore et al., "Inside the Slammer Worm."
77. Moore et al., "Inside the Slammer Worm."
78. Moore et al., "Inside the Slammer Worm."
79. Ted Bridis, "Internet Attack's Disruptions More Serious than Many Thought Possible," *Associated Press*, January 27, 2003; Katie Hafner with John Biggs, "In Net Attacks, Defining the Right to Know," *New York Times*, January 30, 2003, https://www.nytimes.com/2003/01/30/technology/in-net-attacks-defining-the-right-to-know.html.
80. Bridis, "Disruptions More Serious"; Hafner and Biggs, "In Net Attacks"; Moore et al., "Inside the Slammer Worm."
81. Bridis, "Disruptions More Serious."
82. Moore et al., "Inside the Slammer Worm."
83. John Leyden, "Slammer: Why Security Benefits from Proof of Concept Code,"*Register*, February 6, 2003, https://www.theregister.co.uk/2003/02/06/slammerwhy_securitybenefits/.
84. Kirk Semple, "Computer 'Worm' Widely Attacks Windows Versions," *New York Times*, August 13, 2003, https://www.nytimes.com/2003/08/13/business/technology-computer-worm-widely-attacks-windows-versions.html.
85. Semple, "Computer 'Worm.' "
86. John Markoff, "Virus Aside, Gates Says Reliability Is Greater," *New York Times*, August 31, 2003, https://www.nytimes.com/2003/08/31/business/virus-aside-gates-says-reliability-is-greater.html.

No, It Is UCSB," *Risks Digest* 22, no. 32 (2002), https://catless.ncl.ac.uk/Risks/22/32.
37. Steve Ranger, "MS Outlook Booted Off Campus," SecLists.Org Security Mailing List Archive, last updated May 23, 2002, https://seclists.org/isn/2002/May/146.
38. "Defaced Commentary—List of Defaced Microsoft Web Sites," attrition.org, last accessed May 11, 2019, http://attrition.org/security/commentary/microsoft-list.html.
39. Susan Stellin, "Reports of Hackers Are on the Rise," *New York Times*, January 21,2002, https://www.nytimes.com/2002/01/21/business/most-wanted-drilling-down-internet-security-reports-of-hackers-are-on-the-rise.html.
40. Todd Bishop, "Should Microsoft Be Liable for Bugs?" *Seattle Post-Intelligencer*, September 12, 2003.
41. Bishop, "Should Microsoft Be Liable?"
42. Rob Pegoraro, "Microsoft Windows: Insecure by Design," *Washington Post*, August24, 2003.
43. Pegoraro, "Insecure by Design."
44. Ross Anderson, "Why Information Security Is Hard: An Economic Perspective" (presentation, 17th Annual Computer Security Applications Conference, New Orleans, December 10–14, 2001), https://doi.org/10.1109/ACSAC.2001.991552.
45. Michael Swaine and Paul Freiberger, *Fire in the Valley: The Birth and Death of the Personal Computer* (Dallas: Pragmatic Bookshelf, 2014), 30–31.
46. Swaine and Freiberger, *Fire in the Valley*, 30–31.
47. Swaine and Freiberger, *Fire in the Valley*, 30–31.
48. John Markoff, "Stung by Security Flaws, Microsoft Makes Software Safety a Top Goal," *New York Times*, January 17, 2002, https://www.nytimes.com/2002/01/17/business/stung-by-security-flaws-microsoft-makes-software-safety-a-top-goal.html.
49. Bill Gates, "Trustworthy Computing," *Wired*, January 17, 2002, https://www.wired.com/2002/01/bill-gates-trustworthy-computing/.
50. Gates, "Trustworthy Computing."
51. Gates, "Trustworthy Computing."
52. Gates, "Trustworthy Computing."
53. Gates, "Trustworthy Computing."
54. Gates, "Trustworthy Computing."
55. Peter G. Neumann, "Another NT Security Flaw," *Risks Digest* 19, no. 2 (1997), https://catless.ncl.ac.uk/Risks/19/02.
56. Michael Howard and David LeBlanc, *Writing Secure Code* (Redmond, WA: Microsoft Press, 2002).
57. Gates, "Trustworthy Computing."
58. Microsoft Corporation, *Digital Crosshairs*.
59. Microsoft Corporation, *Digital Crosshairs*.
60. John Markoff, "Microsoft Programmers Hit the Books in a New Focus on Secure Software," *New York Times*, April 8, 2002, https://www.nytimes.com/2002/04/08/business/microsoft-programmers-hit-the-books-in-a-new-focus-on-secure-software.html.
61. Microsoft Corporation, *Digital Crosshairs*.
62. Robert Lemos, "Microsoft Developers Feel Windows Pain," *CNET News*, February7, 2002.

10. Christey and Martin, "Buying into the Bias."
11. Christey and Martin, "Buying into the Bias."
12. Brian Martin, "Our Straw House: Vulnerabilities" (presentation, RVASec, June 1, 2013), https://2013.rvasec.com/.
13. David Moore and Coleen Shannon, "The Spread of the Code-Red Worm(CRv2)," Center for Applied Internet Data Analysis, last updated March 27, 2019, https://www.caida.org/research/security/code-red/coderedv2analysis.xml.
14. Moore and Shannon, "The Spread of the Code-Red Worm."
15. Moore and Shannon, "The Spread of the Code-Red Worm."
16. David Moore, Colleen Shannon, and Jeffery Brown, "Code-Red: A Case Study on the Spread and Victims of an Internet Worm" (presentation, 2nd ACM SIGCOMM Workshop on Internet Measurement, Marseille, France, November 6–8, 2002), https://doi.org/10.1145/637201.637244.
17. Moore and Shannon, "The Spread of the Code-Red Worm."
18. Moore and Shannon, "The Spread of the Code-Red Worm."
19. Moore et al., "Code-Red"; Moore and Shannon, "The Spread of the Code-Red Worm."
20. "Dynamic Graphs of Nimda," Center for Applied Internet Data Analysis, The Cooperative Association for Internet Data Analysis, last accessed May 11, 2019, http://www.caida.org/dynamic/analysis/security/nimda/.
21. Software Engineering Institute, *2001 CERT Advisories*.
22. "Nimda Virus 'on the Wane,' " *BBC News*, last updated September 20, 2001, http://news.bbc.co.uk/2/hi/science/nature/1554514.stm.
23. Software Engineering Institute, *2001 CERT Advisories*.
24. Software Engineering Institute, *2001 CERT Advisories*.
25. Software Engineering Institute, *2001 CERT Advisories*.
26. Software Engineering Institute, *2001 CERT Advisories*.
27. Mark Challender, "RE: Concept Virus (CV) V.5—Advisory and Quick Analysis,"SecLists.Org Security Mailing List Archive, last updated September 18, 2001, https://seclists.org/incidents/2001/Sep/177.
28. "Nimda Virus 'on the Wane.' "
29. John Leyden, "Ten Years on from Nimda: Worm Author Still at Large," *Register*, September 17, 2011, https://www.theregister.co.uk/2011/09/17/nimdaanniversary/; "Nimda Virus 'on the Wane.' "
30. Microsoft Corporation, *Life in the Digital Crosshairs: The Dawn of the Microsoft Security Development Lifecycle* (Redmond, WA: Microsoft Press, 2014).
31. John Pescatore, *Nimda Worm Shows You Can't Always Patch Fast Enough*(Stamford, CT: Gartner, 2001).
32. Pescatore, *Nimda Worm*.
33. Diane Frank, "Security Shifting to Enterprise," SecLists.Org Security Mailing List Archive, last updated February 21, 2002, https://seclists.org/isn/2002/Feb/102.
34. Byron Acohido, "Air Force Seeks Better Security from Microsoft," *USA Today*, March 10, 2002, https://usatoday30.usatoday.com/life/cyber/tech/2002/03/11/gilligan.htm.
35. Acohido, "Air Force Seeks Better Security from Microsoft."
36. Jeremy Epstein, "UCSD Bans WinNT/2K—Will It Do Any Good?" *Risks Digest*22, no. 31 (2002), https://catless.ncl.ac.uk/Risks/22/31; Tom Perrine, "Re: UCSD Bans WinNT/2K—

"Safecracking 101," ranum.com, last updated July 7, 2005, http://ranum.com/fun/bsu/safecracking/index.html.
138. Marcus Ranum, "Script Kiddiez Suck" (presentation, Black Hat Briefings, Las Vegas, 2000, https://www.blackhat.com/html/bh-media-archives/bh-archives-2000.html.
139. Marcus Ranum, "The Six Dumbest Ideas in Computer Security," ranum.com, last updated September 1, 2005, http://ranum.com/security/computersecurity/editorials/dumb/index.html.
140. Ranum, "Script Kiddiez Suck."
141. Ranum, "Script Kiddiez Suck."
142. Ranum, "Script Kiddiez Suck."
143. Ranum, "Script Kiddiez Suck."
144. Ranum, "Script Kiddiez Suck."
145. Marcus Ranum, "Dusty Old Stuff from the Distant Past," ranum.com, last accessed September 3, 2018, http://ranum.com/security/computersecurity/archives/index.html.
146. Cassidy, *Dot.con*, 294.
147. Cassidy, *Dot.con*, 294.

5　ソフトウェアセキュリティと「苦痛なハムスターホイール」

1. Andrew Jaquith, "Escaping the Hamster Wheel of Pain," *Markerbench* (blog),May 4, 2005, http://www.markerbench.com/blog/2005/05/04/Escaping-the-Hamster-Wheel-of-Pain/.
2. Peter A. Loscocco, Stephen D. Smalley, Patrick A. Muckelbauer, Ruth C. Taylor, S. Jeff Turner, and John F. Farrell, "The Inevitability of Failure: The Flawed Assumption of Security in Modern Computing Environments" (presentation, 21st National Information Systems Security Conference, Arlington, VA, October 8, 1998).
3. Loscocco et al., "The Inevitability of Failure."
4. Loscocco et al., "The Inevitability of Failure."
5. Software Engineering Institute, *2000 CERT Advisories* (Pittsburgh, PA: Software Engineering Institute, Carnegie Mellon University, 2000), https://resources.sei.cmu.edu/library/asset-view.cfm?assetID=496186; Software Engineering Institute, *2001 CERT Advisories* (Pittsburgh, PA: Software Engineering Institute, Carnegie Mellon University, 2001), https://resources.sei.cmu.edu/library/asset-view.cfm?assetID=496190; SoftwareEngineering Institute, *2002 CERT Advisories* (Pittsburgh, PA: Software Engineering Institute, Carnegie Mellon University, 2002), https://resources.sei.cmu.edu/library/asset-view.cfm?assetID=496194.
6. Software Engineering Institute, *2000 CERT Advisories*; Software Engineering Institute,*2001 CERT Advisories*; Software Engineering Institute, *2002 CERT Advisories*.
7. David Litchfield,"Database Security: The Pot and the Kettle"(presentation, Black Hat Briefings Asia, Singapore, October 3–4, 2002), https://www.blackhat.com/html/bh-asia-02/bh-asia-02-speakers.html.
8. "Internet Exploder," *The Hacker's Dictionary*, Smart Digital Networks, last accessed May 11, 2019, http://www.hackersdictionary.com/html/entry/Internet-Exploder.html.
9. Steve Christey and Brian Martin, "Buying into the Bias: Why Vulnerability Statistics Suck" (presentation, Black Hat Briefings, Las Vegas, July 27–August1, 2013), https://www.blackhat.com/us-13/briefings.html.

116. Gabriella Coleman, "The Anthropology of Hackers," *Atlantic*, September 21,2010, https://www.theatlantic.com/technology/archive/2010/09/the-anthropology-of-hackers /63308/.
117. Robert Lemos, "Script Kiddies: The Net's Cybergangs," *ZDNet*, July 13, 2000, https:// www.zdnet.com/article/script-kiddies-the-nets-cybergangs/.
118. Lemos, "Script Kiddies."
119. Elias Levy, "Full Disclosure Is a Necessary Evil," *Security Focus*, August 16, 2001, https://www.securityfocus.com/news/238.
120. Andrew Zipern, "Technology Briefing: Privacy; Security Group to Sell Services,"*New York Times*, April 20, 2001, https://www.nytimes.com/2001/04/20/business/technology-briefing-privacy-security-group-to-sell-services.html.
121. Daniel De Leon, "The Productivity of the Criminal," *Daily People*, April 14,1905, http:// www.slp.org/pdf/deleon/eds1905/apr141905.pdf.
122. De Leon, "Productivity of the Criminal."
123. Andy Greenberg, "Symantec Scareware Tells Customers to Renew or 'Beg for Mercy,' " *Forbes*, October 4, 2010, https://www.forbes.com/sites/andygreenberg/2010/10/04/ symantec-scareware-tells-customers-to-renew-or-beg-for-mercy/.
124. CMP Media, "Black Hat USA 2019 Registration," Black Hat Briefings, last accessed May 6, 2019, https://www.blackhat.com/us-19/registration.html.
125. Jeff Moss, "The Black Hat Briefings, July 9–10, 1997," Black Hat Briefings, last accessed May 6, 2019, https://www.blackhat.com/html/bh-usa-97/info.html.
126. CMP Media, "Jeff Moss," Black Hat Briefings, last accessed May 6, 2019, https://www. blackhat.com/us-18/speakers/Jeff-Moss.html.
127. Fisher, "Marcus Ranum."
128. Kelly Jackson Higgins, "Who Invented the Firewall?" *Dark Reading*, January15, 2008, https://www.darkreading.com/who-invented-the-firewall/d/d-id/1129238; Marcus Ranum, "Who Is Marcus J. Ranum?" ranum.com, last accessed September 3,2018, http://www.ranum.com/stockcontent/about.html.
129. Marcus Ranum, "White House Tales—1," *Freethought Blogs*, September 16,2018, https://freethoughtblogs.com/stderr/2018/09/16/the-white-house/.
130. Ranum, "White House Tales."
131. Ranum, "White House Tales."
132. Ranum, "White House Tales."
133. Ranum, "White House Tales."
134. Ranum, "White House Tales."
135. Marcus Ranum, "The Herd," ranum.com, last accessed September 3, 2018, http:// ranum.com/fun/the_herd/index.html.
136. Marcus Ranum, "Soaps for Sale," ranum.com, last accessed September 3, 2018, http:// ranum.com/fun/projects/soap/soap-sale.html; Marcus Ranum, "Ambrotypes and the Unique Process,"ranum.com, last accessed September 3, 2018, http://ranum.com/fun/ lenswork/ambrotypes/why.html.
137. Kelly Jackson Higgins, "Ranum's Wild Security Ride," *Dark Reading*, December5, 2007, https://www.darkreading.com/vulnerabilities—threats/ranums-wild-security-ride/d/ d-id/1129165; Marcus Ranum, "Do It Yourself Dealy," ranum.com, last accessed September 3, 2018, http://ranum.com/fun/bsu/diy-dealy/index.html; Marcus Ranum,

Feb/61; Ptacek and Newsham, "Insertion, Evasion."

93. Mikko Sarela, Tomi Kyostila, Timo Kiravuo, and Jukka Manner, "Evaluating Intrusion Prevention Systems with Evasions," *International Journal of Communication Systems* 30, no. 16 (June 2017), https://onlinelibrary.wiley.com/doi/abs/10.1002/dac.3339.
94. Ptacek and Newsham, "Insertion, Evasion."
95. Dennis Fisher, "How I Got Here: Marcus Ranum," *Threat post*, May 20, 2015, https://threatpost.com/how-i-got-here-marcus-ranum/112924/.
96. Fisher, "Marcus Ranum."
97. RAID—International Symposium on Research in Attacks, Intrusions and Defenses,"The Nature and Utility of Standards Organizations for the Intrusion Detection Community," RAID.org, last accessed May 6, 2019, http://www.raid-symposium.org/raid98/ProgRAID98/Panels.html; IETF, "The Common Intrusion Detection Framework—Data Formats," IETF Tools, last updated September 18, 1998, https://tools.ietf.org/html/draft-staniford-cidf-data-formats-00.
98. Stefan Axelsson, "The Base-Rate Fallacy and Its Implications for the Difficulty of Intrusion Detection" (presentation, 2nd RAID Symposium, Purdue, IN, September7–9, 1999).
99. Axelsson, "The Base-Rate Fallacy."
100. Axelsson, "The Base-Rate Fallacy."
101. Axelsson, "The Base-Rate Fallacy."
102. Axelsson, "The Base-Rate Fallacy."
103. Stephanie Mlot, "Neiman Marcus Hackers Set Off Nearly 60K Alarms," *PC Magazine*, February 23, 2014, https://www.pcmag.com/news/320948/neiman-marcus-hackers-set-off-nearly-60k-alarms.
104. Bill Home, "Umbrellas and Octopuses," *IEEE Security & Privacy* 13, no. 1(2015): 3–5, https://doi.org/10.1109/MSP.2015.18.
105. Metzger, "Ray Cromwell: Another Netscape Bug (and Possible Security Hole)."
106. "Cisco to Acquire Wheel Group for about $124 Million in Stock," *Wall Street Journal*, February 18, 1998, https://www.wsj.com/articles/SB887844566548828000.
107. Ben Yagoda, "A Short History of 'Hack,' " *New Yorker*, March 6, 2014, https://www.newyorker.com/tech/annals-of-technology/a-short-history-of-hack.
108. Yagoda, "History of 'Hack.' "
109. Katie Hafner and Matthew Lyon, *Where Wizards Stay Up Late: The Origins of the Internet* (New York: Simon & Schuster, 1996), 189–190.
110. Yagoda, "History of 'Hack.' "
111. Erving Goffman, *The Presentation of Self in Everyday Life* (New York: Anchor,1959).
112. Computer Fraud and Abuse Act of 1984, 18 U.S.C. § 1030 (2019).
113. "Computer Misuse Act 1990," legislation.gov.uk, National Archives (UK), last updated June 29, 1990, http://www.legislation.gov.uk/ukpga/1990/18/enacted.
114. Y Combinator, "*Phrack* Magazine (1985–2016)," Hacker News, last accessed May 6, 2019, https://news.ycombinator.com/item?id=18288767.
115. ISGroup, "The Greyhat Is Whitehat List," ush.it, last accessed May 6, 2019, http://www.ush.it/team/ush/mirror-phcold/greyhat-IS-whitehat.txt; Charles Stevenson, "GreyhatIs Whitehat," SecLists.Org Security Mailing List Archive, September 19, 2002, https://seclists.org/fulldisclosure/2002/Sep/507.

71. James P. Anderson, *Computer Security Technology Planning Study* (Bedford, MA: Electronic Systems Division, Air Force Systems Command, United States Air Force,1972).
72. James P. Anderson, *Computer Security Threat Monitoring and Surveillance* (Fort Washington, PA: James P. Anderson Co., 1980).
73. Dorothy E. Denning and Peter G. Neumann, *Requirements and Model for IDES—A Real-Time Intrusion-Detection Expert System* (Menlo Park, CA: SRI International,1985); Dorothy Denning, "An Intrusion-Detection Model," *IEEE Transactions on Software Engineering* 13, no. 2 (1987): 222–232, https://doi.org/10.1109/TSE.1987.232894.
74. Matt Bishop, *Computer Security: Art and Science* (Boston: Addison-Wesley,2003), 733.
75. Bishop, *Computer Security*, 727.
76. Bishop, *Computer Security*, 765.
77. The President's National Security Telecommunications Advisory Committee, *Network Group Intrusion Detection Subgroup Report—Report on the NS/EDP Implications of Intrusion Detection Technology Research and Development* (Washington, DC: NSTAC Publications, 1997), 32–33, https://www.dhs.gov/publication/1997-nstac-publications.
78. Ellen Messmer, "Getting the Drop on Network Intruders," *CNN*, October 11, 1999, http://www.cnn.com/TECH/computing/9910/11/intrusion.detection.idg/index.html.
79. Ian Grigg, "The Market for Silver Bullets," March 2, 2008, http://iang.org/papers/marketforsilverbullets.html.
80. Gollmann, *Computer Security*, 40.
81. Grigg, "The Market for Silver Bullets."
82. Spafford, "Quotable Spaf."
83. Frederick P. Brooks Jr., "No Silver Bullet: Essence and Accidents of Software Engineering, *Computer* 20, no. 4 (1987): 10–19, https://doi.org/10.1109/MC.1987.1663532.
84. Ross Anderson, "Why Information Security Is Hard: An Economic Perspective" (presentation, 17th Annual Computer Security Applications Conference, New Orleans, December 10–14, 2001), https://doi.org/10.1109/ACSAC.2001.991552.
85. Frank Willoughby, "Re: Firewalls/Internet Security—TNG,"SecLists.Org Security Mailing List Archive, December 2, 1997, https://seclists.org/firewall-wizards/1997/Dec/20.
86. Thomas H. Ptacek and Timothy N. Newsham, *Insertion, Evasion, and Denial of Service: Eluding Network Intrusion Detection* (n.p.: Secure Networks, 1998); Secure Networks, "SNI-24: IDS Vulnerabilities," SecLists.Org Security Mailing List Archive, February9, 1998, https://seclists.org/bugtraq/1998/Feb/41.
87. Ptacek and Newsham, "Insertion, Evasion."
88. Ptacek and Newsham, "Insertion, Evasion."
89. Mark Handley, Vern Paxson, and Christian Kreibich, "Network Intrusion Detection: Evasion, Traffic Normalization, and End-to-End Protocol Semantics" (presentation, 10th USENIX Security Symposium, Washington, DC, August 13–17, 2001), https://www.usenix.org/conference/10th-usenix-security-symposium/network-intrusion-detection-evasion-traffic-normalization; Ptacek and Newsham, "Insertion, Evasion."
90. Ptacek and Newsham, "Insertion, Evasion."
91. Ptacek and Newsham, "Insertion, Evasion."
92. Thomas H. Ptacek, "Important Comments re: Intrusion Detection," SecLists.Org Security Mailing List Archive, February 13, 1998, https://seclists.org/bugtraq/1998/

49. Robert E. Calem, "New York's Panix Service Is Crippled by Hacker Attack," *New York Times*, September 14, 1996, https://archive.nytimes.com/www.nytimes.com/library/cyber/week/0914panix.html; John Markoff, "A New Method of Internet Sabotage Is Spreading," *New York Times*, September 19, 1996, https://www.nytimes.com/1996/09/19/business/a-new-method-of-internet-sabotage-is-spreading.html.
50. Peter G. Neumann, "Major Denial-of-Service Attack on Web Com in San Francisco Bay Area," *Risks Digest* 18, no. 69 (1996), https://catless.ncl.ac.uk/Risks/18/69.
51. Daemon9 [pseud.], "Project Hades," *Phrack* 7, no. 49 (1996), http://phrack.org/issues/49/7.html.
52. Route, "Project Hades."
53. Daemon9 [pseud.], "Project Loki," *Phrack* 7, no. 49 (1996), http://phrack.org/issues/49/6.html.
54. Route, "Project Loki."
55. IETF, "RFC 770 Internet Control Message Protocol," IETF Tools, last updated April, 1981, https://tools.ietf.org/html/rfc792.
56. IETF, "RFC 770 Internet Control Message Protocol."
57. IETF, "RFC 770 Internet Control Message Protocol."
58. Route, "Project Loki."
59. IETF, "RFC 770 Internet Control Message Protocol."
60. IETF, "RFC 770 Internet Control Message Protocol."
61. Route, "Project Loki."
62. Daemon9 [pseud.], "Loki2 (The Implementation)," *Phrack* 7, no. 51 (1997), http://phrack.org/issues/51/6.html.
63. Route [pseud.], "Juggernaut," *Phrack* 7, no. 50 (1997), http://phrack.org/issues/50/6.html.
64. Software Engineering Institute, *1997 CERT Advisories* (Pittsburgh, PA: Software Engineering Institute, Carnegie Mellon University, 1997), 176.
65. Software Engineering Institute, *1997 CERT Advisories*, 176.
66. Software Engineering Institute, *1997 CERT Advisories*, 176–177; Microsoft, "Microsoft Security Bulletin MS13-065—Important,"Microsoft Security Bulletins, last updated August 13, 2013, https://docs.microsoft.com/en-us/security-updates/securitybulletins/2013/ms13-065.
67. Richard Bejtlich, "Deflect Silver Bullets," *TaoSecurity* (blog), November 7, 2007, https://taosecurity.blogspot.com/2007/11/deflect-silver-bullets.html.
68. IBM Internet Security Systems, "Company Timeline," ISS Timeline, last updated April 20, 2007, http://www.iss.net/about/timeline/index.html; Cisco, "Cisco Scanner—Cisco,"Products & Services, last accessed June 22, 2019, https://www.cisco.com/c/en/us/products/security/scanner/index.html.
69. Roger R. Schell, "Information Security: Science, Pseudoscience, and Flying Pigs" (presentation, 17th Annual Computer Security Applications Conference, New Orleans, December 10–14, 2001, https://doi.org/10.1109/ACSAC.2001.991537).
70. Defense Science Board Task Force on Computer Security, *Security Controls for Computer Systems: Report of Defense Science Board Task Force on Computer Security* (Santa Monica, CA: RAND, 1970), 41, https://www.rand.org/pubs/reports/R609-1/index2.html.

24. "Defaced Commentary—Verisign Japan Defaced," attrition.org, last updated2001, http://attrition.org/security/commentary/verisign.html; "Defaced Commentary—The SANS Institute Defaced," attrition.org, last updated 2001, http://attrition.org/security/commentary/sans.html.
25. CNN, "Hackers Put Racist, Anti-Government Slogans on Embassy Site," last updated September 7, 1999, http://www.cnn.com/TECH/computing/9909/07/embassy.hack/index.html.
26. Peter G. Neumann, "CIA Disconnects Home Page after Being Hacked," *Risks Digest* 18, no. 49 (1996), https://catless.ncl.ac.uk/Risks/18/49.
27. "Defaced Commentary—UNICEF Defaced for the Third Time," attrition.org, last updated 2001, http://attrition.org/security/commentary/unicef.html.
28. "TASC Defaced," attrition.org, last updated 2001, http://attrition.org/security/commentary/tasc1.html.
29. Declan McCullagh, "George W. Bush the Red?" *Wired*, October 19, 1999, https://www.wired.com/1999/10/george-w-bush-the-red/.
30. McCullagh, "George W. Bush the Red?"
31. Phrack Staff [pseud.], "Phrack Pro-Philes on the New Editors," *Phrack* 7, no. 48(1996), http://phrack.org/issues/48/5.html.
32. Phrack Staff, "Phrack Pro-Philes."
33. Phrack Staff [pseud.], "Introduction," *Phrack* 14, no. 67 (2010), http://www.phrack.org/issues/67/1.html.
34. Phrack Staff, "Phrack Pro-Philes."
35. Phrack Staff, "Phrack Pro-Philes."
36. Phrack Staff, "Phrack Pro-Philes."
37. Phrack Staff, "Phrack Pro-Philes."
38. Phrack Staff, "Phrack Pro-Philes."
39. Taran King [pseud.], "Introduction," *Phrack* 1, no. 1 (1985), http://www.phrack.org/issues/1/1.html.
40. Route [pseud.], "Project Neptune," *Phrack* 7, no. 48 (1996), http://phrack.org/issues/48/13.html.
41. Route, "Project Neptune."
42. Software Engineering Institute, *1996 CERT Advisories* (Pittsburgh, PA: Software Engineering Institute, Carnegie Mellon University, 1996), 21; Route, "Project Neptune."
43. Route, "Project Neptune."
44. Steven M. Bellovin, "Security Problems in the TCP/IP Protocol Suite," *ACMSIGCOMM Computer Communication Review* 19, no. 2 (April 1, 1989): 32–48, https://doi.org/10.1145/378444.378449; Robert T. Morris, *A Weakness in the 4.2BSD Unix TCP/IP Software* (Murray Hill, NJ: Bell Labs, February 25, 1985).
45. Steven M. Bellovin, "A Look Back at 'Security Problems in the TCP/IP Protocol Suite'" (presentation, 20th Annual Computer Security Applications Conference, Tucson, December 6–10, 2004), https://doi.org/10.1109/CSAC.2004.3.
46. William R. Cheswick and Steven M. Bellovin, *Firewalls and Internet Security: Repelling the Wily Hacker*, 2nd ed. (Boston: Addison-Wesley,2003).
47. Cheswick and Bellovin, *Firewalls and Internet Security*, xiii.
48. Route, "Project Neptune."

Bug Fixed," *Risks Digest* 19, no. 47 (1997), https://catless.ncl.ac.uk/Risks/19/46.
8. Georgi Guninski, "Netscape Communicator 4.5 Can Read Local Files," SecLists.Org Security Mailing List Archive, November 23, 1998, https://seclists.org/bugtraq/1998/Nov/258.
9. IEEE Computer Society, "Attacks, Flaws, and Penetrations," *Electronic Cipher* 25(1997), https://www.ieee-security.org/Cipher/PastIssues/1997/issue9711/issue9711.txt.
10. David Kennedy, "YAAXF: Yet Another ActiveX Flaw," *Risks Digest* 19, no. 6(1997), https://catless.ncl.ac.uk/Risks/19/06.
11. Dieter Gollmann, *Computer Security* (New York: Wiley, 2011), 395–400.
12. Ed Felten, "Java/Netscape Security Flaw," *Risks Digest* 17, no. 93 (1996), https://catless.ncl.ac.uk/Risks/17/93; Ed Felten, "Java Security Update," *Risks Digest* 18, no. 32(1996), https://catless.ncl.ac.uk/Risks/18/32.
13. Dirk Balfanz and Edward W. Felten, *A Java Filter—Technical Report 567–97*(Princeton, NJ: Department of Computer Science, Princeton University, 1997), 1, https://www.cs.princeton.edu/research/techreps/TR-567–97.
14. Balfanz and Felten, *A Java Filter*, 1.
15. Balfanz and Felten, *A Java Filter*, 1.
16. John Markoff, "Potentially Big Security Flaw Found in Netscape Software,"*New York Times*, September 28, 1998, https://www.nytimes.com/1998/09/28/business/potentially-big-security-flaw-found-in-netscape-software.html.
17. DilDog [pseud.], "L0pht Advisory MSIE4.0(1)," SecLists.Org Security Mailing List Archive, January 14, 1998, https://seclists.org/bugtraq/1998/Jan/57; Georgi Guninski, "IE Can Read Local Files," SecLists.Org Security Mailing List Archive, September5, 1998, https://seclists.org/bugtraq/1998/Sep/47; Georgi Guninski, "Netscape Communicator 4.5 Can Read Local Files," SecLists.Org Security Mailing List Archive, November 23, 1998, https://seclists.org/bugtraq/1998/Nov/258.
18. John Viega and Gary McGraw, *Building Secure Software: How to Avoid Security Problems the Right Way* (Boston: Addison-Wesley,2001), 322–334.
19. Rain Forest Puppy [pseud.], "NT Web Technology Vulnerabilities," *Phrack* 8, no. 54 (1998), http://phrack.org/issues/54/8.html; OWASP Foundation, "Top 10 2007," OWASP.org, last accessed May 3, 2019, https://www.owasp.org/index.php/Top10_2007.
20. MITRE, "CWE-27: Path Traversal," MITRE Common Weakness Enumeration, last accessed May 3, 2019, https://cwe.mitre.org/data/definitions/27.html.
21. Eugene H. Spafford, "Quotable Spaf," Spaf's Home Page, last updated July 7,2018, https://spaf.cerias.purdue.edu/quotes.html.
22. Tina Kelly, "A Consultant Reports a Flaw in eBay's Web Site Security," *New York Times*, May 20, 1999, https://www.nytimes.com/1999/05/20/technology/news-watch-a-consultant-reports-a-flaw-in-ebay-s-web-site-security.html; Aleph One [pseud.],"Re: Yahoo Hacked," SecLists.Org Security Mailing List Archive, December 10, 1997, https://seclists.org/bugtraq/1997/Dec/57; Tom Cervenka, "Serious Security Hole in Hotmail," SecLists.Org Security Mailing List Archive, August 24, 1998, https://seclists.org/bugtraq/1998/Aug/208.
23. Michael Janofsky, "New Security Fears as Hackers Disrupt 2 Federal Web Sites," *New York Times*, May 29, 1999, https://www.nytimes.com/1999/05/29/us/new-security-fears-as-hackers-disrupt-2-federal-web-sites.html.

174. Farrow, "Interview with Dan Farmer," 33.
175. Farrow, "Interview with Dan Farmer," 33.
176. Farrow, "Interview with Dan Farmer," 33.
177. John Markoff, "Dismissal of Security Expert Adds Fuel to Internet Debate," *New York Times*, March 22, 1995, https://www.nytimes.com/1995/03/22/business/dismissal-of-security-expert-adds-fuel-to-internet-debate.html; Farrow, "Interview with Dan Farmer," 34.
178. Farrow, "Interview with Dan Farmer," 34.
179. Wietse Venema, "Quotes about SATAN," www .porcupine.org, last accessed May 2, 2019, http://www.porcupine.org/satan/demo/docs/quotes.html.
180. Anon., "A Possible 'Solution' to Internet SATAN: Handcuffs," *Risks Digest* 17, no. 4 (1995), https://catless.ncl.ac.uk/Risks/17/04.
181. "Info about SATAN," CERIAS—Center for Education and Research in Information Assurance and Security, Purdue University, last accessed May 2, 2019, http://www.cerias.purdue.edu/site/about/history/coast/satan.php.
182. Dan Farmer, "Shall We Dust Moscow? (Security Survey of Key Internet Hosts and Various Semi-Relevant Reflections)," December 18, 1996, http://www.fish2.com/survey/.
183. Farmer, "Dust Moscow."
184. Farmer, "Dust Moscow."
185. Farmer, "Dust Moscow."
186. Farmer, "Dust Moscow."
187. P. W. Singer and Allan Friedman, *Cybersecurity and Cyberwar: What Everyone Needs to Know* (Oxford: Oxford University Press, 2014), 20.
188. Cassidy, *Dot.con*, 110.
189. Farmer, "Dust Moscow."
190. Dan Farmer, "Your Most Important Systems Are Your Least Secure," *trouble.org*(blog), January 30, 2012, http://trouble.org/?p=262.

4　ドットコム・ブームと魅力的なフィードバック・ループ

1. John Cassidy, *Dot.con: The Greatest Story Ever Sold* (New York: Perennial, 2003), 4.
2. Cassidy, *Dot.con*, 25.
3. Cassidy, *Dot.con*, 85.
4. John Markoff, "Software Flaw Lets Computer Viruses Arrive via E-Mail," *New York Times*, July 29, 1998, www.nytimes.com/1998/07/29/business/software-flaw-lets-computer-viruses-arrive-via-e-mail.html; John Markoff, "Flaw in E-Mail Programs Points to an Industrywide Problem," *New York Times*, July 30, 1998, https://www.nytimes.com/1998/07/30/business/flaw-in-e-mail-programs-points-to-an-industrywide-problem.html.
5. Markoff, "Flaw in E-Mail Programs."
6. Markoff, "Flaw in E-Mail Programs."
7. Perry E. Metzger, "Ray Cromwell: Another Netscape Bug (and Possible Security Hole)," SecLists.Org Security Mailing List Archive, September 22, 1995, https://seclists.org/bugtraq/1995/Sep/77; Martin Hargreaves, "Is Your Netscape under Remote Control?" Sec Lists.Org Security Mailing List Archive, May 24, 1996, https://seclists.org/bugtraq/1996/May/82; Stevan Milunovic, "Internet Explorer 4 Buffer Overflow Security

MIC.2010.29.

143. Garfinkel and Grunspan, *Computer Book*, 398.
144. Abbate, *Inventing the Internet*, 214; Garfinkel and Grunspan, *Computer Book*, 398.
145. Abbate, *Inventing the Internet*, 214.
146. Abbate, *Inventing the Internet*, 215.
147. Abbate, *Inventing the Internet*, 215.
148. Ryan, *History of the Internet*, 106–107.
149. Abbate, *Inventing the Internet*, 214.
150. Abbate, *Inventing the Internet*, 215.
151. Abbate, *Inventing the Internet*, 215; Abbate, *Inventing the Internet*, 216.
152. Abbate, *Inventing the Internet*, 216.
153. Abbate, *Inventing the Internet*, 216.
154. Ceruzzi, *Modern Computing*, 303; Garfinkel and Grunspan, *Computer Book*, 418.
155. Abbate, *Inventing the Internet*, 217.
156. John Cassidy, *Dot.con: The Greatest Story Ever Sold* (New York: Perennial,2003), 51.
157. Abbate, *Inventing the Internet*, 217.
158. Abbate, *Inventing the Internet*, 217.
159. Ceruzzi, *Modern Computing*, 303.
160. Cheswick and Bellovin, *Firewalls and Internet Security*.
161. Rod Kurtz, "Has Dan Farmer Sold His Soul?" *Businessweek*, April 5, 2005.
162. "Elemental CTO Dan Farmer Recognized as a Technology Visionary by Info-World Magazine, Named an 'Innovator to Watch in 2006,' " *Help Net Security*, last accessed May 2, 2019, https://www.helpnetsecurity.com/2005/08/04/elemental-cto-dan-farmer-recognized-as-a-technology-visionary-by-infoworld-magazine-named-an-innovator-to-watch-in-2006/.
163. "Dan Farmer, Co-Founder and CTO, Elemental Security," *Information Week*, last accessed May 2, 2019, https://www.informationweek.com/dan-farmer-co-founder-and-cto-elemental-security/d/d-id/1041253.
164. Rik Farrow, "Interview with Dan Farmer," *Login* 39, no. 6 (2014): 33, https://www.usenix.org/publications/login/dec14/farmer.
165. Farrow, "Interview with Dan Farmer," 32.
166. Farrow, "Interview with Dan Farmer," 32.
167. Farrow, "Interview with Dan Farmer," 33.
168. "CERT Advisories 1988–2004," Software Engineering Institute, Carnegie Mellon University, last accessed May 2, 2019, https://resources.sei.cmu.edu/library/asset-view.cfm?assetID=509746.
169. Farrow, "Interview with Dan Farmer," 32–33.
170. Dan Farmer and Wietse Venema, "Improving the Security of Your Site byBreaking into It," comp.security.unix, December 2, 1993, http://www.fish2.com/security/admin-guide-to-cracking.html.
171. Farmer and Venema, "Improving the Security."
172. Wietse Venema, "SATAN (Security Administrator Tool for Analyzing Networks),"www.porcupine.org, last accessed May 2, 2019, http://www.porcupine.org/satan/.
173. "Company Timeline," ISS Timeline, IBM Internet Security Systems, last updated April 20, 2007, http://www.iss.net/about/timeline/index.html.

Media, 1991).
120. Shooting Shark [pseud.], "Unix Nasties," *Phrack* 1, no. 6 (1986), http://phrack.org/issues/6/5.html; Red Knight [pseud.], "An In-Depth Guide in Hacking Unix," *Phrack* 2, no. 22 (1988), http://phrack.org/issues/22/5.html; The Shining [pseud.], "Unix Hacking Tools of the Trade," *Phrack* 5, no. 46 (1994), http://phrack.org/issues/46/11.html.
121. Fyodor [pseud.], "Bugtraq Mailing List," SecLists.Org Security Mailing List Archive, last accessed May 2, 2019, https://seclists.org/bugtraq/.
122. Shooting Shark [pseud.], "Unix Trojan Horses," *Phrack* 1, no. 7 (1986), http://phrack.org/issues/7/7.html; Spafford, "Unix and Security," 1.
123. Steven M. Bellovin and William R. Cheswick, "Network Firewalls," *IEEE Communications Magazine* 32, no. 9 (1994): 50–57, https://doi.org/10.1109/35.312843.
124. William R. Cheswick and Steven M. Bellovin, *Firewalls and Internet Security: Repelling the Wily Hacker*, 2nd ed. (Boston: Addison-Wesley,2003).
125. Cheswick and Bellovin, *Firewalls and Internet Security.*
126. Anderson, *Planning Study*, 89.
127. John Ioannidis, "Re: Ping Works, but ftp /telnet Get 'No Route to Host,' " comp.protocols.tcp-ip, July 22, 1992, http://securitydigest.org/tcp-ip/archive/1992/07.
128. Casey Leedom, "Is the Balkanization of the Internet Inevitable?" comp.protocols.tcp-ip, November 17, 1992, http://securitydigest.org/tcp-ip/archive/1992/11.
129. Steven Bellovin, "Re: Firewall Usage (Was: Re: Ping Works, but ftp /telnet Get 'No Route," comp.protocols.tcp-ip, July 24, 1992, http://securitydigest.org/tcp-ip/archive/1992/07.
130. Bill Cheswick, "The Design of a Secure Internet Gateway" (presentation, USENIX Summer Conference, 1990).
131. Cheswick, "Secure Internet Gateway."
132. Cheswick, "Secure Internet Gateway."
133. Cheswick, "Secure Internet Gateway."
134. Cheswick, "Secure Internet Gateway."
135. Steven M. Bellovin, "There Be Dragons" (presentation, 3rd USENIX Security Symposium, Berkeley, CA, September 14–16, 1992), https://doi.org/10.7916/D8V12BJ6.
136. Cheswick and Bellovin, *Firewalls and Internet Security.*
137. Rik Farrow, "Bill Cheswick on Firewalls: An Interview," *Login* 38, no. 4 (2013), https://www.usenix.org/publications/login/august-2013-volume-38-number-4/bill-cheswick-firewalls-interview.
138. Farrow, "Bill Cheswick on Firewalls."
139. Cheswick, "Secure Internet Gateway."
140. Avishai Wool, "The Use and Usability of Direction-Based Filtering in Firewalls," *Computers and Security* 23, no. 6 (2004), http://dx.doi.org/10.1016/j.cose.2004.02.003; Avishai Wool, "Architecting the Lumeta Firewall Analyzer" (presentation, 10th USENIX Security Symposium, Washington, DC, August 13–17, 2001).
141. Avishai Wool, "A Quantitative Study of Firewall Configuration Errors," *Computer*37, no. 6 (2004): 62–67, https://doi.org/10.1109/MC.2004.2.
142. Avishai Wool, "Trends in Firewall Configuration Errors—Measuring the Holes in Swiss Cheese," *IEEE Internet Computing* 14, no. 4 (2010): 58, https://doi.org/10.1109/

95. Spafford, "The Internet Worm Program," 23.
96. John Markoff, "Author of Computer 'Virus' Is Son of N.S.A. Expert on Data Security," *New York Times*, November 5, 1988, https://www.nytimes.com/1988/11/05/us/author-of-computer-virus-is-son-of-nsa-expert-on-data-security.html.
97. Robert Morris and Ken Thompson, "Password Security: A Case History,"*Communications of the ACM* 22, no. 11 (1979): 594–597, https://doi.org/10.1145/359168.359172; Markoff, "Author of Computer 'Virus.' "
98. John Markoff, "Robert Morris, Pioneer in Computer Security, Dies at 78," *New York Times*, June 29, 2011, https://www.nytimes.com/2011/06/30/technology/30morris.html.
99. Hilarie Orman, "The Morris Worm: A Fifteen-Year Perspective," *IEEE Security& Privacy* 1, no. 5 (2003): 35–43, https://doi.org/10.1109/MSECP.2003.1236233.
100. Markoff, "Son of N.S.A. Expert."
101. Spafford, "The Internet Worm Program," 1.
102. Martin Campbell-Kelly, *From Airline Reservations to Sonic the Hedgehog* (Cambridge, MA: MIT Press, 2003), 144.
103. Eugene H. Spafford, *Unix and Security: The Influences of History* (West Lafayette, IN: Department of Computer Science, Purdue University, 1992), 2.
104. Ken Thompson and Dennis M. Ritchie, *The Unix Programmer's Manual*,2nd ed. (Murray Hill, NJ: Bell Labs, June 12, 1972).
105. Spafford, "Unix and Security," 3; Paul E. Ceruzzi, *A History of Modern Computing* (Cambridge, MA: MIT Press, 2003), 247.
106. Campbell-Kelly, *From Airline Reservations*, 144.
107. Ceruzzi, *Modern Computing*, 283.
108. Defense Advanced Research Projects Agency, "ARPA Becomes DARPA,"last accessed March 8, 2020, https://www.darpa.mil/about-us/timeline/arpa-name-change; Ceruzzi, *Modern Computing*, 284.
109. Campbell-Kelly, *From Airline Reservations*, 144.
110. Martin Minow, "Is Unix the Ultimate Computer Virus?" *Risks Digest* 11, no. 15(1991), https://catless.ncl.ac.uk/Risks/11/15.
111. Dennis M. Ritchie, "The Development of the C Language" (presentation, 2nd ACM SIGPLAN on History of Programming Languages, Cambridge, MA, April 20–23, 1993), https://doi.org/10.1145/154766.155580; Ceruzzi, *Modern Computing*, 106.
112. Ceruzzi, *Modern Computing*, 106; Ritchie, "The C Language."
113. John Markoff, "Flaw in E-Mail Programs Points to an Industrywide Problem,"*New York Times*, July 30, 1998, https://www.nytimes.com/1998/07/30/business/flaw-in-e-mail-programs-points-to-an-industrywide-problem.html.
114. Rob Diamond, "Re: Tony Hoar: 'Null References,' " *Risks Digest* 25, no. 55 (2009), https://catless.ncl.ac.uk/Risks/25/55.
115. Dennis M. Ritchie, *On the Security of Unix* (Murray Hill, NJ: Bell Labs, n.d.).
116. Spafford, "Unix and Security," 5.
117. Matt Bishop, "Reflections on Unix Vulnerabilities" (presentation, 2009 Annual Computer Security Applications Conference, Honolulu, December 7–11, 2009), https://doi.org/10.1109/ACSAC.2009.25.
118. Bishop, "Reflections."
119. Simson Garfinkel and Gene Spafford, *Practical Unix Security* (Sebastopol, CA:O'Reilly

68. Spafford, "A Failure."
69. Defense Advanced Research Projects Agency, "Memorandum for the Director."
70. Defense Advanced Research Projects Agency, "Memorandum for the Director."
71. National Computer Security Center, *Post-Mortem Meeting.*
72. Gene Spafford, "Phage List," "Security Digest" Archives, last accessed May 2,2019, http://securitydigest.org/phage/.
73. Spafford, "A Failure."
74. National Computer Security Center, *Post-Mortem Meeting.*
75. National Computer Security Center, *Post-Mortem Meeting.*
76. United States General Accounting Office, *Virus Highlights Need for Improved Management* (Washington, DC: United States General Accounting Office, June 12, 1989).
77. Anon., "Phage #410," "Security Digest" Archives, last accessed May 2, 2019, http://securitydigest.org/phage/archive/410.
78. Eichin and Rochlis, "With Microscope and Tweezers."
79. Erik E. Fair, "Phage #047," "Security Digest" Archives, last accessed May 2, 2019, http://securitydigest.org/phage/archive/047.
80. Timothy B. Lee, "How a Grad Student Trying to Build the First Botnet Brought the Internet to Its Knees," *Washington Post*, November 1, 2013.
81. Lee, "How a Grad Student."
82. Ronald B. Standler, "Judgment in *U.S. v. Robert Tappan Morris*," rbs2.com, last updated August 14, 2002, http://rbs2.com/morris.htm.
83. John Markoff, "Computer Intruder Is Found Guilty," *New York Times*, January23, 1990, https://www.nytimes.com/1990/01/23/us/computer-intruder-is-found-guilty.html; Standler, "Judgment in *U.S. v. Robert Tappan Morris*."
84. Josephine Wolff, *You'll See This Message When It Is Too Late: The Legal and Economic Aftermath of Cybersecurity Breaches* (Cambridge, MA: MIT Press, 2018), 212–213.
85. John Markoff, "Computer Intruder Is Put on Probation and Fined $10,000,"*New York Times*, May 5, 1990, https://www.nytimes.com/1990/05/05/us/computer-intruder-is-put-on-probation-and-fined-10000.html.
86. "Computer Chaos Called Mistake, Not Felony," *New York Times*, January 10, 1990, https://www.nytimes.com/1990/01/10/us/computer-chaos-called-mistake-not-felony.html.
87. Mark W. Eichin, *The Internet Virus of November 3, 1988* (Cambridge, MA: MIT Project Athena, November 8, 1988), 5.
88. Lee, "How a Grad Student."
89. Eichin and Rochlis, "Microscope and Tweezers," 5.
90. Eichin and Rochlis, "Microscope and Tweezers," 3.
91. Spafford, "The Internet Worm Program," 21, 26.
92. Spafford, "The Internet Worm Program," 21.
93. Spafford, "The Internet Worm Program," 22.
94. James P. Anderson, *Computer Security Technology Planning Study* (Bedford, MA: Electronic Systems Division, Air Force Systems Command, United States Air Force,1972), 64.

41. Garfinkel and Grunspan, *Computer Book*, 292; Templeton, "Reaction to the DEC Spam."
42. Templeton, "Reaction to the DEC Spam."
43. Hafner and Lyon, *Where Wizards Stay Up Late*, 144–145.
44. Hafner and Lyon, *Where Wizards Stay Up Late*, 144–145.
45. Hafner and Lyon, *Where Wizards Stay Up Late*, 144–145.
46. Internet Engineering Task Force, "RFC 1149 Standard for the Transmission of IP Datagrams on Avian Carriers," IETF Tools, last updated April 1, 1990, https://tools.ietf.org/html/rfc1149.
47. Abbate, *Inventing the Internet*, 130.
48. Hafner and Lyon, *Where Wizards Stay Up Late*, 226; Abbate, *Inventing the Internet*,128.
49. Hafner and Lyon, *Where Wizards Stay Up Late*, 174.
50. Hafner and Lyon, *Where Wizards Stay Up Late*, 174.
51. Internet Engineering Task Force, "RFC 854 Telnet Protocol Specification,"IETF Tools, last updated May 1983, https://tools.ietf.org/html/rfc854; Internet Engineering Task Force, "RFC 2577 FTP Security Considerations," IETF Tools, last updated May 1999, https://tools.ietf.org/html/rfc2577.
52. Internet Engineering Task Force, "RFC 1543 Instructions to RFC Authors,"IETF Tools, last updated October 1993, https://tools.ietf.org/html/rfc1543.
53. Defense Advanced Research Projects Agency, *Memorandum for the Director* (Arlington, VA: DARPA, November 8, 1988).
54. Eugene H. Spafford, "A Failure to Learn from the Past" (presentation, 19th Annual Computer Security Applications Conference, Las Vegas, December 8–12, 2003), https://doi.org/10.1109/CSAC.2003.1254327; Geoff Goodfellow, "Re: 6,000 Sites," "Security Digest" Archives, last updated October 11, 1988, http://securitydigest.org/phage/archive/223.
55. Abbate, *Inventing the Internet*, 186.
56. Robert Morris (presentation, National Research Council Computer Science and Technology Board, September 19, 1988).
57. National Computer Security Center, *Proceedings of the Virus Post-Mortem Meeting* (Fort Meade, MD: NCSC, November 8, 1988).
58. Spafford, "A Failure."
59. Spafford, "A Failure."
60. Spafford, "A Failure."
61. Spafford, "A Failure."
62. Spafford, "A Failure."
63. Eugene H. Spafford, "The Internet Worm Program: An Analysis, Purdue University Report Number 88-823," *ACM SIGCOMM Computer Communication Review*19, no. 1 (1989): 17–57, https://doi.org/10.1145/66093.66095.
64. National Computer Security Center, *Post-Mortem Meeting*.
65. National Computer Security Center, *Post-Mortem Meeting*.
66. National Computer Security Center, *Post-Mortem Meeting*.
67. M. W. Eichin and J. A. Rochlis, "With Microscope and Tweezers: An Analysis of the Internet Virus of November 1988" (presentation, IEEE Symposium on Security and Privacy, Oakland, CA, May 1–3, 1989), https://doi.org/10.1109/SECPRI.1989.36307.

5. Janet Abbate, *Inventing the Internet* (Cambridge, MA: MIT Press, 1999), 38.
6. Johnny Ryan, *A History of the Internet and the Digital Future* (London: Reaktion Books, 2010), 25; Abbate, *Inventing the Internet*, 38.
7. Abbate, *Inventing the Internet*, 38; Ryan, *History of the Internet*, 27; Hafner and Lyon, *Where Wizards Stay Up Late*, 44.
8. Hafner and Lyon, *Where Wizards Stay Up Late*, 53.
9. Weinberger, *Imagineers of War*, 115; Abbate, *Inventing the Internet*, 10.
10. Hafner and Lyon, *Where Wizards Stay Up Late*, 56.
11. Hafner and Lyon, *Where Wizards Stay Up Late*, 57.
12. Hafner and Lyon, *Where Wizards Stay Up Late*, 58.
13. Hafner and Lyon, *Where Wizards Stay Up Late*, 58.
14. Ryan, *History of the Internet*, 15; Hafner and Lyon, *Where Wizards Stay Up Late*,59–60.
15. Hafner and Lyon, *Where Wizards Stay Up Late*, 59–60.
16. Hafner and Lyon, *Where Wizards Stay Up Late*, 67.
17. Hafner and Lyon, *Where Wizards Stay Up Late*, 63.
18. Ryan, *History of the Internet*, 16–17; Hafner and Lyon, *Where Wizards Stay Up Late*, 62–64.
19. Hafner and Lyon, *Where Wizards Stay Up Late*, 64.
20. Abbate, *Inventing the Internet*, 44.
21. Abbate, *Inventing the Internet*, 56.
22. Abbate, *Inventing the Internet*, 56.
23. Abbate, *Inventing the Internet*, 56.
24. Hafner and Lyon, *Where Wizards Stay Up Late*, 75; Weinberger, *Imagineers of War*, 220.
25. Ryan, *History of the Internet*, 29; Hafner and Lyon, *Where Wizards Stay Up Late*, 79.
26. Hafner and Lyon, *Where Wizards Stay Up Late*, 80.
27. Hafner and Lyon, *Where Wizards Stay Up Late*, 81.
28. Hafner and Lyon, *Where Wizards Stay Up Late*, 81.
29. Ryan, *History of the Internet*, 29; Hafner and Lyon, *Where Wizards Stay Up Late*, 100.
30. Hafner and Lyon, *Where Wizards Stay Up Late*, 103.
31. Simson L. Garfinkel and Rachel H. Grunspan, *The Computer Book: From the Abacus to Artificial Intelligence, 250 Milestones in the History of Computer Science* (New York: Sterling, 2018), 224; Abbate, *Inventing the Internet*, 64.
32. Hafner and Lyon, *Where Wizards Stay Up Late*, 166.
33. Hafner and Lyon, *Where Wizards Stay Up Late*, 152.
34. Abbate, *Inventing the Internet*, 64.
35. Abbate, *Inventing the Internet*, 101.
36. Garfinkel and Grunspan, *Computer Book*, 312; Hafner and Lyon, *Where Wizards Stay Up Late*, 189.
37. Ryan, *History of the Internet*, 78; Abbate, *Inventing the Internet*, 69; Hafner and Lyon, *Where Wizards Stay Up Late*, 194.
38. Garfinkel and Grunspan, *Computer Book*, 292.
39. Brad Templeton, "Reaction to the DEC Spam of 1978," Brad Templeton's Home Page, last accessed April 30, 2019, https://www.templetons.com/brad/spamreact.html.
40. Templeton, "Reaction to the DEC Spam."

IEEE Symposium on Security and Privacy, Oakland, CA, May 14, 1999), https://doi.org/10.1109/SECPRI.1999.766906.

112. Alex Crowell, Beng Heng Ng, Earlence Fernandes, and Atul Prakash, "The Confinement Problem:40 Years Later," *Journal of Information Processing Systems* 9,no. 2 (2013): 189–204, https://doi.org/10.3745/JIPS.2013.9.2.189.
113. MacKenzie and Pottinger, "Mathematics, Technology, and Trust," 51–52; Lipner, "Orange Book."
114. Lipner, "Orange Book."
115. Lipner, "Orange Book."
116. Department of Defense, *Department of Defense Trusted Computer System Evaluation Criteria* (Fort Meade, MD: Department of Defense, December 26, 1985).
117. Marvin Schaefer, "If A1 Is the Answer, What Was the Question? An Edgy Naif's Retrospective on Promulgating the Trusted Computer Systems Evaluation Criteria"(presentation, 20th Annual Computer Security Applications Conference, Tucson, December 6–10, 2004), https://doi.org/10.1109/CSAC.2004.22.
118. Lipner, "Orange Book"; Schaefer, "If A1 Is the Answer."
119. "How the Air Force Cracked Multics Security."
120. Department of Defense, *Evaluation Criteria*.
121. Department of Defense, *Evaluation Criteria*.
122. Department of Defense, *Evaluation Criteria*.
123. Lipner, "Orange Book."
124. MacKenzie and Pottinger, "Mathematics, Technology, and Trust," 52–53.
125. Gollmann, *Computer Security*, 4.
126. MacKenzie and Pottinger, "Mathematics, Technology, and Trust," 54.
127. Russ Cooper, "Re: 'Windows NT Security,' " *RISKS Digest* 20, no. 1 (1998), https://catless.ncl.ac.uk/Risks/20/01; MacKenzie and Pottinger, "Mathematics, Technology, and Trust," 56.
128. Schell, interview by Yost, 130.
129. Jelen, *An Elusive Goal*, III-37.
130. MacKenzie and Pottinger, "Mathematics, Technology, and Trust," 54.
131. Lipner, "Orange Book."
132. Schaefer, "If A1 Is the Answer."

3 インターネットとウェブの誕生、不吉な予兆

1. Yanek Mieczkowski, *Eisenhower's Sputnik Moment: The Race for Space and World Prestige* (Ithaca, NY: Cornell University Press, 2013), 13; NASA, "Sputnik and the Origins of the Space Age," NASA History, last accessed March 11, 2020, https://history.nasa.gov/sputnik/sputorig.html.
2. Katie Hafner and Matthew Lyon, *Where Wizards Stay Up Late: The Origins of the Internet* (New York: Simon & Schuster, 1996), 20.
3. Richard J. Barber, *The Advanced Research Projects Agency, 1958–1974* (Fort Belvoir, VA: Defense Technical Information Center, 1975), I-7, https://apps.dtic.mil/docs/citations/ADA154363.
4. Sharon Weinberger, *Imagineers of War* (New York: Vintage Books, 2017), 44; Hafner and Lyon, *Where Wizards Stay Up Late*, 20.

2012, 8–9, http://hdl.handle.net/11299/144024.
78. Bell, interview by Yost, 11.
79. Bell, interview by Yost, 11.
80. Abella, *Soldiers of Reason*, 34.
81. Bell, interview by Yost, 13.
82. Bell, interview by Yost, 37.
83. Bell, interview by Yost, 14.
84. Bell, interview by Yost, 15.
85. Bell, interview by Yost, 16.
86. Bell, interview by Yost, 19.
87. Bell, interview by Yost, 20.
88. David Elliot Bell and Leonard J. LaPadula, *Secure Computer Systems: Mathematical Foundations* (Bedford, MA: Electronic Systems Division, Air Force Systems Command, United States Air Force, November 1973); David Elliot Bell and Leonard J. LaPadula, *Secure Computer System: Unified Exposition and Multics Interpretation* (Bedford, MA: Electronic Systems Division, Air Force Systems Command, United States Air Force, March 1976).
89. Bell and LaPadula, *Mathematical Foundations*, iv.
90. Bell and LaPadula, *Mathematical Foundations*, 22.
91. Bell, interview by Yost, 20.
92. Bell, interview by Yost, 20–21.
93. MacKenzie and Pottinger, "Mathematics, Technology, and Trust," 47.
94. Schell, interview by Yost, 128.
95. John D. McLean, interview by Jeffrey R. Yost, *Charles Babbage Institute*, April 22,2014, 16–17, http://hdl.handle.net/11299/164989.
96. John McLean, "A Comment on the 'Basic Security Theorem' of Bell and La-Padula," *Information Processing Letters* 20, no. 2 (1985): 67–70, https://doi.org/10.1016/0020-0190(85)90065-1; McLean, interview by Yost, 18.
97. McLean, "A Comment."
98. John McLean, "The Specification and Modeling of Computer Security," *Computer*23, no. 1 (1990): 9–16, https://doi.org/10.1109/2.48795.
99. McLean, "Specification and Modeling."
100. McLean, interview by Yost, 19–20.
101. McLean, interview by Yost, 20.
102. MacKenzie and Pottinger, "Mathematics, Technology, and Trust," 47.
103. MacKenzie and Pottinger, "Mathematics, Technology, and Trust," 47–48.
104. MacKenzie and Pottinger, "Mathematics, Technology, and Trust," 48.
105. MacKenzie and Pottinger, "Mathematics, Technology, and Trust," 48.
106. MacKenzie and Pottinger, "Mathematics, Technology, and Trust," 48.
107. MacKenzie and Pottinger, "Mathematics, Technology, and Trust," 48.
108. Butler W. Lampson, "A Note on the Confinement Problem," *Communications of the ACM* 16, no. 10 (1973): 613–615, https://doi.org/10.1145/362375.362389.
109. Lampson, "Confinement Problem."
110. Lampson, "Confinement Problem."
111. Jonathan Millen, "20 Years of Covert Channel Modeling and Analysis"(presentation,

53. Anderson, *Planning Study*, 25.
54. Anderson, *Planning Study*, 55.
55. Anderson, *Planning Study*, 17.
56. Dieter Gollmann, *Computer Security* (New York: Wiley, 2011), 88.
57. Gollmann, *Computer Security*, 88; Anderson, *Planning Study*, 17.
58. Jerome H. Saltzer, "Protection and the Control of Information Sharing in Multics, "*Communications of the ACM* 17, no. 7 (1974): 388–402, https://doi.org/10.1145/361011.361067.
59. "How the Air Force Cracked Multics Security," Multicians, Tom Van Vleck, last updated October 14, 2002, https://www.multicians.org/security.html.
60. Saltzer, "Protection and the Control."
61. Richard E. Smith, "A Contemporary Look at Saltzer and Schroeder's 1975 Design Principles,"*IEEE Security & Privacy* 10, no. 6 (2012): 20–25, http://doi.org/10.1109/MSP.2012.85.
62. Jerome H. Saltzer and M. D. Schroeder, "The Protection of Information in Computer Systems," *Proceedings of the IEEE* 63, no. 9 (1975): 1278–1308, http://doi.org/10.1109/PROC.1975.9939; Smith, "A Contemporary Look."
63. Saltzer and Schroeder, "Protection of Information."
64. Adam Shostack, "The Security Principles of Saltzer and Schroeder," *Emergent Chaos* (blog), last accessed April 30, 2019, http://emergentchaos.com/the-security-principles-of-saltzer-and-schroeder.
65. Paul Karger and Roger R. Schell, *Multics Security Evaluation: Vulnerability Analysis* (Bedford, MA: Electronic Systems Division, Air Force Systems Command, United States Air Force, 1974).
66. David E. Bell, "Looking Back at the Bell-LaPadula Model" (presentation, 21st Annual Computer Security Applications Conference, Tucson, December 5–9,2005), https://doi.org/10.1109/CSAC.2005.37.
67. MacKenzie and Pottinger, "Mathematics, Technology, and Trust," 45.
68. MacKenzie and Pottinger, "Mathematics, Technology, and Trust," 45; George F. Jelen, *Information Security: An Elusive Goal* (Cambridge, MA: Harvard University, 1995),II-70.
69. Bell, "Looking Back."
70. Paul Karger and Roger R. Schell, "Thirty Years Later: Lessons from the Multics Security Evaluation" (presentation, 18th Annual Computer Security Applications Conference, Las Vegas, December 9–13, 2002), https://doi.org/10.1109/CSAC.2002.1176285; Karger and Schell, *Multics Security Evaluation*.
71. Karger and Schell, *Multics Security Evaluation*.
72. Karger and Schell, *Multics Security Evaluation*.
73. Roger R. Schell, "Information Security: Science, Pseudoscience, and Flying Pigs" (presentation, 17th Annual Computer Security Applications Conference, New Orleans, December 10–14, 2001), https://doi.org/10.1109/ACSAC.2001.991537; Bell, "Looking Back"; Karger and Schell, *Multics Security Evaluation*.
74. Karger and Schell, *Multics Security Evaluation*.
75. Karger and Schell, *Multics Security Evaluation*.
76. MacKenzie and Pottinger, "Mathematics, Technology, and Trust," 46.
77. David Elliot Bell, interview by Jeffrey R. Yost, *Charles Babbage Institute*, September24,

27. Abella, *Soldiers of Reason*, 82.
28. Kevin R. Kosar, *Security Classification Policy and Procedure: E.O. 12958, as Amended* (Washington, DC: Congressional Research Service,2009), 5.
29. Elizabeth Goitein and David M. Shapiro, *Reducing Overclassification through Accountability* (New York: Brennan Center for Justice, 2011), 1.
30. Goitein and Shapiro, *Overclassification through Accountability*, 7.
31. Information Security Oversight Office, *2017 Report to the President* (Washington, DC: Information Security Oversight Office, 2018), 2.
32. Mike Giglio, "The U.S. Government Keeps Too Many Secrets," *Atlantic*, October2019, https://www.theatlantic.com/politics/archive/2019/10/us-government-has-secrecy-problem/599380/.
33. Goitein and Shapiro, *Overclassification through Accountability*, 3.
34. Thomas Blanton, *Statement of Thomas Blanton to the Committee on the Judiciary, U.S. House of Representatives, Hearing on the Espionage Act and the Legal and Constitutional Implications of WikiLeaks* (Washington, DC: US House of Representatives, 2010), 3.
35. Ross Anderson, *Security Engineering: A Guide to Building Dependable Distributed Systems*, 2nd ed. (New York: Wiley, 2008), 277–278, https://www.cl.cam.ac.uk/~rja14/Papers/SEv2-c09.pdf.
36. Anderson, *Security Engineering*, 278.
37. Scott McCartney, *ENIAC: The Triumphs and Tragedies of the World's First Computer*(New York: Walker, 1999), 159–160.
38. McCartney, *ENIAC*, 159–160.
39. McCartney, *ENIAC*, 159–160.
40. Defense Science Board, *Security Controls for Computer Systems*, vi.
41. James P. Anderson, *Computer Security Technology Planning Study* (Bedford, MA: Electronic Systems Division, Air Force Systems Command, United States Air Force, 1972).
42. Roger R. Schell, interview by Jeffrey R. Yost, *Charles Babbage Institute*, May 1,2012, 56, http://hdl.handle.net/11299/133439.
43. Schell, interview by Yost, 56.
44. "Passing of a Pioneer," Center for Education and Research in Information Assurance (CERIAS), Purdue University, last updated January 2, 2008, https://www.cerias.purdue.edu/site/blog/post/passing-of-a-pioneer.
45. "Passing of a Pioneer."
46. Steven B. Lipner, "The Birth and Death of the Orange Book," *IEEE Annals of the History of Computing* 37, no. 2 (2015): 19–31, https://doi.org/10.1109/MAHC.2015.27.
47. Schell, interview by Yost, 73.
48. Schell, interview by Yost, 73.
49. Anderson, *Planning Study*, 3.
50. Anderson, *Planning Study*, 14, 34, 89, 92.
51. Anderson, *Planning Study*, 1, 15.
52. Donald MacKenzie and Garrell Pottinger, "Mathematics, Technology, and Trust: Formal Verification, Computer Security, and the U.S. Military," *IEEE Annals of the History of Computing* 19, no. 3 (1997): 41–59, https://doi.org/10.1109/85.601735.

49. Abella, *Soldiers of Reason*, 49–50.
50. Abella, *Soldiers of Reason*, 50.
51. Abella, *Soldiers of Reason*, 6.
52. Ware, *RAND and the Information Evolution*, 152.

2 研究者たちの期待、成功、失敗

1. Willis H. Ware, interview by Nancy Stern, *Charles Babbage Institute*, January 19,1981, 5, http://hdl.handle.net/11299/107699.
2. Willis H. Ware, interview by Jeffrey R. Yost, *Charles Babbage Institute*, August 11,2003, 3, http://hdl.handle.net/11299/107703.
3. Ware, interview by Yost, 3.
4. Ware, interview by Yost, 3.
5. Ware, interview by Yost, 3.
6. Willis H. Ware, “Willis H. Ware,” *IEEE Annals of the History of Computing* 33, no. 3 (2011): 67–73, https://doi.org/10.1109/MAHC.2011.60; Ware, interview by Yost, 4.
7. Ware, interview by Yost, 5.
8. Willis H. Ware, *RAND and the Information Evolution: A History in Essays and Vignettes* (Santa Monica, CA: RAND, 2008), 36; Ware, interview by Stern, 40; Ware, interview by Yost, 5.
9. Ware, “Willis H. Ware.”
10. RAND, “Time Travelers,” *RAND Review* 32, no. 2 (2008): 4; Willis H. Ware, “Future Computer Technology and Its Impact” (presentation, Board of Trustees, Air Force Advisory Group, November 1965), https://www.rand.org/pubs/papers/P3279.html.
11. Ware, interview by Yost, 9.
12. Ware, interview by Yost, 12.
13. Ware, interview by Yost, 13.
14. Ware, interview by Yost, 14.
15. Ware, interview by Yost, 14.
16. Defense Science Board Task Force on Computer Security, *Security Controls for Computer Systems: Report of Defense Science Board Task Force on Computer Security—RAND Report R-60901* (Santa Monica, CA: RAND, February 11, 1970), https://www.rand.org/pubs/reports/R609-1/index2.html.
17. Defense Science Board, *Security Controls for Computer Systems*, xi–xii.
18. Defense Science Board, *Security Controls for Computer Systems*, v.
19. Steven J. Murdoch, Mike Bond, and Ross Anderson, “How Certification Systems Fail: Lessons from the Ware Report,” *IEEE Security & Privacy* 10, no. 6 (2012): 40–44, https://doi.org/10.1109/MSP.2012.89.
20. Defense Science Board, *Security Controls for Computer Systems.*
21. Defense Science Board, *Security Controls for Computer Systems*, 2.
22. Defense Science Board, *Security Controls for Computer Systems*, 8.
23. Defense Science Board, *Security Controls for Computer Systems*, 8.
24. Defense Science Board, *Security Controls for Computer Systems*, vii.
25. Defense Science Board, *Security Controls for Computer Systems*, 19.
26. Alex Abella, *Soldiers of Reason: The RAND Corporation and the Rise of the American Empire* (Boston: Mariner Books, 2009), 82.

Board Task Force on Computer Security (Santa Monica, CA: RAND, 1970), https://www.rand.org/pubs/reports/R609-1/index2.html.
19. Ware, *Security Controls for Computer Systems*, xv.
20. Alex Abella, *Soldiers of Reason: The RAND Corporation and the Rise of the American Empire* (Boston: Mariner Books, 2009), 13, 203.
21. Abella, *Soldiers of Reason*, 13.
22. Willis H. Ware, *RAND and the Information Evolution: A History in Essays and Vignettes* (Santa Monica, CA: RAND, 2008), 6; Abella, *Soldiers of Reason*, 13.
23. Abella, *Soldiers of Reason*, 33.
24. Ware, *RAND and the Information Evolution*, 7.
25. Ware, *RAND and the Information Evolution*, 7.
26. Ware, *RAND and the Information Evolution*, 69.
27. Oliver Wainwright, "All Hail the Mothership: Norman Foster's $5bn Apple HQ Revealed," *Guardian*, November 15, 2013, https://www.theguardian.com/artanddesign/2013/nov/15/norman-foster-apple-hq-mothership-spaceship-architecture.
28. Ware, *RAND and the Information Evolution*, 34.
29. Ware, *RAND and the Information Evolution*, 7; Abella, *Soldiers of Reason*, 13–14.
30. Abella, *Soldiers of Reason*, 13.
31. Abella, *Soldiers of Reason*, 47.
32. Janet Abbate, *Inventing the Internet* (Cambridge, MA: MIT Press, 1999), 10; Abella, *Soldiers of Reason*, 13.
33. Abella, *Soldiers of Reason*, 18.
34. Thomas Schelling, *Arms and Influence* (New Haven, CT: Yale University Press,1966); Fred Kaplan, "All Pain, No Gain: Nobel Laureate Thomas Schelling's Little-Known Role in the Vietnam War," *Slate*, October 11, 2005, https://slate.com/news-and-politics/2005/10/nobel-winner-tom-schelling-s-roll-in-the-vietnam-war.html.
35. Abella, *Soldiers of Reason*, 21.
36. Abella, *Soldiers of Reason*, 54.
37. Abella, *Soldiers of Reason*, 54–57.
38. Virginia Campbell, "How RAND Invented the Postwar World," *Invention &Technology*, Summer 2004, 53, https://www.rand.org/content/dam/rand/www/external/about/history/Rand.IT.Summer04.pdf; Abella, *Soldiers of Reason*, 57.
39. Abella, *Soldiers of Reason*, 57–63.
40. Ware, *RAND and the Information Evolution*, 53.
41. Ware, *RAND and the Information Evolution*, 53.
42. Ware, *RAND and the Information Evolution*, 56.
43. Abella, *Soldiers of Reason*, 147.
44. RAND Blog, "Willis Ware, Computer Pioneer, Helped Build Early Machines and Warned About Security Privacy," *RAND Blog*, November 27, 2013, https://www.rand.org/blog/2013/11/willis-ware-computer-pioneer-helped-build-early-machines.html.
45. McCartney, *ENIAC*, 94.
46. Abella, *Soldiers of Reason*, 147.
47. Abella, *Soldiers of Reason*, 49.
48. Kenneth J. Arrow, "Rational Choice Functions and Orderings," *Economica* 26, no. 102 (1959): 121–127. https://www.jstor.org/stable/i343698; Abella, *Soldiers of Reason*, 49.

updated December 30, 2013, https://www.spiegel.de/fotostrecke/nsa-dokumente-so-knackt-der-geheimdienst-internetkonten-fotostrecke-105326-12.html.
15. James P. Anderson, *Computer Security Technology Planning Study* (Bedford, MA: Electronic Systems Division, Air Force Systems Command, United States Air Force, 1972), 64; Simson Garfinkel and Heather Richter Lipford, *Usable Security: History, Themes, and Challenges* (San Rafael, CA: Morgan & Claypool, 2014), 56; rain.forest.puppy [pseud.], "NT Web Technology Vulnerabilities," *Phrack* 8, no. 54 (1998), http://phrack.org/issues/54/8.html.

1 情報セキュリティの「新次元」

1. H. H. Goldstine and A. Goldstine, "The Electronic Numerical Integrator and Computer (ENIAC)," *IEEE Annals of the History of Computing* 18, no. 1 (1996): 10–16, https://doi.org/10.1109/85.476557.
2. Paul E. Ceruzzi, *A History of Modern Computing* (Cambridge, MA: MIT Press,2003), 25.
3. Scott McCartney, *ENIAC: The Triumphs and Tragedies of the World's First Computer*(New York: Walker, 1999), 5; H. Polachek, "Before the ENIAC," *IEEE Annals of the History of Computing* 19, no. 2 (1997): 25–30, https://doi.org/10.1109/85.586069.
4. Ceruzzi, *History of Modern Computing*, 15.
5. Michael Swaine and Paul Freiberger, *Fire in the Valley: The Birth and Death of the Personal Computer* (Dallas: Pragmatic Bookshelf, 2014), 10; Alexander Randall, "Q&A: A Lost Interview with ENIAC Co-Inventor J. Presper Eckert," *Computerworld*, February 14, 2006, https://www.computerworld.com/article/2561813/q-a—a -lost-interview-with-eniac-co-inventor-j—presper -eckert.html.
6. Randall, "A Lost Interview."
7. W. B. Fritz, "The Women of ENIAC," *IEEE Annals of the History of Computing*18, no. 3 (1996): 13–28, https://doi.org/10.1109/85.511940.
8. Meeri Kim, "70 Years Ago, Six Philly Women Became the World's First Digital Computer Programmers," *Philly Voice*, February 11, 2016, https://www.phillyvoice.com/70-years-ago-six-philly-women-eniac-digital-computer-programmers/.
9. Simson L. Garfinkel and Rachel H. Grunspan, *The Computer Book: From the Abacus to Artificial Intelligence, 250 Milestones in the History of Computer Science* (New York: Sterling, 2018), 88.
10. L. R. Johnson, "Installation of a Large Electronic Computer" (presentation, ACM National Meeting, Toronto, 1952), https://doi.org/10.1145/800259.808998; Ceruzzi, *History of Modern Computing*, 27.
11. Ceruzzi, *History of Modern Computing*, 15.
12. Ceruzzi, *History of Modern Computing*, 27–28.
13. Johnson, "Large Electronic Computer"; Ceruzzi, *History of Modern Computing*,27–28.
14. Peter Horner, "Air Force Salutes Project SCOOP," *Operations Research Management Science Today*, December 2007, https://www.informs.org/ORMS-Today/Archived-Issues/2007/orms-12-07/Air-Force-Salutes-Project-SCOOP.
15. Ceruzzi, *History of Modern Computing*, 35.
16. Ceruzzi, *History of Modern Computing*, 35.
17. Ceruzzi, *History of Modern Computing*, 154–155.
18. Willis H. Ware, *Security Controls for Computer Systems: Report of Defense Science*

註

プロローグ　3つの汚名

1. Jason Pontin, "Secrets and Transparency: What Is WikiLeaks, and What Is Its Future?" *MIT Technology Review*, January 26, 2011, https://www.technologyreview.com/s/422521/secrets-and-transparency/.
2. Stuart Rintoul and Sean Parnell, "Julian Assange, Wild Child of Free Speech," *Australian*, December 10, 2010, https://www.theaustralian.com.au/in-depth/wikileaks/julian-assange-wild-child-of-free-speech/news-story/af356d93b25b28527eb106c255c942db; Suelette Dreyfus, *Underground: Tales of Hacking, Madness and Obsession on the Electronic Frontier* (Sydney: Random House Australia, 1997), http://underground-book.net/.
3. Rintoul and Parnell, "Julian Assange, Wild Child."
4. Fyodor [pseud.], "Info Security News Mailing List," SecLists.Org Security Mailing List Archive, last accessed July 24, 2019, https://seclists.org/isn/.
5. Fyodor [pseud.], "Info Security News Mailing List."
6. Julian Assange, "Re: The Paper That Launched Computer Security," SecLists.Org Security Mailing List Archive, last updated June 14, 2000, https://seclists.org/isn/2000/Jun/82.
7. Julian Assange, "Re: The Paper That Launched Computer Security."
8. Jennifer Lai, "Information Wants to Be Free, and Expensive," *Fortune*, July 20,2009, https://fortune.com/2009/07/20/information-wants-to-be-free-and-expensive/.
9. Stuart Corner, "Billions Spent on Cyber Security and Much of It 'Wasted,' " *Sydney Morning Herald*, April 2, 2014, https://www.smh.com.au/technology/billions-spent-on-cyber-security-and-much-of-it-wasted-20140402-zqprb.html.
10. Ross Kerber, "Banks Claim Credit Card Breach Affected 94 Million Accounts," *New York Times*, October 24, 2007, https://www.nytimes.com/2007/10/24/technology/24iht-hack.1.8029174.html.
11. Robert McMillan and Ryan Knutson, "Yahoo Triples Estimate of Breached Accounts to 3 Billion," *Wall Street Journal*, October 3, 2017, https://www.wsj.com/articles/yahoo-triples-estimate-of-breached-accounts-to-3-billion-1507062804; Nicole Perlroth, "All 3 Billion Yahoo Accounts Were Affected by 2013 Attack," *New York Times*, October 3,2017, https://www.nytimes.com/2017/10/03/technology/yahoo-hack-3-billion-users.html.
12. Kim Zetter, "How Digital Detectives Deciphered Stuxnet, the Most Menacing Malware in History," *Ars Technica*, July 11, 2011, https://arstechnica.com/tech-policy/2011/07/how-digital-detectives-deciphered-stuxnet-the-most-menacing-malware-in-history/; Thomas Rid, *Cyber War Will Not Take Place* (Oxford: Oxford University Press, 2017), 44.
13. David Drummond, "A New Approach to China," *Google* (blog), January 12,2010, https://googleblog.blogspot.com/2010/01/new-approach-to-china.html.
14. "NSA-Dokumente: So knackt der Geheimdienst Internetkonten," *Der Spiegel*, last

October 14, 2002. https://www.multicians.org/security.html.
Ware, Willis H. *Security Controls for Computer Systems: Report of Defense Science Board Task Force on Computer Security.* Santa Monica, CA: RAND, 1970. https://www.rand.org/pubs/reports/R609-1/index2.html.
Whitten, Alma, and J. D. Tygar. "Why Johnny Can't Encrypt: A Usability Evaluation of PGP 5.0." Paper presented at the 8th USENIX Security Symposium, Washington, DC, August 23–26, 1999.
WikiLeaks. "Vault 7: CIA Hacking Tools Revealed." wikiLeaks.org. Last updated March 7, 2017. https://wikileaks.org/ciav7p1/.
Wool, Avishai. "A Quantitative Study of Firewall Configuration Errors." *Computer* 37, no. 6 (2004): 62–67. https://doi.org/10.1109/MC.2004.2.

9–16. https://doi.org/10.1109/2.48795.

Moore, David, Vern Paxson, Stefan Savage, Colleen Shannon, Stuart Staniford, and Nicholas Weaver. "Inside the Slammer Worm." *IEEE Security & Privacy* 1, no. 4 (2003): 33–39. https://doi.org/10.1109/MSECP.2003.1219056.

Morris, Robert T. *A Weakness in the 4.2BSD Unix TCP/IP Software*. Murray Hill, NJ: Bell Labs, February 25, 1985.

Morris, Robert, and Ken Thompson. "Password Security: A Case History." *Communications of the ACM* 22, no. 11 (1979): 594–597. https://doi.org/10.1145/359168.359172.

National Archives (UK). "Computer Misuse Act 1990." legislation.gov.uk. Last updated June 29, 1990. http://www.legislation.gov.uk/ukpga/1990/18/enacted.

National Bureau of Standards. *Password Usage—Federal Information Processing Standards Publication 112*. Gaithersburg, MD: National Bureau of Standards, 1985. https://csrc.nist.gov/publications/detail/fips/112/archive/1985-05-01.

Oracle Corporation. *Unbreakable: Oracle's Commitment to Security*. Redwood Shores, CA: Oracle, 2002.

Ptacek, Thomas H., and Timothy N. Newsham. *Insertion, Evasion, and Denial of Service: Eluding Network Intrusion Detection*. N.p.: Secure Networks, 1998.

Rain Forest Puppy [pseud.]. "NT Web Technology Vulnerabilities." *Phrack* 8, no. 54 (1998). http://phrack.org/issues/54/8.html.

Ranum, Marcus. "Script Kiddiez Suck." Paper presented at Black Hat Briefings, Las Vegas, NV, 2000. https://www.blackhat.com/html/bh-media-archives/bh-archives-2000.html.

Route [pseud.]. "Project Neptune." *Phrack* 7, no. 48 (1996). http://phrack.org/issues/48/13.html.

Ryan, Julie J. C. H., and Theresa I. Jefferson. "The Use, Misuse, and Abuse of Statistics in Information Security Research." Paper presented at the American Society for Engineering Management, Saint Louis, MO, October 15–18, 2003. http://citeseerx.ist.psu.edu/viewdoc/summary?doi=10.1.1.203.5387.

Saltzer, Jerome H., and M. D. Schroeder. "The Protection of Information in Computer Systems." *Proceedings of the IEEE* 63, no. 9 (1975): 1278–1308. http://doi.org/10.1109/PROC.1975.9939.

Schaefer, Marvin. "If A1 Is the Answer, What Was the Question? An Edgy Naif's Retrospective on Promulgating the Trusted Computer Systems Evaluation Criteria." Paper presented at the 20th Annual Computer Security Applications Conference, Tucson, AZ, December 6–10, 2004. https://doi.org/10.1109/CSAC.2004.22.

Schell, Roger R. "Information Security: Science, Pseudoscience, and Flying Pigs." Paper presented at the 17th Annual Computer Security Applications Conference, New Orleans, December 10–14, 2001. https://doi.org/10.1109/ACSAC.2001.991537.

Spafford, Eugene H. "The Internet Worm Program: An Analysis—Purdue University Report Number 88-823." *ACM SIGCOMM Computer Communication Review* 19, no. 1 (1989): 17–57. https://doi.org/10.1145/66093.66095.

Templeton, Brad. "Reaction to the DEC Spam of 1978." Brad Templeton's home page. Last accessed April 30, 2019. https://www.templetons.com/brad/spamreact.html.

Thompson, Ken. "Reflections on Trusting Trust." *Communications of the ACM* 27, no. 8 (1984): 761–763. https://doi.org/10.1145/358198.358210.

Van Vleck, Tom. "How the Air Force Cracked Multics Security." Multicians. Last updated

Herley, Cormac. "So Long, and No Thanks for the Externalities: The Rational Rejection of Security Advice by Users." Paper presented at the New Security Paradigms Workshop, Oxford, UK, September 8–11, 2009. https://doi.org/10.1145/1719030.1719050.

——. "Unfalsifiability of Security Claims." *Proceedings of the National Academy of Sciences* 113, no. 23 (2016): 6415–6420. https://doi.org/10.1073/pnas.1517797113.

Herley, Cormac, and Paul Van Oorschot. "A Research Agenda Acknowledging the Persistence of Passwords." *IEEE Security & Privacy* 10, no. 1 (2012): 28–36. https://doi.org/10.1109/MSP.2011.150.

——. "SoK: Science, Security and the Elusive Goal of Security as a Scientific Pursuit." Paper presented at the IEEE Symposium on Security and Privacy, San Jose, CA, May 22–26, 2017. http://dx.doi.org/10.1109/SP.2017.38.

Howard, Michael, and David LeBlanc. *Writing Secure Code.* Redmond, WA: Microsoft Press, 2002.〔マイケル・ハワード、デイビッド・ルブラン『WRITING SECURE CODE――プログラマのためのセキュリティ対策テクニック（上下）』トップスタジオ訳、日経BP、2004年〕

Howard, Michael, and Steve Lipner. *The Security Development Lifecycle.* Redmond, WA: Microsoft Press, 2006.

Jelen, George F. *Information Security: An Elusive Goal.* Cambridge, MA: Harvard University Press, 1995.

Karger, Paul, and Roger R. Schell. *Multics Security Evaluation: Vulnerability Analysis.* Bedford, MA: Electronic Systems Division, Air Force Systems Command, United States Air Force, 1974.

Kerckhoffs, Auguste. "La cryptographie militaire." *Journal des sciences militaires* 9 (1883): 5–38, 161–191.

Lampson, Butler. "A Note on the Confinement Problem." *Communications of the ACM* 16, no. 10 (1973): 613–615. https://doi.org/10.1145/362375.362389.

Levy, Elias. "Full Disclosure Is a Necessary Evil." *SecurityFocus*, August 16, 2001. https://www.securityfocus.com/news/238.

Lipner, Steve. "The Birth and Death of the Orange Book." *IEEE Annals of the History of Computing* 37, no. 2 (2015): 19–31. https://doi.org/10.1109/MAHC.2015.27.

Loscocco, Peter A., Stephen D. Smalley, Patrick A. Muckelbauer, Ruth C. Taylor, S. Jeff Turner, and John F. Farrell. "The Inevitability of Failure: The Flawed Assumption of Security in Modern Computing Environments." Paper presented at the 21st National Information Systems Security Conference, Arlington, VA, October 8, 1998.

MacKenzie, Donald, and Garrell Pottinger. "Mathematics, Technology, and Trust: Formal Verification, Computer Security, and the U.S. Military." *IEEE Annals of the History of Computing* 19, no. 3 (1997): 41–59. https://doi.org/10.1109/85.601735.

Mandiant. APT1: *Exposing One of China's Cyber Espionage Units.* Alexandria, VA: Mandiant, 2013.

McCartney, Scott. *ENIAC: The Triumphs and Tragedies of the World's First Computer.* New York: Walker, 1999.〔スコット・マッカートニー『エニアック・世界最初のコンピュータ開発秘話』日暮雅通訳、パーソナルメディア、2001年〕

McLean, John. "A Comment on the 'Basic Security Theorem' of Bell and LaPadula." *Information Processing Letters* 20, no. 2 (1985): 67–70. https://doi.org/10.1016/0020-0190(85)90065-1.

——. "The Specification and Modeling of Computer Security." *Computer* 23, no. 1 (1990):

Wily Hacker, 2nd ed. Boston: Addison-Wesley, 1994.〔ウィリアム・R・チェスウィック、スティーヴン・M・ベロヴィン『ファイアウォール——インターネット接続でのセキュリティ管理技術』田和勝・鎌形久美子訳、ソフトバンク出版事業部、1995年〕

Computer Fraud and Abuse Act of 1984, 18 U.S.C. § 1030 (2019).

De Leon, Daniel. "The Productivity of the Criminal." *Daily People*, April 14, 1905. http://www.slp.org/pdf/de_leon/eds1905/apr14_1905.pdf.

Denning, Dorothy E. "An Intrusion-Detection Model." *IEEE Transactions on Software Engineering* 13, no. 2 (1987): 222–232. https://doi.org/10.1109/TSE.1987.232894.

Department of Defense. *Department of Defense Trusted Computer System Evaluation Criteria*. Fort Meade, MD: Department of Defense, December 26, 1985.

Edelman, Benjamin. "Adverse Selection in Online 'Trust' Certifications and Search Results." *Electronic Commerce Research and Applications* 10, no. 1 (2011): 17–25. https://doi.org/10.1016/j.elerap.2010.06.001.

Eichin, M. W., and J. A. Rochlis. "With Microscope and Tweezers: An Analysis of the Internet Virus of November 1988." Paper present at IEEE Symposium on Security and Privacy, Oakland, CA, May 1–3, 1989. https://doi.org/10.1109/SECPRI.1989.36307.

Farmer, Dan. "Shall We Dust Moscow? (Security Survey of Key Internet Hosts and Various Semi-Relevant Reflections)." December 18, 1996. http://www.fish2.com/survey/.

Florencio, Dinei, and Cormac Herley. "Sex, Lies, and Cyber-Crime Surveys." In *Economics of Information Security and Privacy III*, ed. Bruce Schneier. New York: Springer, 2013. https://doi.org/10.1007/978-1-4614-1981-5_3.

Fyodor [pseud.]. "Bugtraq Mailing List." SecLists.Org Security Mailing List Archive. Last accessed May 19, 2019. https://seclists.org/bugtraq/.

——. "Full Disclosure Mailing List." SecLists.Org Security Mailing List Archive. Last accessed May 19, 2019. https://seclists.org/fulldisclosure/.

——. "Zardoz 'Security Digest.'" The "Security Digest" Archives. Last accessed May 19, 2019. http://securitydigest.org/zardoz/.

Garfinkel, Simson, and Heather Richter Lipford. *Usable Security: History, Themes, and Challenges*. San Rafael, CA: Morgan & Claypool, 2014.

Garfinkel, Simson, and Gene Spafford. *Practical Unix Security*. Sebastopol, CA: O'Reilly Media, 1991.〔シムソン・ガーフィンケル、ジーン・スパフォード『UNIX & インターネットセキュリティ』山口英監訳、谷口功訳、オライリー・ジャパン、1998年〕

Gates, Bill. "Trustworthy Computing." *Wired*, January 17, 2002. https://www.wired.com/2002/01/bill-gates-trustworthy-computing/.

Geer, Dan, Rebecca Bace, Peter Gutmann, Perry Metzger, Charles P. Pfleeger, John S. Quarterman, and Bruce Schneier. *CyberInsecurity: The Cost of Monopoly*. Washington, DC: Computer & Communications Industry Association, 2003.

Goffman, Erving. *The Presentation of Self in Everyday Life*. New York: Anchor, 1959.〔E・ゴッフマン『行為と演技——日常生活における自己呈示』石黒毅訳、誠信書房、1974年〕

Gollmann, Dieter. *Computer Security*. New York: Wiley, 2011.

Grigg, Ian. "The Market for Silver Bullets." March 2, 2008. http://iang.org/papers/market_for_silver_bullets.html.

Hafner, Katie, and Matthew Lyon. *Where Wizards Stay Up Late: The Origins of the Internet*. New York: Simon & Schuster, 1996.〔ケイティ・ハフナー、マシュー・ライアン『インターネットの起源』加地永都子・道田豪訳、アスキー、2000年〕

主要参考文献

Abbate, Janet. *Inventing the Internet.* Cambridge, MA: MIT Press, 1999.〔ジャネット・アバテ『インターネットをつくる――柔らかな技術の社会史』大森義行・吉田晴代訳、北海道大学図書刊行会、2002年〕

Abella, Alex. *Soldiers of Reason: The RAND Corporation and the Rise of the American Empire.* Boston: Mariner Books, 2009.〔アレックス・アベラ『ランド 世界を支配した研究所』牧野洋訳、文春文庫、2011年〕

Anderson, James P. *Computer Security Technology Planning Study.* Bedford, MA: Electronic Systems Division, Air Force Systems Command, United States Air Force, 1972.

Anderson, Ross. "Why Information Security Is Hard: An Economic Perspective." Paper presented at the 17th Annual Computer Security Applications Conference, New Orleans, December 10–14, 2001. https://doi.org/10.1109/ACSAC.2001.991552.

Axelsson, Stefan. "The Base-Rate Fallacy and Its Implications for the Difficulty of Intrusion Detection." Paper presented at the 2nd RAID Symposium, Purdue, IN, September 7–9, 1999.

Bell, David Elliot, and Leonard J. LaPadula. *Secure Computer System: Unified Exposition and Multics Interpretation.* Bedford, MA: Electronic Systems Division, Air Force Systems Command, United States Air Force, March 1976.

——. *Secure Computer Systems: Mathematical Foundations.* Bedford, MA: Electronic Systems Division, Air Force Systems Command, United States Air Force, November 1973.

Bellovin, Steven M. "Security Problems in the TCP/IP Protocol Suite." *ACM SIGCOMM Computer Communication Review* 19, no. 2 (April 1, 1989): 32–48. https://doi.org/10.1145/378444.378449.

Bellovin, Steven M., and William R. Cheswick. "Network Firewalls." *IEEE Communications Magazine* 32, no. 9 (1994): 50–57. https://doi.org/10.1109/35.312843.

Bishop, Matt. "A Taxonomy of UNIX System and Network Vulnerabilities." N.p.: May 1995.

——. *Computer Security: Art and Science.* Boston: Addison-Wesley, 2003.

Calem, Robert E. "New York's Panix Service Is Crippled by Hacker Attack." *New York Times*, September 14, 1996. https://archive.nytimes.com/www.nytimes.com/library /cyber/week/0914panix.html.

Campbell-Kelly, Martin. *From Airline Reservations to Sonic the Hedgehog: A History of the Software Industry.* Cambridge, MA: MIT Press, 2003.

Ceruzzi, Paul E. *A History of Modern Computing.* Cambridge, MA: MIT Press, 2003.〔ポール・E・セルージ『モダン・コンピューティングの歴史』宇田理・高橋清美監訳、未來社、2008年〕

Cheswick, William R. "The Design of a Secure Internet Gateway." Paper presented at USENIX Summer Conference, 1990.

Cheswick, William R., and Steven M. Bellovin, *Firewalls and Internet Security: Repelling the*

【ま　行】

【や　行】

【ら・わ　行】

【た　行】

【な　行】

【は　行】

索引

【著者略歴】
アンドリュー・スチュワート（Andrew J. Stewart）
世界的投資銀行幹部。
ロンドン大学ロイヤル・ホロウェイ校でMSc in Information（情報科学修士）を取得。

【訳者略歴】
小林啓倫（こばやし・あきひと）
1973年東京都生まれ。筑波大学大学院修士課程修了。システムエンジニアとしてキャリアを積んだ後、米バブソン大学にてMBA取得。外資系コンサルティングファーム、国内ベンチャー企業などで活動。著書に『FinTechが変える！金融×テクノロジーが生み出す新たな新ビジネス』（朝日新聞出版）など、訳書に『操作される現実』『ドライバーレスの衝撃』『テトリス・エフェクト』（以上、白揚社）『シンギュラリティ大学が教える飛躍する方法』（日経BP）などがある。

A Vulnerable System:
The History of Information Security in the Computer Age
by Andrew J. Stewart
originally published by Cornell University Press

ISBN 978-4-8269-0243-4

情報（じょうほう）セキュリティの敗北史（はいぼくし）
脆弱性（ぜいじゃくせい）はどこから来た（き）のか

二〇二二年十月二十六日　第一版第一刷発行
二〇二四年五月二十一日　第一版第八刷発行

著　者　アンドリュー・スチュワート
訳　者　小林啓倫（こばやしあきひと）
発行者　中村幸慈
発行所　株式会社　白揚社　©2022 in Japan by Hakuyosha
〒101-0062　東京都千代田区神田駿河台1-7
電話03-5281-9772　振替00130-1-25400
装　幀　川添英昭
印刷・製本　中央精版印刷株式会社